S0-AHX-999

*LES LIVRES DES*

# ROIS

*Ce fascicule a été revu, pour le Comité de Direction, par le* R. P. TOURNAY, O. P., *Professeur à l'École Biblique de Jérusalem, et par* M. BERNARD GUYON, *Professeur à l'Université du Caire.*

# LA SAINTE BIBLE

*traduite en français*

sous la direction de l'École Biblique de Jérusalem

## LES LIVRES DES WITHDRAWN

# ROIS

[3-4 Kings]

*traduits par*

## R. DE VAUX, O. P.

Directeur de l'École Biblique

*(2e édition revue)*

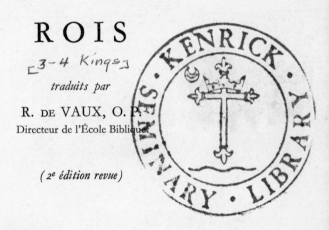

220.54
S156
v.9

## LES ÉDITIONS DU CERF

29, boulevard Latour-Maubourg, Paris

1958

32340

NIHIL OBSTAT :

*Hierosolymis,*

fr. L. H. VINCENT, O. P.,
fr. R. TOURNAY, O. P.

IMPRIMI POTEST :

*Romae,*

fr. E. SUAREZ, O. P.
Mag. Gen.

IMPRIMATUR :

*Lutetiae Parisiorum,
die 17ª junii 1949.*

Petrus BROT,
v. g.

# INTRODUCTION

**Nom et division.** Les éditions imprimées de la Bible hébraïque contiennent deux livres des *Rois,* faisant suite aux deux livres de *Samuel,* mais les manuscrits et les catalogues anciens ne comptent qu'un livre pour les *Rois* et un livre pour *Samuel.* La division des *Rois* en deux livres est artificielle et est modelée sur la disposition de la version grecque qui a réparti le contenu de *Samuel* et *Rois* en quatre livres de longueur à peu près égale, qu'elle intitule *Livres des Règnes.* La Vulgate latine a conservé cet ordre mais a donné à l'ensemble le nom de *Livres des Rois.*

La traduction qu'on présente ici est celle des *Livres I-II des Rois* de la Bible hébraïque, qui correspondent aux *Livres III-IV des Règnes* de la Bible grecque et aux *Livres III-IV des Rois* de la Vulgate.

**Contenu et plan.** Ils prennent l'histoire du peuple élu à la vieillesse de David, au moment où se dénouent, par la désignation et le sacre de Salomon, les intrigues formées pour la succession au trône d'Israël, 1 R **1-2**. Le long récit du règne de Salomon, 1 R **3-11**, fait une entrée glorieuse à la suite des rois : une manière de triptyque détaille complaisamment l'excellence de sa sagesse, la splendeur de ses constructions, surtout du Temple de Jérusalem, l'étendue de ses richesses; les insuccès du règne sont relégués à la fin

7

et présentés comme une punition des fautes religieuses où l'entraîna l'amour des étrangères. Mais le grand châtiment fut la division politique qui, à la mort de Salomon, arracha à l'héritage de David les dix tribus du Nord, constituées en royaume d'Israël, et cette division s'aggrava d'un schisme religieux, 1 R 12-13.

L'histoire des deux royaumes d'Israël et de Juda commence alors, 1 R 14 à 2 R 17. Chaque règne est traité pour lui-même et entièrement, quelle que soit sa durée, puis on reprend le ou les règnes parallèles du royaume frère. Les événements sont ainsi enfermés dans un cadre uniforme, où le début et la fin des règnes sont marqués par des formules à peu près constantes. Pour les rois de Juda, la formule d'introduction contient : le synchronisme de son avènement avec l'année de règne du roi d'Israël son contemporain; l'âge du roi montant sur le trône; la durée de son règne; le nom de sa mère; un jugement religieux sur sa conduite. Pour les rois d'Israël, cette formule donne : le synchronisme de l'avènement avec le règne correspondant de Juda; la durée du règne; un jugement toujours défavorable et comprenant une condamnation générale de sa conduite religieuse et une condamnation particulière de son attachement à la faute originelle de Jéroboam. La formule de conclusion, pour les rois de Juda et d'Israël, comporte : une référence pour plus de détails aux Annales de Juda ou d'Israël; la mention de la mort du roi et de sa sépulture; s'il y a lieu, le nom du fils qui prend légitimement sa succession. L'usage régulier de ces formules cesse naturellement avec la ruine du royaume d'Israël; pour les rois de Juda, on continue de donner la même formule d'introduction, moins le synchronisme avec Israël, et la formule de conclusion est supprimée pour les rois violemment dépossédés par les conquérants étrangers, Joachaz, Joiakîn et Sédécias. Les limites de ce cadre sont parfois violées, à deux reprises elles sont largement débordées par l'insertion de grands ensembles narratifs qui couvrent plusieurs règnes, le cycle d'Élie, 1 R 17 à 2 R 1, et le cycle d'Élisée, 2 R 2 à 13.

Après la disparition du royaume d'Israël, l'histoire de Juda se continue jusqu'à la ruine définitive de Jérusalem, 2 R 18 à 25 21. Le récit s'étend longuement sur deux règnes, celui d'Ézéchias, 2 R 18-20, où sont incorporées des traditions sur le prophète Isaïe, et celui de Josias, 2 R 22-23, à cause de la réforme religieuse à laquelle l'auteur attache une suprême importance.

Cette histoire des Rois s'achève avec la déportation de Juda, 2 R 25 21. Deux courts appendices relatent la nomination puis le meurtre de Godolias, gouverneur de Judée, 25 22-26, et la grâce faite finalement à l'ex-roi Joiakîn, prisonnier des Chaldéens, 25 27-30.

**Chronologie.** Puisque la durée de chaque règne et les synchronismes entre les deux royaumes sont indiqués régulièrement, ces données devraient rendre facile l'établissement d'une chronologie relative, que les événements extérieurs permettraient de rattacher, en dates absolues, à l'histoire de l'Orient ancien. Malheureusement, les synchronismes sont parfois discordants, le total des règnes de Juda entre le schisme et la prise de Samarie ne correspond pas, comme il se devrait, à celui des règnes d'Israël, et les dates les mieux assurées de l'histoire d'Assyrie nous imposent une réduction de certains chiffres bibliques. Les copistes ne paraissent pas être les principaux responsables de cette situation, car l'accord général des versions souligne la fidélité de la tradition textuelle sur ce point. Mais d'autres causes de trouble ont pu intervenir : inexactitudes dans les sources utilisées par l'auteur, co-régences qui ont provoqué l'addition de chiffres qui se recouvraient en partie, interprétation inexacte de certains renseignements, synchronismes calculés à partir de ces données faussées ou sans tenir compte des changements dans le calendrier ou dans le comput des années royales, qui ont pu se produire à des époques différentes en Israël et en Juda. Les rédacteurs secondaires du livre ont remarqué ces discordances et ont cherché à y remédier en retouchant certaines indications chronologiques, mais ils n'ont fait qu'augmenter la confusion par l'application discontinue de systèmes parallèles.

Saint Jérôme renonçait à résoudre un problème aussi compliqué. Plusieurs exégètes modernes se sont spécialement appliqués à cette tâche ingrate. Ils ont éclairci bien des points, mais les résultats divergents auxquels ils aboutissent indiquent que la solution définitive n'est pas encore trouvée. Provisoirement, le plus sage est de prendre pour base les synchronismes avec l'histoire d'Assyrie, qu'on peut établir à un ou deux ans près, et d'ordonner autour de cette charpente la chronologie des deux royaumes en respectant autant que faire se peut les chiffres bibliques.

Les dates absolues que fournit l'histoire assyro-babylonienne sont les suivantes :

853 Bataille de Qarqar, sous le règne d'Achab.
841 Tribut de Jéhu.
738 Tribut de Ménahem.
732 Avènement d'Osée.
721 Chute de Samarie.
701 Invasion de Sennachérib.
597 Première déportation de Juda.
587 Prise de Jérusalem.

Le détail des règnes demeure souvent incertain et il faut considérer comme approximatives les dates qui seront données dans les sous-titres de la traduction et reprises dans le tableau chronologique (p. 245).

**Sources.** L'auteur cite nommément trois de ses sources : une *Histoire de Salomon,* 1 R **11** 41, les *Annales des Rois de Juda* pour chaque règne de Juda depuis Roboam jusqu'à Joiaqim, les *Annales des Rois d'Israël* pour chaque règne d'Israël depuis Jéroboam I$^{er}$ jusqu'à Péqah. Ces trois ouvrages sont perdus. L'*Histoire de Salomon* paraît avoir été une compilation sur le règne du grand roi, écrite dans le siècle qui suivit sa mort. Les *Annales* d'Israël et de Juda ne sont pas les Annales rédigées et conservées dans les chancelleries royales : celles-ci n'étaient pas à la disposition du public et l'auteur n'y renverrait pas les lecteurs désireux d'informations supplémentaires. C'étaient des compositions privées, mais qui avaient elles-mêmes utilisé les archives officielles. Comme ces deux chroniques sont citées jusqu'à la veille de la ruine de Samarie et de la ruine de Jérusalem, chacune aurait été rédigée aux tout derniers temps du royaume qu'elle concerne, mais il est plus vraisemblable que c'étaient des œuvres antérieures, périodiquement mises à jour.

De là proviennent beaucoup des renseignements historiques des livres des *Rois,* mais l'auteur a puisé abondamment à d'autres sources qu'il ne nomme pas et que permettent de distinguer la nature de leur contenu et les particularités de leur style. On ne retiendra ici que les principales. Le récit de l'accession de Salomon au trône, 1 R **1-2**, a été détaché, pour servir d'introduction à son règne, de la grande histoire de la famille de David, qui couvre la majeure partie du second livre de *Samuel ;* ce chef-d'œuvre de la prose hébraïque a été rédigé du vivant de Salomon. La description détaillée du Temple et de son mobilier, 1 R **6-7**, est empruntée à un écrit d'origine sacerdotale.

Deux grands ensembles, surtout, font éclater le cadre ordinaire du livre, ce sont les récits concernant Élie et Élisée. Ils sont de provenance variée. Dans l'histoire d'Élie, 1 R **17** à 2 R **1**, on distingue deux courants : l'un, où Élie joue le principal rôle et où éclate une hostilité violente contre Achab et sa famille, est représenté par les narrations sur la grande sécheresse, 1 R **17-18**, le voyage à l'Horeb, **19**, la vigne de Nabot, **21**, la maladie d'Ochozias, 2 R **1**. Le second courant, où interviennent d'autres prophètes qu'Élie et où Achab, personnage principal, est traité avec plus d'indulgence, se trouve dans l'histoire des guerres araméennes, 1 R **20** et **22**. Le cycle d'Élisée, 2 R **2** à **13**, est moins homogène encore. De la tradition des groupes prophétiques que fréquentait Élisée, proviennent de courts récits et des anecdotes merveil-

leuses, 2 R 2; 4 1-7, 38-44; 6 1-7. Des récits plus longs mettent
en scène Élisée et son serviteur Géhazi : l'histoire de la Shunamite, 4 8-37 + 8 1-6, et la guérison de Naamân, 5. Ce dernier épisode montre déjà Élisée en relations avec les grands
du monde, et sa participation aux affaires publiques est encore
plus accusée dans les histoires d'un autre caractère sur la
guerre moabite, 3, les guerres araméennes, 6 8 à 7 20, l'usurpation de Hazaël, 8 7-15, enfin la rencontre avec Joas, qui précède la mort du prophète, 13 14-21. Cette mention de la mort
d'Élisée est séparée du dernier épisode qui le concernait directement, 8 7-15, par toute l'histoire de la révolution de Jéhu,
9 1 à 10 30, où Élisée n'intervient que tout au début et par
intermédiaire. Cette narration d'origine israélite est elle-même
suivie par l'histoire d'Athalie, 11, où se mêlent deux sources
judéennes, mais où se développent les conséquences qu'eut
en Juda la réaction opérée dans le Nord. Il est clair que chacun
de ces récits eut primitivement une existence indépendante
dans la tradition écrite ou orale, mais il semble que leur groupement, au moins partiel, soit antérieur à la composition des
*Rois*. Il apparaît qu'il y eut une Histoire d'Élie rédigée vers
la fin du IXᵉ siècle, et une Histoire d'Élisée écrite un demi-
siècle plus tard, moins unifiée et d'une moindre qualité littéraire. Ces deux biographies, qui se recouvraient en partie,
ont été coordonnées de telle sorte que nous avons perdu la
fin originale de l'Histoire d'Élie et très probablement le début
de l'Histoire d'Élisée. La combinaison de ces deux ensembles
et l'ordonnance interne de leurs parties ne sont pas nécessai-
rement le fait de l'auteur des *Rois* et celui-ci a peut-être utilisé
et adapté à son cadre un *Corpus* de récits prophétiques, déjà
constitué dans le royaume du Nord.

Les relations détaillées qui meublent le règne d'Ézéchias,
2 R 18 17 à 20 19, et dans lesquelles Isaïe tient une place
importante, proviennent des disciples de ce prophète et c'est
du livre des *Rois* qu'elles sont passées dans celui d'*Isaïe*
(ch. 36-39).

Les rapports entre le livre des *Rois* et celui de *Jérémie* sont plus complexes. Le récit de la ruine de Jérusalem, 2 R 24 18 à 25 21, a été composé d'après de bonnes sources ou des souvenirs exacts et a été emprunté aux *Rois* pour servir de conclusion au livre de *Jérémie* (ch. 52). La répétition presque identique de 2 R 25 1-12 dans Jr 39 1-10, s'explique soit par un nouvel emprunt, soit par l'utilisation d'une même source. Par contre, le récit touchant Godolias est, dans 2 R 25 22-26, un résumé de Jr 40 7 à 41 18 et est conséquemment omis dans Jr 52.

**Intention et doctrine.** Les intentions de l'auteur se manifestent dans la manière dont il utilise ses sources et d'abord par ce qu'il omet ou néglige. De l'expédition du Pharaon Sheshonq en Palestine, 1 R 14 25-28, il ne rapporte que le pillage du Temple et l'enlèvement des boucliers d'or que Salomon avait faits. Il ne dit pas un mot d'un événement aussi important que la bataille de Qarqar (853) et ce sont des documents assyriens qui nous apprennent qu'Achab y aligna 2.000 chars contre l'Assyrie. La ruine du royaume d'Israël est résumée en quatre versets, 2 R 17 3-6. Des règnes aussi importants que ceux d'Omri et de Jéroboam II en Israël, d'Ozias en Juda sont traités avec un laconisme déconcertant : on nous dit seulement d'Omri qu'il bâtit Samarie, de Jéroboam II qu'il rétablit les frontières d'Israël, d'Ozias qu'il mourut lépreux. Les reconquêtes de Josias, le dernier grand roi d'Israël, ses mesures administratives et militaires, cèdent la place à de longs développements sur la réforme religieuse. On pourrait multiplier ces exemples, qui montrent clairement que l'auteur ne se soucie que secondairement des renseignements que les historiens modernes d'Israël recherchent avidement dans son livre : expéditions guerrières, grandes entreprises intérieures, politique profane.

Il écrit une histoire religieuse. Le Temple de Jérusalem retient constamment son intérêt : construction et dédicace sous Salomon, pillages répétés de son trésor, ordonnances de Joas relatives à son entretien, modifications apportées par Achaz, profanation par Manassé, purification par Josias.

Mais le Temple ne le préoccupe que parce qu'il est le centre du culte légitime qu'on doit à Yahvé, et l'auteur trouve les normes de ce culte dans le *Deutéronome*. C'est à ce livre que l'auteur se réfère lorsqu'il parle de la « Loi de Moïse », 1 R 2 3; 2 R 14 6, et il est « le Livre de la Loi » trouvé dans le Temple sous le règne de Josias, en 622, 2 R 22 8. Le récit de cette découverte et de la réforme religieuse qu'elle provoque est le point culminant de l'histoire qu'il écrit et marquait — on le dira plus loin — la fin de la rédaction primitive. Or les articles fondamentaux de cette Loi sont : un seul Dieu, un seul Temple, c'est-à-dire le rejet de toutes les formes du paganisme ambiant et la centralisation du service divin dans un sanctuaire unique. Telles sont les clauses de l'alliance conclue entre Yahvé et son peuple choisi : si celui-ci les observe fidèlement, il sera béni, s'il les transgresse, il sera terriblement châtié.

Moins qu'une histoire en notre sens moderne le livre des *Rois* est une démonstration de cette thèse. Elle s'exprime dans la grande prière de Salomon à la dédicace du Temple, 1 R 8, plus clairement encore dans les réflexions de l'auteur sur la ruine du royaume d'Israël, 2 R 17. La démonstration se poursuit à propos de chaque règne. L'auteur retient les faits qui peuvent lui servir d'arguments et il souligne leur valeur de preuve par son commentaire personnel ou par le jugement qu'il porte dans ses formules d'introduction. La gloire de Salomon est la récompense de sa piété, 1 R 3 10; ses revers et la division des deux royaumes qui suivit sa mort sont la punition de ses infidélités religieuses, 1 R 11 9-13, 31 s. Tous les rois d'Israël sont nommément condamnés; leur grande faute est d'avoir adhéré au « péché originel » du royaume du Nord : l'établissement par Jéroboam du culte des veaux d'or à Dan et à Béthel, comme rival du culte de Jérusalem. Parmi les rois de Juda, héritiers pourtant de David et possesseurs du Temple, huit seulement sont loués pour leur lutte contre les coutumes païennes, leurs mesures en faveur du Temple ou leur fidélité générale aux prescriptions de Yahvé, mais cette louange est six fois restreinte par la remarque que « les hauts lieux ne disparurent pas », c'est-à-dire que restèrent en activité les sanctuaires provinciaux qui contredisaient à la loi du Temple unique. Il n'y a que deux monarques qui reçoivent une approbation sans réserve : Ézéchias, 2 R **18** 3-6, qui s'attaqua le premier aux hauts lieux, et Josias, 2 R **22** 2, parce qu'il supprima les hauts lieux, centralisa le culte à Jérusalem et imposa l'observance du *Deutéronome*.

Ce dernier livre n'a pas seulement fourni le principe d'interprétation des faits et la jauge qui mesure la valeur des hommes, il a souvent dicté le choix des expressions. Les passages propres à l'auteur, lorsqu'il développe ou commente ses sources, se distinguent aisément par un vocabulaire et une phraséologie qui ne se retrouvent que dans le *Deutéronome* et les livres influencés par lui. La parenté du style est si proche que certains exégètes se demandent si l'auteur des *Rois* n'est pas le même qui a donné au *Deutéronome* la forme littéraire sous laquelle il nous est parvenu et qui l'a mis en tête d'une grande histoire qui comprenait, outre les *Rois,* les livres de *Josué,* des *Juges* et de *Samuel*. Si l'on pense, non pas à un auteur unique, mais à un groupe d'auteurs appartenant à la même école de pensée, l'hypothèse paraît convaincante. En tout cas, les rapports étroits qui existent entre les deux livres nous aident à déterminer la date à laquelle furent composés les *Rois*.

**Date de composition et éditions successives.** Nous avons parlé jusqu'ici d'un seul auteur des *Rois,* compilant de nombreuses sources antérieures. En réalité, l'histoire du livre est plus compliquée. Comme le dernier événement rapporté est la grâce faite à Joiakîn par Évil-Mérodak, 2 R **25** 27-30, le livre dans son état actuel ne peut pas être antérieur à l'avènement de ce monarque babylonien, en 561; il faut même descendre quelques années plus bas puisque cette faveur, nous dit-on, fut continuée au roi juif jusqu'à sa mort. Mais d'autres indices témoignent qu'une première rédaction fut achevée avant l'Exil. Le Temple est encore debout et l'on voit « jusqu'à ce jour » l'arche d'alliance, 1 R **8** 8, Édom est soustrait à la domination de Juda « jusqu'à ce jour », 2 R **8** 22, les promesses renouvelées faites à la dynastie de David supposent qu'un de ses descendants est assis sur le trône; surtout, l'enthousiasme avec lequel est décrite la réforme religieuse de Josias se comprendrait mal lorsque la ruine du royaume, de Jérusalem et du Temple eurent infligé un si cruel démenti aux espoirs qu'elle encourageait et opposé une si forte objection à la thèse de rétribution que l'auteur défend. Il est difficile d'admettre que tous ces indices, spécialement le dernier qui touche de si près à la structure même du livre, caractérisent non la rédaction mais les sources dont l'auteur s'est servi. Une première édition du livre aurait donc été composée entre la découverte du *Deutéronome* en 622 (voir 2 R **22** 8 s) et le premier siège de Jérusalem, qui marque le début des grands malheurs de la nation, en 597. Peut-être même fut-il écrit avant la fin tragique de Josias à Mégiddo, en 609, cf. 2 R **22** 20, et la louange décernée au roi, 2 R **23** 25 (moins les derniers mots) serait la conclusion de cette première rédaction. On a supposé qu'une partie des éléments qu'elle utilise avait déjà été réunie dans un livre « pré-deutéronomique » des Rois, mais cette hypothèse ne peut pas être démontrée. Encore moins peut-on prouver que cette œuvre supposée était la continuation du « document » yahviste-élohiste du Pentateuque.

La personnalité de l'auteur principal transparaît dans son œuvre. C'était un homme de Jérusalem, animé d'un esprit national, surtout dévot du Temple et entièrement acquis aux idées de réforme religieuse, probablement un prêtre. Mais il reste anonyme. La tradition juive l'a identifié à Jérémie à cause des rapports de son livre avec celui du prophète. Seulement, le rapprochement le plus frappant se fait dans les deux derniers chapitres qui n'appartenaient pas à l'écrit primitif et il s'explique — on l'a dit — par des emprunts réciproques que firent les éditeurs des deux livres; d'autres contacts entre *Rois* et *Jérémie* se trouvent dans 2 R **17** 7<sup>b</sup>-18, qui dépend derechef d'une rédaction postérieure. Quant aux autres ressemblances de style et d'idées, elles s'expliquent parce que les auteurs vivaient à la même époque et étaient animés en partie du même esprit.

Une seconde édition fut donnée pendant l'Exil, après 561 si on lui attribue la fin actuelle du livre, 2 R **25** 22-30, un peu plus tôt peut-être si on l'arrête après le récit de la seconde déportation, à 2 R **25** 21, qui a l'allure d'une conclusion. Le schéma ordinaire du livre a été continué jusqu'au dernier roi de Juda, avec cependant moins de fixité dans les formules d'introduction et de conclusion à chaque règne. L'esprit reste le même, il est « deutéronomique », mais la ruine accomplie de Jérusalem, châtiment divin prédit par les prophètes, a rendu le rédacteur plus sévère pour Juda et il a révisé certains passages antérieurs; sa main se reconnaît, par exemple, dans 2 R **21** 7-15 ou 2 R **22** 16-17. En vérité les deux royaumes sont également coupables, 2 R **17** 7-20, mais aussi Israël bénéficie comme Juda de la miséricorde divine, 2 R **13** 4-5 et 23. D'autres additions encore remontent peut-être à ce rédacteur.

Mais l'histoire du livre ne s'arrête pas là, et il a reçu de nombreuses retouches. S'ils n'appartenaient pas déjà à la seconde édition, les deux appendices sur Godolias et sur Joiakîn, 2 R **25** 22-30, ont été ajoutés pendant l'Exil. On a, après le retour de Babylone, développé la grande prière de Salomon, 1 R **8** 41-51. Ces retouches, lorsqu'elles sont brèves, ne se distinguent pas des gloses insérées par des lecteurs ou des scribes. Certaines sont postérieures à l'établissement de la traduction grecque.

**Texte et versions.** Le texte hébreu (*H*) des *Rois* nous a été conservé dans un état moyennement pur; il n'est franchement mauvais qu'en certains passages, comme 1 R **7**, où les descriptions techniques du mobilier du Temple ont dérouté les copistes. On peut parfois le rétablir en utilisant l'hébreu des passages parallèles des *Chroniques,* d'*Isaïe* et de *Jérémie.*

Mais les Versions anciennes fournissent le meilleur instrument de correction. Parmi elles, la version grecque des Septante (*G*), qui est la plus ancienne (200-150 av. J. C.), rend le plus de services, surtout lorsqu'on s'attache aux manuscrits (*G ancien*) qui ont été le moins influencés par le travail de comparaison entre le grec et l'hébreu qu'Origène fit au IIIe siècle de notre ère. Un groupe de manuscrits représente une recension faite par le prêtre d'Antioche, Lucien, à la fin du IIIe siècle (recension lucianique, *G*[L]). Ce texte grec, si remanié qu'il soit, reste le témoin d'une traduction autre que les Septante et remontant à un original hébreu différent; il fournit souvent des leçons intéressantes.

Les autres versions faites directement sur l'hébreu apportent d'utiles contributions : le Targum araméen (*Targ*) paraphrase cependant trop volontiers; la Peshitta syriaque (*Syr*) suit un texte conforme à l'hébreu canonisé par les Massorètes et se rencontre souvent avec le Targum et les Septante; la Vulgate latine de saint Jérôme (*Vulg*) est élégante et fidèle.

Les versions en copte, éthiopien, arménien et arabe sont filles de la traduction grecque et ne peuvent guère servir qu'à confirmer le choix d'une leçon. L'ancienne version latine (*VetLat*) antérieure à saint Jérôme, dont ne subsistent que des fragments, a l'intérêt de représenter la même tradition que la recension lucianique.

**Le livre dans l'Église.** Les deux livres des *Rois* ont très peu retenu l'attention des anciens Pères. En dehors de remarques occasionnelles, on ne trouve à citer que saint Éphrem, qui les a commentés en syriaque, et Théodoret, qui leur a consacré une partie de ses *Questions sur les Livres des Rois et des Paralipomènes*. Au Moyen Age, l'intérêt se fit plus vif et les livres furent l'objet d'un certain nombre de commentaires, surtout moralisants, depuis Bède le Vénérable (IXe siècle) jusqu'à Nicolas de Lyre (XIVe siècle). L'époque moderne s'est préoccupée surtout de tirer de l'ouvrage les éléments d'une histoire d'Israël et de le confronter avec les découvertes de l'Orientalisme. Dans bien des cas, celles-ci attestent la véracité des faits rapportés mais on ne tirera jamais qu'une histoire incomplète d'un livre dont l'auteur poursuivait un but essentiellement religieux.

Au point de vue littéraire, l'ouvrage souffre des inconvénients de toute compilation : inégalité du style, disproportion des parties, mais son avantage est de nous conserver de nombreux fragments de l'ancienne littérature hébraïque et, parmi eux, la fin de la belle histoire de David ou les admirables morceaux sur Élie. Cependant son intérêt le plus profond et le plus durable reste religieux, comme l'a voulu l'auteur.

Pendant ces quatre siècles, traversés par tant de révolutions et de guerres, d'autres luttes se poursuivent à un plan surhumain : lutte entre Yahvé et Baal avec sa séquelle, lutte entre le bon vouloir divin et la perversité obstinée de ceux qu'il a choisis pour être siens, lutte en Dieu même entre les attraits de sa miséricorde et les exigences de sa justice. La ruine successive des deux fractions du peuple paraît certes tenir en échec le dessein de Dieu, mais il y a toujours pour sauvegarder l'avenir un groupe de fidèles qui n'ont pas plié le genou devant Baal, un reste de Sion qui garde l'Alliance. La stabilité des résolutions divines se manifeste dans la permanence étonnante de la lignée davidique, dépositaire des promesses messianiques, et le livre se clôt sur la grâce faite à Joiakîn, symbole de la fin de la Captivité, aurore du salut. Comme les premiers lecteurs du livre des Rois, nous avons besoin de reconnaître ainsi, sous tant d'apparences contraires, la main de Dieu dans l'histoire du monde.

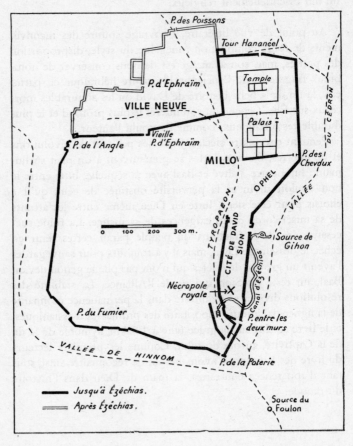

Labels visible on the map:

- P. des Poissons
- Tour Hananéel
- Temple
- P. d'Ephraïm
- VILLE NEUVE
- Palais
- DU CÉDRON
- Vieille P. d'Ephraïm
- P. de l'Angle
- MILLO
- P. des Chevaux
- OPHEL
- VALLÉE
- TYROPAEON
- CITÉ DE DAVID SION
- Source de Gihon
- Canal d'Ezéchias
- Nécropole royale
- P. du Fumier
- P. entre les deux murs
- VALLÉE DE HINNOM
- P. de la Poterie
- Source du Foulon
- 0   100   200   300 m.

Legend:
——— Jusqu'à Ézéchias.
═══ Après Ézéchias.

Fig. 1. — Plan de Jérusalem à l'époque royale.

# LES LIVRES DES ROIS

## PREMIER LIVRE DES ROIS

### I

## *LA SUCCESSION DE DAVID*[a]

**1.** [1] Le roi David était
**Vieillesse de David**
**et menées d'Adonias.**
un vieillard avancé en âge;
on lui mit des couvertures
sans qu'il pût se réchauffer.
[2] Alors ses serviteurs lui dirent : « Qu'on cherche pour
Monseigneur le roi une jeune fille qui assiste le roi et qui
le soigne : elle couchera sur ton sein et cela tiendra chaud
à Monseigneur le roi. » [3] Ayant donc cherché une belle
jeune fille dans tout le territoire d'Israël, on trouva Abishag
de Shunem et on l'amena au roi. [4] Cette jeune fille était
extrêmement belle; elle soigna le roi et le servit, mais il ne
la connut pas. [5] Or Adonias[b], le fils de Haggit, jouait au
prince, pensant qu'il régnerait; il s'était procuré char et
attelage et cinquante gardes qui couraient devant lui. [6] De
sa vie, son père ne l'avait affligé en disant : « Pourquoi
agis-tu ainsi ? » Il avait lui aussi[c] très belle apparence et

---

*a*) Les ch. **1-2** sont la fin du grand récit de la succession au trône de
David, qui a commencé à 2 S **9-20**.

*b*) Adonias, fils de David et de Haggit, 2 S **3** 4, était devenu l'aîné par
la mort d'Amnon et d'Absalom et prétendait au trône. Il adopte le même
train royal qu'Absalom préparant sa révolte, 2 S **15** 1.

*c*) Comme Abishag, v. 4, qu'Adonias désirera bientôt, **2** 17.

sa mère l'avait enfanté après Absalom. [7] Il s'aboucha avec
Joab fils de Çeruya et avec le prêtre Ébyatar[a], qui se ral-
lièrent à la cause d'Adonias ; [8] mais ni le prêtre Sadoq, ni
Benayahu fils de Yehoyada, ni le prophète Natân, ni Shi-
méï et ses compagnons, les preux de David, n'étaient avec
Adonias[b].

[9] Un jour qu'Adonias immolait des moutons, des bœufs
et des veaux gras à la Pierre-qui-glisse, qui est près de la
source du Foulon[c], il invita tous ses frères, les princes
royaux, et tous les Judéens au service du roi, [10] mais il
n'invita pas le prophète Natân, ni Benayahu, ni les preux,
ni son frère Salomon.

**L'intrigue de Natân
et de Bethsabée.**

[11] Alors Natân dit à Bethsabée, la mère de Salomon :
« N'as-tu pas appris qu'Adonias fils de Haggit est devenu
roi à l'insu de notre seigneur David ? [12] Eh bien ! laisse-
moi te donner maintenant un conseil, pour que tu sauves
ta vie et celle de ton fils Salomon. [13] Va, entre chez le roi
David, et dis-lui : ' N'est-ce pas toi, Monseigneur le roi,
qui as fait ce serment à ta servante[d] : Ton fils Salomon

---

**1** 6. « *sa mère* » ajouté par *conj.*

8. « *et ses compagnons* » wᵉréʻayw G[L] ; « *et Réʻi* » wᵉréʻy H.

---

*a*) Joab, neveu de David et son vieux compagnon de guerre, était resté
chef de l'armée bien qu'il eût plusieurs fois risqué la disgrâce pour ses
actes de violence; Ébyatar, seul survivant du sacerdoce de Nob, 1 S **22** 20,
et attaché dès le début à David, lui était toujours resté fidèle.

*b*) Un parti est opposé à Adonias et soutient son jeune frère Salomon.
Des questions personnelles interviennent : Sadoq est rival d'Ébyatar avec
qui il partage le sacerdoce; Benayahu, chef de la garde et l'un des preux
de David, est jaloux de Joab, chef de l'armée; Natân a été l'intermédiaire
de Dieu auprès de David, spécialement lors de la naissance de Salomon,
2 S **12** 24-25.

*c*) Dans le lit du Cédron, non loin de l'angle sud-est de l'ancienne
Jérusalem.

*d*) Ce serment n'est pas mentionné dans l'histoire précédente de David,

régnera après moi et c'est lui qui s'assiéra sur mon trône ?
Comment donc Adonias est-il devenu roi ? ' [14] Et pendant
que tu seras là, conversant encore avec le roi, j'entrerai
après toi et j'appuierai tes paroles. »

[15] Bethsabée se rendit chez le roi dans sa chambre (il
était très vieux et Abishag de Shunem le servait). [16] Elle
s'agenouilla et se prosterna devant le roi, et le roi dit :
« Que désires-tu ? » [17] Elle lui répondit : « Monseigneur,
tu as juré à ta servante par Yahvé ton Dieu : ' Ton fils
Salomon régnera après moi, et c'est lui qui s'assiéra sur
mon trône.' [18] Voici maintenant qu'Adonias est devenu
roi, et toi, Monseigneur le roi, tu n'en saurais rien ! [19] Car
il a immolé quantité de bœufs, de veaux gras et de moutons,
et il a invité tous les princes royaux, le prêtre Ébyatar, le
général Joab, mais ton serviteur Salomon, il ne l'a pas
invité ! [20] Pourtant c'est vers toi, Monseigneur le roi, que
tout Israël regarde pour que tu lui désignes le successeur
de Monseigneur le roi[a]. [21] Et quand Monseigneur le roi
sera couché avec ses pères, moi et mon fils Salomon, nous
expierons cela ! »

[22] Elle parlait encore que le prophète Natân arriva. [23] On
annonça au roi : « Le prophète Natân est là. » Il entra chez
le roi et se prosterna devant lui, la face contre terre.

---

mais il est contraire au texte et à la vraisemblance de supposer que cette
promesse n'avait jamais été faite et que Natân et Bethsabée ont monté
une cabale. Bethsabée était l'épouse préférée de David et il est naturel
qu'il ait désigné le fils de celle-ci pour lui succéder, cf. le cas analogue de
Roboam et d'Abiyya, 2 Ch **11** 21-22; mais c'était une promesse privée
qu'il faut transformer en déclaration officielle.

*a*) L'ordre de succession au trône n'était pas encore réglé par le droit.
Saül et David avaient été les élus de Dieu et du peuple. Au moment où
la monarchie va devenir héréditaire, la primogéniture n'apparaît pas comme
un titre suffisant et on attend que le roi lui-même choisisse entre ses fils.
Il est possible aussi que ce choix n'avait à s'exercer que lorsque le premier-
né, héritier normal, cf. Dt **21** 15-17, était mort, comme l'était Amnon, le
premier-né de David, 2 S **13** 28-29.

[24] Natân dit : « Monseigneur le roi, tu as donc décrété : ' Adonias régnera après moi et s'assiéra sur mon trône ' ! [25] Car il est descendu aujourd'hui, il a immolé quantité de bœufs, de veaux gras et de moutons et il a invité tous les princes royaux, les officiers de l'armée et le prêtre Ébyatar; les voilà qui mangent et boivent en sa présence et qui crient : ' Vive le roi Adonias ! ' [26] Mais moi ton serviteur, le prêtre Sadoq, Benayahu fils de Yehoyada et ton serviteur Salomon, il ne nous a pas invités. [27] Se peut-il que la chose vienne de Monseigneur le roi et que tu n'aies pas fait savoir à tes fidèles qui succéderait sur le trône à Monseigneur le roi ? »

**Salomon, désigné par David, est sacré roi.**

[28] Le roi David prit la parole et dit : « Appelez-moi Bethsabée. » Elle entra chez le roi et se tint devant lui. [29] Alors le roi lui fit ce serment : « Par Yahvé vivant, qui m'a délivré de toutes les angoisses, [30] comme je t'ai juré par Yahvé, Dieu d'Israël, que ton fils Salomon régnerait après moi et s'assiérait à ma place sur le trône, ainsi ferai-je aujourd'hui même. » [31] Bethsabée s'agenouilla, la face contre terre, se prosterna devant le roi et dit : « Vive à jamais Monseigneur le roi David ! » [32] Puis le roi David dit : « Appelez-moi le prêtre Sadoq, le prophète Natân et Benayahu fils de Yehoyada. » Ils entrèrent chez le roi [33] et celui-ci leur dit : « Prenez avec vous la garde royale, faites monter mon fils Salomon sur ma propre mule et faites-le descendre à Gihôn[a]. [34] Là, le prêtre Sadoq et le prophète Natân lui donneront l'onction comme roi d'Israël, vous sonnerez du cor et vous crierez : ' Vive le roi Salomon ! ' [35] Vous remonterez à sa

---

a) La source de Gihôn est la Fontaine de la Vierge de la tradition chrétienne, dans le Cédron, au pied de la colline de Sion.

suite, il entrera s'asseoir sur mon trône et régnera à ma place *a*, car c'est lui que j'ai institué chef sur Israël et sur Juda *b*. » ³⁶ Benayahu fils de Yehoyada répondit au roi : « Amen ! Que Yahvé dise ainsi Amen aux paroles de Monseigneur le roi ! ³⁷ Comme Yahvé a été avec Monseigneur le roi, qu'il soit avec Salomon et qu'il magnifie son trône encore plus que le trône de Monseigneur le roi David ! »

³⁸ Le prêtre Sadoq, le prophète Natân, Benayahu fils de Yehoyada, les Kerétiens et les Pelétiens *c* descendirent; ils mirent Salomon sur la mule du roi et ils le menèrent à Gihôn. ³⁹ Le prêtre Sadoq prit dans la Tente *d* la corne d'huile et oignit Salomon *e*, on sonna du cor et tout le

---

36. « *Que Yahvé... le roi* » *G VetLat Copte* ; « *Qu'ainsi dise Yahvé, le Dieu de Monseigneur le roi* » *H.*

---

*a*) David ne désigne pas seulement Salomon pour son successeur, il lui transmet effectivement le pouvoir par les cérémonies qu'il ordonne et qui vont se dérouler dans cet ordre : cortège officiel, onction, annonce à son de trompe, acclamation populaire, intronisation, hommage des grands officiers. Il est intéressant de comparer le sacre de Joas, 2 R **11** 12-20 : on y retrouve les mêmes actes du cérémonial officiel qui a réglé l'avènement de tous les rois de Juda et probablement de ceux d'Israël.

*b*) Salomon sera roi sur Israël *et* sur Juda, comme l'avait été David, 2 S **5** 5. C'est une monarchie dualiste, un Royaume-Uni, cf. **4** 19, dont les deux éléments ne se sont jamais combinés et se séparcront après la mort de Salomon.

*c*) Les K*e*réti et les P*e*léti, 2 S **8** 18; **15** 18; **20** 7, 23, étaient des mercenaires étrangers qui composaient la garde personnelle de David. Les P*e*léti étaient recrutés parmi les Philistins, les K*e*réti leur étaient apparentés et venaient d'une région voisine de la Philistie, cf. le Négeb des K*e*réti, 1 S **30** 14. Ils ne sont plus mentionnés après l'avènement de Salomon.

*d*) La Tente érigée par David pour recevoir l'arche d'alliance, 2 S **6** 17, était le sanctuaire de Jérusalem avant la construction du Temple. C'est là que se réfugiera Adonias, **1** 50. Ce dernier texte et le présent passage rendent vraisemblable qu'elle se dressait près de la source de Gihôn.

*e*) L'onction est la cérémonie essentielle du sacre. Elle est donnée par un homme de Dieu, prêtre ou prophète, 1 S **10** 1; **16** 13; 2 R **9** 3; **11** 12. Elle s'accompagne d'une venue de l'Esprit, 1 S **10** 10; **16** 13. Le roi est l'Oint de Yahvé, 1 S **24** 7; **26** *passim* ; 2 S **1** 14; **19** 22; Lm **4** 20; Ps **18** 51; **20** 7, etc. L'onction fait du roi une personne consacrée en relation spéciale

peuple cria : « Vive le roi Salomon ! » [40] Puis tout le peuple monta à sa suite, et le peuple jouait de la flûte et manifestait une grande joie, avec des clameurs à fendre la terre.

**La peur d'Adonias.**

[41] Adonias et tous ses convives entendirent le bruit[a]; ils avaient alors fini de manger. Joab aussi entendit le son du cor et demanda : « Pourquoi cette rumeur de la ville en émoi ? » [42] Comme il parlait encore, voici qu'arriva Yonatân, le fils du prêtre Ébyatar, et Adonias dit : « Viens ! car tu es un honnête homme et tu dois apporter une bonne nouvelle. » [43] Yonatân répondit : « Ah oui ! notre seigneur le roi David a fait roi Salomon ! [44] Le roi a envoyé avec lui le prêtre Sadoq, le prophète Natân, Benayahu fils de Yehoyada, les Kerétiens et les Pelétiens, ils l'ont mis sur la mule du roi, [45] le prêtre Sadoq et le prophète Natân l'ont sacré roi à Gihôn, ils sont remontés de là en poussant des cris de joie et la ville est en émoi; voilà le bruit que vous avez entendu. [46] Plus que cela : Salomon s'est assis sur le trône royal, [47] et les officiers du roi sont venus féliciter notre seigneur le roi David en disant : ' Que ton Dieu glorifie le nom de Salomon plus encore que ton nom et qu'il exalte son trône plus que le tien ! ' et le roi s'est prosterné sur son lit, [48] et puis il a parlé ainsi : ' Béni soit Yahvé, Dieu d'Israël, qui a permis que mes yeux voient aujourd'hui l'un de mes descendants assis sur mon trône '. »

---

48. « *de mes descendants* » G ; *omis par H.*

---

avec Yahvé et inviolable, 1 S **24** 7, 11 ; **26** 9, 11, 23 ; cf. 2 S **1** 14, 16. « Oint » se dit en hébreu *mâšîaḥ,* que nous transcrivons « Messie ». Tout roi d'Israël est un « messie », mais le mot deviendra finalement le titre exclusif du Roi Sauveur de l'avenir, le Messie.

*a)* De la source du Foulon, v. 9, on pouvait entendre la « fantasia » de Gihôn, qui est à 600 m., mais l'encaissement de la vallée et sa courbe légère empêchaient de voir ce qui s'y passait.

⁴⁹ Alors tous les invités d'Adonias furent pris de panique, ils se levèrent et partirent chacun de son côté. ⁵⁰ Pour Adonias, il eut peur de Salomon, il se leva et s'en alla saisir les cornes de l'autel*a*. ⁵¹ On en informa ainsi Salomon : « Voici qu'Adonias a eu peur du roi Salomon et qu'il a saisi les cornes de l'autel en disant : Que le roi Salomon me jure d'abord qu'il ne fera pas mourir son serviteur par l'épée. » ⁵² Salomon dit : « S'il se conduit en honnête homme, pas un de ses cheveux ne tombera à terre, mais si on le trouve en défaut, alors il mourra. » ⁵³ Et Salomon ordonna qu'on le fît descendre de l'autel; il vint se prosterner devant Salomon qui lui dit : « Va dans ta maison. »

**Testament et mort de David** *b*. 

2. ¹ Comme la vie de David approchait de sa fin, il fit ces recommandations à son fils Salomon : ² « Je m'en vais par le chemin de tout le monde. Sois fort et montre-toi un homme ! ³ Tu suivras les observances de Yahvé ton Dieu, en marchant selon ses voies, en gardant ses lois, ses commandements, ses ordonnances et ses instructions, selon qu'il est écrit dans la Loi de Moïse*c*, afin de réussir en toutes tes œuvres et tous tes projets, ⁴ pour que Yahvé

---

*a*) L'autel est devant la Tente de l'Arche, cf. sur le v. 39. Les « cornes » ou protubérances saillantes aux quatre coins de l'autel ont une sainteté éminente. Adonias invoque le droit d'asile dont jouissent le sanctuaire et particulièrement l'autel; Joab fera de même **2** 28. Ce droit est réglé par la Loi, Ex **21** 13-14.

*b*) Ce « testament » où David confie à Salomon l'exécution de ses vengeances personnelles a choqué les anciens (les versions en font foi) et peut choquer les modernes. Il faut tenir compte du milieu moral de l'A. T. avec ses idées sur la vengeance du sang et l'efficacité durable des malédictions, voir ci-dessous, **2** 8, mais on doit reconnaître que ce dernier acte jette une ombre sur la mémoire du roi.

*c*) Référence générale au Deutéronome, dans lequel reviennent fréquemment toutes les expressions redondantes des vv. 3 et 4. C'est l'un des rares endroits de ces deux ch. où le rédacteur des Rois a retouché la source ancienne, voir l'Introduction, p. 15.

accomplisse cette promesse qu'il m'a faite[a] : ' Si tes fils surveillent leur conduite en marchant loyalement devant moi, de tout leur cœur et de toute leur âme, tu ne manqueras jamais de quelqu'un sur le trône d'Israël. '

⁵ « Tu sais aussi ce que m'a fait Joab fils de Çeruya, ce qu'il a fait aux deux chefs de l'armée d'Israël, Abner fils de Ner et Amasa fils de Yéter, comment il les a tués, comment il a vengé pendant la paix le sang de la guerre et taché d'un sang innocent le ceinturon de mes reins et la sandale de mes pieds[b]; ⁶ tu agiras sagement en ne laissant pas ses cheveux blancs descendre en paix au shéol. ⁷ Quant aux fils de Barzillaï le Galaadite, tu les traiteras avec bonté et ils seront parmi ceux qui mangent à ta table, car ils m'ont ainsi secouru quand je fuyais devant ton frère Absalom[c]. ⁸ Tu as près de toi Shiméï fils de Géra, le Benjaminite de Bahurim, qui m'a maudit atrocement au jour de mon départ pour Mahanayim, mais il est descendu à ma rencontre au Jourdain et je lui ai juré par Yahvé que je ne le tuerais pas par l'épée[d]. ⁹ Pour toi, tu ne le laisseras pas impuni et, en homme avisé que tu es, tu sauras quoi lui

---

**2** 5. *La fin du v. est corrigée d'après G*ᴸ *et VetLat ; H :* « *comment il a mis pendant la paix le sang de la guerre et taché du sang de la guerre le ceinturon de ses reins et la sandale de ses pieds* ».

9. « *Pour toi* » wᵉ'attah *G*ᴸ *Vulg ;* « *Et maintenant* » wᵉ'attah *H.*

*a*) C'est la prophétie de Natân, 2 S **7** 11-16.

*b*) Joab est l'auteur de deux meurtres crapuleux, 2 S **3** 27 et **20** 10. Ces crimes ont souillé l'honneur militaire de David et on a pu l'accuser d'être leur instigateur, 2 S **16** 17. Il y a donc une vengeance du sang qui pèse sur le roi et sur ses descendants : le seul moyen de l'éteindre est de frapper le vrai coupable.

*c*) Voir 2 S **17** 27 s et **19** 32 s.

*d*) Voir 2 S **16** 5 s et **19** 19-24. La malédiction de Shiméï pèsera sur les descendants de David, car une malédiction (comme une bénédiction) reste efficace. Pour la rendre vaine, il faut la retourner contre son auteur (ci-dessous, vv. 44-45). David en a été empêché par son serment, mais Salomon n'est pas lié.

faire pour conduire dans le sang ses cheveux blancs au
shéol. »

¹⁰ Et David se coucha avec ses pères et on l'ensevelit
dans la Cité de David. ¹¹ Le règne de David sur Israël a
duré quarante ans : à Hébron il a régné sept ans, à Jérusalem il a régné trente-trois ans[a].

‖ ı Ch **29** 26-
27

**Mort d'Adonias.**

¹² Salomon s'assit sur le
trône de David son père et son
pouvoir devint très ferme.

¹³ Adonias fils de Haggit se rendit chez Bethsabée, mère
de Salomon, et se prosterna devant elle. Elle demanda :
« Est-ce la paix que tu apportes ? » Il répondit : « Oui. »
¹⁴ Il dit : « J'ai à te parler. » Elle dit : « Parle. » ¹⁵ Il reprit :
« Tu sais bien que la royauté me revenait[b] et que tout
Israël s'attendait à ce que je règne, mais la royauté m'a
échappé et est échue à mon frère, car elle lui est venue de
Yahvé. ¹⁶ Maintenant, j'ai une seule demande à te faire,
ne me rebute pas. » Elle lui dit : « Parle. » ¹⁷ Il reprit :
« Dis, je te prie, au roi Salomon — car il ne te rebutera
pas — qu'il me donne Abishag de Shunem pour femme. »
¹⁸ Elle répondit : « C'est bien, je parlerai de toi au roi. »
¹⁹ Bethsabée se rendit donc chez le roi Salomon pour lui
parler d'Adonias, et le roi se leva à sa rencontre et se
prosterna devant elle, puis il s'assit sur son trône, on mit
un siège pour la mère du roi et elle s'assit à sa droite[c].

---

13. « *et se prosterna devant elle* » G ; *omis par* H.
19. « *on mit* » G Syr ; « *il mit* » H.

---

*a*) Les vv. 10-11 interrompent le récit ancien et sont une note rédactionnelle qui s'inspire de 2 S **5** 4-5. Le total, 40 ans, est un chiffre rond, la
durée d'une génération. On ne sait pas combien de temps s'est écoulé
entre le sacre de Salomon et la mort de David.

*b*) Voir les notes sur **1** 5 et 20.

*c*) Ces honneurs contrastent avec l'humble réception de Bethsabée par
David, **1** 16, 31. Salomon ne lui témoigne pas seulement un respect

²⁰ Elle dit : « Je n'ai qu'une petite demande à te faire, ne me rebute pas. » Le roi lui répondit : « Demande, ô ma mère, car je ne te rebuterai pas. » ²¹ Elle continua : « Qu'on donne Abishag de Shunem pour femme à ton frère Adonias. » ²² Le roi Salomon reprit et dit à sa mère : « Et pourquoi demandes-tu pour Adonias Abishag de Shunem ? Demande donc pour lui la royauté[a] ! Car il est mon frère aîné et il a pour lui le prêtre Ébyatar et Joab fils de Çeruya ! » ²³ Et le roi Salomon jura ainsi par Yahvé : « Que Dieu me fasse tel mal et y ajoute encore tel autre[b], si ce n'est pas au prix de sa vie qu'Adonias a prononcé cette parole ! ²⁴ Eh bien, par Yahvé vivant, qui m'a confirmé et fait asseoir sur le trône de mon père David et qui lui a donné une maison[c] comme il avait promis, aujourd'hui même Adonias sera mis à mort. » ²⁵ Et le roi Salomon en chargea Benayahu fils de Yehoyada, qui le frappa, et il mourut.

**Le sort d'Ébyatar et de Joab.**

²⁶ Quant au prêtre Ébyatar, le roi lui dit : « Va à Anatot[d] dans ton domaine, car tu mérites la mort, mais

---

22. « *et il a pour lui le prêtre Ébyatar* » G Syr Vulg ; « *et pour lui et pour le prêtre Ébyatar* » H.
24. « *lui a donné* » conj.; « *m'a donné* » H.

---

filial. La « mère du roi » avait un rang officiel et des pouvoirs qui dépassaient ceux qu'une mère a sur son fils. Elle portait le titre de *gᵉbîrah,* la « Grande Dame », cf. la note sur **15** 13.

*a*) Le harem du roi défunt passe à son successeur, et posséder l'une des femmes du roi mort ou destitué peut conférer un titre à toute la succession, cf. 2 S **3** 7-8; **12** 8; **16** 21-22. Sans doute, Abishag n'avait pas été la concubine de David, **1** 4, mais l'opinion publique la tenait pour telle.

*b*) En prononçant cette malédiction, on précisait les maux qu'on appelait sur soi mais le rédacteur, craignant de les attirer sur lui-même, s'est contenté d'une formule vague, voir **19** 2; **20** 10; 2 R **6** 31.

*c*) Hébraïsme : une descendance.

*d*) Ville lévitique près de Jérusalem, où naîtra Jérémie, Jr **1** 1.

je ne te ferai pas mourir aujourd'hui, car tu as porté l'arche
de Yahvé en présence de mon père David et partagé toutes
les épreuves de mon père. » ²⁷ Et Salomon exclut Ébyatar
du sacerdoce de Yahvé, accomplissant ainsi la parole que
Yahvé avait prononcée contre la maison d'Éli à Silo ª.

²⁸ Lorsque la nouvelle parvint à Joab, — car Joab avait
pris parti pour Adonias bien qu'il n'eût pas pris parti
pour Absalom, — il s'enfuit à la Tente de Yahvé et saisit
les cornes de l'autel ᵇ. ²⁹ On avertit le roi Salomon : « Joab
s'est réfugié à la Tente de Yahvé et voici qu'il est à côté
de l'autel. » Alors Salomon envoya dire à Joab : « Qu'est-ce
qui t'a pris de fuir à l'autel ? » Joab répondit : « J'ai eu
peur de toi et je me suis réfugié près de Yahvé. » Alors
Salomon envoya Benayahu fils de Yehoyada en disant :
« Va et frappe-le ! » ³⁰ Benayahu alla à la Tente de Yahvé
et lui dit : « Par ordre du roi, sors ! » Il répondit : « Non,
je mourrai ici ᶜ. » Benayahu rapporta la chose au roi :
« Voilà ce que Joab a dit et ce qu'il m'a répondu. » ³¹ Le
roi lui dit : « Fais comme il a dit; frappe-le, puis enterre-le.
Ainsi tu ôteras aujourd'hui de sur moi et de sur ma famille
le sang innocent qu'a versé Joab. ³² Yahvé fera retomber
son sang sur sa tête parce qu'il a frappé deux hommes plus
justes et meilleurs que lui et les a tués par l'épée à l'insu
de mon père David : Abner fils de Ner, chef de l'armée

---

29. *Le passage « envoya dire à Joab... envoya Benayahu » est omis par H et
restitué d'après G.*
31. *« aujourd'hui » G ; omis par H.*

---

*a*) 1 S **2** 30-36.
*b*) Comme avait fait Adonias, **1** 50.
*c*) Benayahu a tenté d'appliquer la procédure d'Ex **21** 14 qui vise exactement le cas de Joab : « Si un homme tue son prochain par ruse, tu l'arra-
cheras même de mon autel pour le faire mourir », mais Joab veut infliger
à Salomon l'odieux d'une profanation du lieu saint. Cf. 2 R **11** 15-16 où
Athalie est entraînée hors du Temple pour être mise à mort.

d'Israël, et Amasa fils de Yéter, chef de l'armée de Juda[a].
[33] Que leur sang retombe sur la tête de Joab et de sa postérité à jamais, mais que David et sa postérité et sa dynastie
et son trône aient toujours la paix par Yahvé ! » [34] Benayahu fils de Yehoyada partit, il frappa Joab et le mit à
mort, et on l'enterra chez lui au désert. [35] Le roi mit
Benayahu fils de Yehoyada à sa place à la tête de l'armée ;
et le roi mit le prêtre Sadoq à la place d'Ébyatar[b].

**Désobéissance
et mort de Shiméï[c].**

[36] Salomon fit appeler Shiméï et lui dit : « Construis-toi
une maison, à Jérusalem :
tu y habiteras, mais ne t'en
écarte pas où que ce soit. [37] Le jour où tu sortiras et fran-
chiras le ravin du Cédron, sache bien que tu mourras certainement. Ton sang sera sur ta tête. » [38] Shiméï répondit
au roi : « C'est bien. Comme Monseigneur le roi a ordonné,
ainsi fera ton serviteur », et Shiméï demeura longtemps à
Jérusalem.

[39] Mais, au bout de trois ans, il arriva que deux esclaves
de Shiméï s'enfuirent chez Akish fils de Maaka, le roi de
Gat[d], et on avertit Shiméï : « Tes esclaves sont à Gat. »
[40] Alors Shiméï se leva, sella son âne et partit pour Gat
chez Akish chercher ses esclaves ; Shiméï alla et ramena

---

a) Cf. le v. 5. Les contingents d'Israël et ceux de Juda étaient sous des
commandements distincts : c'est une conséquence du caractère dualiste
de la monarchie davidique, cf. **1** 35.

b) C'est le roi qui nomme et qui destitue le chef du sacerdoce, cf. v. 27,
aussi bien que le chef de l'armée. Il est un de ses hauts fonctionnaires,
cf. 2 S 8 17; **20** 25; 1 R 4 2.

c) Il n'y avait aucun crime capital à reprocher à Shiméï. Salomon lui
impose, sous peine de mort, de résider à Jérusalem, et le lie par un serment.
Ayant transgressé l'ordre et s'étant parjuré, Shiméï sera exécuté « justement ». Mais Salomon dévoile, v. 44, que le motif réel est la malédiction
prononcée jadis contre David.

d) Gat, ville philistine, dont le même roi Akish avait jadis accueilli
David, 1 S **21** 11; **27** 2 s.

ses esclaves de Gat*a*. ⁴¹ On apprit à Salomon que Shiméï était allé de Jérusalem à Gat et qu'il était revenu.

⁴² Le roi fit appeler Shiméï et lui dit : « Ne t'avais-je pas fait jurer par Yahvé et ne t'avais-je pas protesté : ' Le jour où tu sortiras pour aller où que ce soit, sache bien que tu mourras certainement ' ? ⁴³ Pourquoi n'as-tu pas observé le serment de Yahvé et l'ordre que je t'avais intimé ? » ⁴⁴ Puis le roi dit à Shiméï : « Tu connais tout le mal que tu as fait à mon père David; Yahvé va faire retomber ta méchanceté sur ta propre tête. ⁴⁵ Mais béni soit le roi Salomon*b*, et que le trône de David subsiste devant Yahvé pour toujours ! » ⁴⁶ Le roi fit commandement à Benayahu fils de Yehoyada; il sortit et frappa Shiméï qui mourut*c*.

La royauté fut alors affermie dans la main de Salomon.

---

42. *Après « tu mourras certainement » H ajoute : « et tu m'as dit : Bonne est la parole que j'ai entendue », addition inspirée du v. 38.*
44. *Après « Tu connais tout le mal que », le texte porte « Ton cœur sait ce que », doublet.*

---

*a*) Les anciens traités entre États orientaux prévoyaient souvent l'extradition des esclaves fugitifs. Akish, devenu vassal de David, devait être lié par un tel traité. Par contre, Dt **23** 16-17 interdit de livrer un esclave fugitif et paraît concerner un esclave étranger se réfugiant en Israël : la Terre Sainte est alors considérée comme un lieu d'asile, cf. Is **16** 3-4.

*b*) Comme au v. 33, Salomon ajoute immédiatement une formule de bénédiction, pour que la malédiction qu'il vient de prononcer ne rejaillisse pas sur lui.

*c*) Après les vv. 35 et 46ᵃ, la Septante a deux additions assez longues qui reprennent l'histoire de Shiméï et rassemblent quelques données éparses dans les ch. suivants. C'est une compilation faite à un stage de la traduction grecque où l'épisode de Shiméï avait été omis comme choquant et où l'on s'arrêtait après la confirmation du pouvoir de Salomon. Ces additions ne représentent pas l'état original du livre, qui est celui du texte massorétique.

3

# II

# HISTOIRE DE SALOMON LE MAGNIFIQUE

## I. SALOMON LE SAGE

**Introduction.**

**3.** [1] Salomon s'allia par mariage à Pharaon, le roi d'Égypte; il prit pour femme la fille de Pharaon et l'introduisit dans la Cité de David[a], en attendant d'avoir achevé de construire son palais, le Temple de Yahvé et le mur d'enceinte de Jérusalem. [2] Le peuple sacrifiait sur les hauts lieux[b], car on n'avait pas encore bâti en ce temps-là une maison pour le Nom de Yahvé. [3] Salomon aima Yahvé : il se conduisait selon les principes de son père David; seulement il offrait des sacrifices et de l'encens sur les hauts lieux.

---

a) Le Pharaon est probablement Psousennès II, dernier roi de la XXIe dynastie; on trouvera d'autres renseignements sur ce mariage égyptien ci-dessous, 9 16-17 et 24. Cette alliance matrimoniale témoigne sans doute du lustre que David avait donné à la royauté israélite mais surtout de la décadence de l'Égypte. Quelques siècles plus tôt, Aménophis III déclarait orgueilleusement au roi de Babylone que « les filles du roi d'Égypte ne sont jamais données à des étrangers ». Sous Salomon encore, un prince d'Édom épouse la belle-sœur du Pharaon, cf. 11 19. — La « Cité de David » correspond à la ville primitive de Jérusalem, qui ne dépassait pas la colline sud-orientale.

b) Les hauts lieux, *bâmôt,* étaient des sanctuaires établis hors des villes, généralement sur une hauteur. Ils continuaient un usage cananéen et le culte de Yahvé y fut souvent contaminé par le culte de Baal qu'il remplaçait, cf. Jg 6 25 s. Ils furent cependant considérés comme légitimes pendant longtemps, cf. 1 S 9 12 et ici vv. 4 s. Mais les prophètes les condamnèrent, Ézéchias et Josias les supprimèrent, 2 R 18 4; 22 5, 8, 15, 19, conformément à la loi de Dt 12 2 s sur l'unité du sanctuaire. Les vv. 2 et 3 veulent ici excuser le peuple et Salomon d'avoir transgressé cette loi qu'on rapportait à Moïse.

Le songe de Gabaôn.

⁴ Le roi alla à Gabaôn<sup>a</sup>     ‖ 2 Ch 1 3-12
pour y sacrifier, car le plus
grand haut lieu se trouvait
là — Salomon a offert mille holocaustes sur cet autel. ⁵ A
Gabaôn, Yahvé apparut la nuit en songe<sup>b</sup> à Salomon. Dieu
dit : « Demande ce que je dois te donner. » ⁶ Salomon
répondit : « Tu as témoigné une grande bienveillance à
ton serviteur David, mon père, et celui-ci a marché devant
toi dans la fidélité, la justice et la droiture du cœur; tu lui
as gardé cette grande bienveillance et tu as permis qu'un
de ses fils soit aujourd'hui assis sur son trône. ⁷ Maintenant, Yahvé mon Dieu, tu as établi roi ton serviteur à
la place de mon père David, et moi, je suis un tout jeune
homme, je ne sais pas agir en chef. ⁸ Ton serviteur est au
milieu du peuple que tu as élu, un peuple nombreux, si
nombreux qu'on ne peut le compter ni le recenser.
⁹ Donne à ton serviteur un cœur plein de jugement pour
discerner entre le bien et le mal, car qui pourrait gouverner ton peuple, qui est si grand<sup>c</sup> ? » ¹⁰ Il plut au regard de
Yahvé que Salomon ait fait cette demande; ¹¹ et Yahvé

---

**3** 9. *Après « jugement » le texte ajoute « pour gouverner ton peuple », doublet de
la fin du v.*

---

*a*) Aujourd'hui El-Djib, au nord de Jérusalem; le haut lieu était probablement sur la colline voisine de Néby Samouil.

*b*) Les songes étaient, avant l'avènement des Prophètes, un des principaux moyens de communication entre Dieu et les hommes (songe de
Jacob, Gn **28**, cf. les exemples de Gn **20** 3, 6; **31** 11, 24 et le texte de
Nb **12** 6). Il semble que Salomon, dormant dans le sanctuaire après y avoir
sacrifié, ait provoqué et attendu le message divin. Littérairement, le texte
est apparenté à certaines histoires égyptiennes concernant le roi.

*c*) Salomon demande une sagesse pratique, non pas pour sa propre
conduite mais pour celle du peuple, surtout pour l'administration de la
justice, qui est en temps de paix le principal devoir du chef. Le mot traduit
par « gouverner » signifie proprement « juger » et le récit suivant, vv. 16-28,
va servir à illustrer cette sagesse reçue par Salomon, cf. v. 28. D'autres
aspects de sa sagesse seront vantés, **5** 9-14; **10** 1-10.

lui dit : « Parce que tu as demandé cela, que tu n'as pas demandé pour toi de longs jours, ni la richesse, ni la vie de tes ennemis, mais que tu as demandé pour toi le discernement du jugement, [12] voici que je fais ce que tu as dit : je te donne un cœur sage et intelligent comme personne ne l'a eu avant toi et comme personne ne l'aura après toi. [13] Et même ce que tu n'as pas demandé, je te le donne aussi : une richesse et une gloire comme à personne parmi les rois. [14] Et si tu suis mes voies, gardant mes lois et mes commandements comme a fait ton père David, je t'accorderai une longue vie. » [15] Salomon s'éveilla et voici que c'était un songe. Il rentra à Jérusalem et se tint devant l'arche de l'alliance de Yahvé ; il offrit des holocaustes et des sacrifices de communion et donna un banquet à tous ses serviteurs.

**Le jugement de Salomon.**

[16] Alors deux prostituées vinrent vers le roi et se tinrent devant lui[a]. [17] L'une des femmes dit : « S'il te plaît, Monseigneur ! Moi et cette femme nous habitons la même maison, et j'ai eu un enfant, alors qu'elle était dans la maison. [18] Il est arrivé que, le troisième jour après ma délivrance, cette femme aussi a eu un enfant ; nous étions ensemble, il n'y avait pas d'étranger avec nous[b], rien que nous deux dans la maison. [19] Or le fils de cette femme est mort une nuit parce qu'elle s'était couchée sur lui. [20] Elle se leva au milieu de la nuit, prit mon fils d'à côté de moi

---

13. *A la fin du v.* H *ajoute* « *toute ta vie* » ; *omis par* G.

---

a) Le tribunal du roi est accessible à tous, même pour des causes mineures, cf. 2 S **12** 1-6 ; **14** 4-11 ; **15** 4.
b) Les femmes exercent leur métier dans une hôtellerie qu'elles tiennent et les étrangers au lieu sont leurs clients habituels ; cf. l'histoire de Rahab dans Jos **2**.

pendant que ta servante dormait; elle le mit sur son sein, et son fils mort elle le mit sur mon sein. [21] Je me levai[a] pour allaiter mon fils, et voici qu'il était mort ! Mais, au matin, je l'examinai, et voici que ce n'était pas mon fils que j'avais enfanté ! » [22] Alors l'autre femme dit : « Ce n'est pas vrai ! Mon fils est celui qui est vivant, et ton fils est celui qui est mort ! » et celle-là reprenait : « Ce n'est pas vrai ! Ton fils est celui qui est mort et mon fils est celui qui est vivant ! » Elles se disputaient ainsi devant le roi [23] qui prononça : « Celle-ci dit : ' Voici mon fils qui est vivant et c'est ton fils qui est mort ! ' et celle-là dit : ' Ce n'est pas vrai ! Ton fils est celui qui est mort et mon fils est celui qui est vivant ! ' [24] Apportez-moi une épée », ordonna le roi; et on apporta l'épée devant le roi, [25] qui dit : « Partagez l'enfant vivant en deux et donnez la moitié à l'une et la moitié à l'autre. » [26] Alors la femme dont le fils était vivant s'adressa au roi, car sa pitié s'était enflammée pour son fils, et elle dit : « S'il te plaît, Monseigneur ! Qu'on lui donne l'enfant, qu'on ne le tue pas ! » mais celle-là disait : « Il ne sera ni à moi ni à toi, partagez ! » [27] Alors le roi prit la parole et dit : « Donnez l'enfant à la première, ne le tuez pas. C'est elle la mère. » [28] Tout Israël apprit le jugement qu'avait rendu le roi, et ils révérèrent le roi car ils virent qu'il y avait en lui une sagesse divine pour rendre la justice[b].

---

21. « *Je me levai* » *conj.*; « *Je me levai le matin* » H.
26 et 27. « *l'enfant* » *G* ; « *l'enfant vivant* » H.

*a)* Le texte ajoute « le matin » mais cela paraît être une répétition fautive du « matin » de la seconde partie du v. : la femme n'a reconnu qu'à la lumière du jour que le petit mort n'était pas son fils.

*b)* On a rapproché de ce jugement célèbre certains récits analogues, surtout des contes indiens, mais ils sont très postérieurs et le Proche-Orient ancien ne fournit aucun parallèle adéquat. Il reste que la justice est la qualité première reconnue au roi dans toutes les littératures orientales. Pour Israël, cf. Ps **72** 1-2; Pr **16** 12; **25** 5; **29** 14, et ici même, **10** 9.

**Les grands officiers
de Salomon.**

**4.** ¹ Le roi Salomon fut roi sur tout Israël, ² et voici quels étaient ses grands officiers[a] :

Azaryahu fils de Sadoq, prêtre.

³ Élihaph et Ahiyya, les fils de Shisha, secrétaires.

Yehoshaphat fils d'Ahilud, héraut.

⁴ (Benayahu, fils de Yehoyada, chef de l'armée.

Sadoq et Ébyatar, prêtres[b].)

⁵ Azaryahu fils de Natân, chef des préfets.

Zabud fils de Natân, familier du roi,

⁶ et son frère, maître du palais.

Éliab fils de Joab, chef de l'armée.

Adoram fils d'Abda, chef de la corvée.

---

4 3. « *Élihaph* » G ; « *Élihoreph* » H.
5. « *familier du roi* » G ; « *prêtre, familier du roi* » H.
6. « *et son frère...* » wa'ăhyoh 'ăsèr 'al-habbayt *conj.*; « *et Ahishar...* » wa'ăhŷsâr 'al-habbayt H. — « *Éliab... de l'armée* » G ; omis par H.

---

a) Le héraut est chef du protocole et intermédiaire entre le roi et le peuple; le maître du palais est le vizir des cours orientales, le premier ministre; le familier du roi porte un titre honorifique plutôt qu'il n'exerce une fonction et sa mention a été probablement ajoutée au document primitif. On notera que le prêtre, chef du sacerdoce, est assimilé aux fonctionnaires, ce qui souligne la mainmise du roi sur le sacerdoce. Salomon est resté fidèle à la tradition administrative de David : il emploie le même héraut que celui-ci, et les fils de son prêtre, de son secrétaire et de son chef d'armée, voir les listes de 2 S **8** 16 s et **20** 23 s. Des charges importantes récompensent la famille de Natân de la part que ce dernier prit à l'avènement de Salomon, ch. **1.** La liste ne date pas du début du règne : le fils de Sadoq, cf. **2** 35, a remplacé son père, il y a un chef des préfets et un chef de la corvée, ce qui suppose que ces deux institutions fonctionnaient, **4** 7; **5** 27. Les noms sont mal conservés dans l'hébreu et la critique textuelle est conjecturale.

b) La seconde partie du v., au moins, est une glose, inspirée de 2 S **20** 25; elle est contredite par le v. 2 et par **2** 26 s, qui a relaté la destitution d'Ébyatar. Quant à la mention de Benayahu, elle est sans doute conforme à **2** 35, mais elle manque dans le grec, qui donne au v. 6 le nom d'un autre chef de l'armée, absent cette fois de l'hébreu. Il faut choisir entre ces deux indications et on ne voit pas comment celle du grec aurait pu être inventée.

**Les préfets de Salomon.** ⁷ Salomon avait douze préfets[a] sur tout Israël, qui approvisionnaient le roi et sa maison; il revenait à chacun d'y pourvoir un mois par an.

⁸ Voici leurs noms[b] :

Fils de Hur, dans la montagne d'Éphraïm.

⁹ Fils de Déqer, à Mahaç, Shaalbim, Bet-Shémesh, Ayyalôn jusqu'à Bet-Hanân.

¹⁰ Fils de Hésed, à Arubbot; il avait Soko et tout le pays de Héphèr.

¹¹ Fils d'Abinadab : tout le district de Dor[c]. Tabaat, fille de Salomon, fut sa femme.

¹² Baana fils d'Ahilud, à Tanak et Megiddo jusqu'au delà de Yoqméam, et tout Bet-Shéân au-dessous

---

9. « *Mahaç* » *conj.*; « *Maqaç* » *H.* — « *Ayyalôn* » *conj.*; « *Élôn* » *H.*

11. « *Tabaat* » ṭabʿat *G*ᴸ; « *Taphat* » ṭapat *H.*

12. *La traduction rétablit l'ordre géographique, brouillé dans H et Vers.*

*a*) C'est une institution salomonienne, qui assurait la levée et l'emploi des prestations en nature, cf. 5 7-8, mais ces préfets étaient en même temps les gouverneurs de leurs districts, qui étaient les seules divisions administratives du royaume. Les douze districts se répartissent en trois groupes : 1° le domaine des fils de Joseph, Éphraïm et Manassé (8), auquel se rattachent les cités cananéennes conquises ou reconquises (9, 10, 11, 12) et les annexes de Transjordanie (13 et 14); 2° les tribus du Nord (15, 16, 17); 3° Benjamin (18) et Gad (19) qui lui correspond de l'autre côté du Jourdain. Juda avait un régime particulier, voir note *b* de la page suivante. Cette liste date de la seconde moitié du règne de Salomon, puisque deux des préfets sont les gendres du roi.

*b*) Cinq de ces préfets sont seulement désignés par leur patronyme : « fils de X ». On en a conclu parfois que le document d'archive inséré ici avait eu son bord détérioré et que certains noms personnels avaient ainsi disparu. Mais des listes administratives de Râs Shamra sont rédigées de la même manière et pourraient indiquer que cette appellation par le seul patronyme était régulière pour les membres de certaines familles où l'on était au service du roi de père en fils.

*c*) En hébreu *nâpat doʾr*, qui est le nom du district de Dor dans Jos 11 2; 12 23. Étymologiquement, le mot désigne la « hauteur », la ligne de coteaux qui longe la chaîne du Carmel à l'arrière de Dor.

de Yizréel, depuis Bet-Shéân jusqu'à Abel Mehola, qui est vers Çartân.

¹³ Fils de Géber, à Ramot de Galaad; il avait les Douars de Yaïr, fils de Manassé, qui sont en Galaad; il avait le territoire d'Argob qui est en Bashân, soixante villes fortes, emmurées et verrouillées de bronze.

¹⁴ Ahinadab fils d'Iddo, à Mahanayim.

¹⁵ Ahimaaç en Nephtali; lui aussi épousa une fille de Salomon, Basmat.

¹⁶ Baana fils de Hushaï, dans Asher et aux falaises[a].

¹⁷ Yehoshaphat fils de Paruah, en Issachar.

¹⁸ Shiméï fils d'Éla, en Benjamin.

¹⁹ Géber fils d'Uri, au pays de Gad, le pays de Sihôn roi des Amorites et d'Og roi du Bashân.

En plus, il y avait un gouverneur qui était dans le pays[b].

**4.** ²⁷    **5.** ⁷[c] Ces préfets pourvoyaient à l'entretien de Salomon et de tous ceux qui avaient accès à la table du roi[d],

---

16. « *aux falaises* » bᵉmaʿălôt, *cf.* εν Μααλωτ *G* ; « *à Baalot* » bᵉʿâlôt *H*.
19. « *Gad* » *G* ; « *Galaad* » *H*.

---

*a)* Litt. « les montées », si on accepte la correction du texte; c'est la côte montagneuse entre Acre et Tyr.

*b)* On complète souvent « le pays de Juda » et c'est bien le sens. Mais « le pays » sans spécification peut suffire à désigner le territoire de Juda par opposition aux provinces d'Israël : en Assyrie, le « gouverneur du pays » est celui de la province centrale d'Assur. Juda avait donc une administration spéciale et sa mention à part des douze préfectures qui viennent d'être énumérées souligne le caractère dualiste de la monarchie salomonienne. — Le v. 20 est reporté après **5** 5.

*c)* La traduction suit l'ordre des vv. dans le grec : **5** 7, 8, 2, 3, qui donne une suite logique à la liste des préfets. Cet ordre primitif a été bouleversé dans l'hébreu par des gloses : le v. 4 date de l'Exil, au plus tôt; le reste, jusqu'à la fin du paragraphe, est tardif et manquait encore dans l'ancienne version grecque.

*d)* C'est-à-dire ceux qui étaient nourris par le roi, non seulement la maison royale et ses clients, mais tous les serviteurs, fonctionnaires et troupes régulières. Ainsi se justifie la quantité des vivres aux vv. 2 et 3.

chacun pendant un mois; ils ne le laissaient manquer de
28  rien. ⁸ Ils fournissaient aussi l'orge et la paille pour les
chevaux et les bêtes de trait, à l'endroit où il fallait, chacun
22  selon sa consigne. ² Salomon recevait chaque jour comme
vivres : trente muids *a* de fleur de farine et soixante muids
23  de farine, ³ dix bœufs d'engrais, vingt bœufs de pâture,
cent moutons, sans compter les cerfs, gazelles, antilopes
24  et coucous *b* engraissés. ⁴ Car il dominait sur toute la
Transeuphratène *c* — depuis Thapsaque jusqu'à Gaza sur
tous les rois de Transeuphratène — et il avait la paix sur
25  toutes ses frontières alentour. ⁵ Juda et Israël habitèrent
en sécurité chacun sous sa vigne et sous son figuier, depuis
Dan jusqu'à Bersabée, pendant toute la vie de Salomon.

20      **4.** ²⁰ Juda et Israël étaient nombreux, aussi nombreux
que le sable qui est au bord de la mer; ils mangeaient
21  et buvaient et passaient du bon temps. **5.** ¹ Salomon    ‖ 2 Ch **9** 26
étendit son pouvoir sur tous les royaumes depuis le Fleuve *d*
jusqu'au pays des Philistins et jusqu'à la frontière d'Égypte.
Ils apportèrent leur tribut et servirent Salomon toute sa
26  vie. ⁶ Salomon avait pour le service de ses chars quatre    = **10** 26
mille stalles et douze mille chevaux *e*.                     ‖ 2 Ch **1** 14 ;
                                                                 **9** 25

---

5 6. « *quatre mille* » *d'après le parallèle de* 2 *Ch* **9** 25 ; « *quarante mille* » *H.*

---

*a*) Le *kor,* la plus grande mesure de capacité pour les solides; sa valeur
à l'époque de Salomon est inconnue et les auteurs hésitent entre 200 et
450 litres.

*b*) Traduction conjecturale; le coucou était une viande de choix chez les
Romains et le nom arabe du coucou est très proche du terme hébreu. On
a proposé aussi « jeune poulet » d'après l'analogie d'un autre mot arabe.

*c*) La région comprise entre l'Euphrate et la Méditerranée, désignation
officielle de l'époque perse, où ce v. fut ajouté.

*d*) Il s'agit de l'Euphrate, voir le v. 4.

*e*) On comptait trois chevaux par char : deux attelés et le dernier en
réserve. L'attelage de chaque char avait sa place déterminée dans les écuries.
Voir encore **10** 26.

29    **La renommée**        ⁹ Yahvé donna à Salomon
      **de Salomon.**       une sagesse et une intelligence
                            extrêmement grandes et un
                            cœur aussi vaste que le sable

30 qui est au bord de la mer*a*. ¹⁰ La sagesse de Salomon fut
   plus grande que la sagesse de tous les fils de l'Orient et
31 que toute la sagesse de l'Égypte. ¹¹ Il fut sage plus que
   n'importe qui, plus que l'Ezrahite*b* Étân, que les chantres*c*
   Hémân, Kalkol et Darda; sa renommée s'étendait à toutes
32 les nations d'alentour. ¹² Il prononça trois mille sentences
33 et ses cantiques étaient au nombre de mille cinq. ¹³ Il parla
   des plantes, depuis le cèdre qui est au Liban jusqu'à
   l'hysope qui croît sur les murs; il parla aussi des quadru-
34 pèdes, des oiseaux, des reptiles et des poissons*d*. ¹⁴ On
   vint de tous les peuples pour entendre la sagesse de Salomon et il reçut un tribut de tous les rois de la terre, qui
   avaient ouï parler de sa sagesse.

---

9. « *Yahvé* » *Vers.*; « *Dieu* » H.
14. « *et il reçut un tribut* » *Vers.*; *omis par H.*

---

*a*) Cette comparaison, qui ne s'applique ailleurs dans la Bible (ici **4** 2;
postérité d'Abraham, Gn **22** 17, de Jacob, Gn **32** 13, etc.) et qui ne peut
s'appliquer qu'à des objets nombrables, est hors de propos ici et témoigne
peut-être de la date tardive de ce v.

*b*) C'est-à-dire « l'autochtone ». Les noms qui suivent étaient probablement ceux de sages célèbres en Canaan. Le Ps **89** est attribué à Étân.

*c*) Litt. « fils du chœur », que certains interprètent comme un nom
propre : « les fils de Mahôl ».

*d*) Salomon est le premier « sage » d'Israël et il n'est pas douteux qu'il
eut une activité littéraire et poétique, voir ici même **8** 12-13. Une partie
de Pr peut remonter à lui; la tradition lui a aussi attribué les Ps **72** et **127**
et Qo, Ct, Sg. La sagesse dont il est question est différente de la sagesse
judiciaire de **3** 9, 16-28, et de la sagesse des Livres sapientiaux qui est une
philosophie de l'homme. C'est ici une philosophie de la nature animale et
végétale, dont il reste peu de produits dans l'A. T. (ainsi Pr **30**
15-33; Jb **38-40**) mais qu'on retrouve dans certains ouvrages encyclo-
pédiques de la Mésopotamie et de l'Égypte.

## II. Salomon le Bâtisseur

**5.** ¹

**Les préparatifs
de la construction
du Temple.**

¹⁵ Le roi de Tyr, Hiram,
envoya ses serviteurs en ambassade auprès de Salomon,
car il avait appris qu'on
l'avait sacré roi à la place de

|| 2 Ch **2** 2-8

² son père et Hiram avait toujours été l'ami de David[a]. ¹⁶ Et
³ Salomon envoya ce message à Hiram : ¹⁷ « Tu sais bien
que mon père David n'a pas pu construire un temple pour
le Nom de Yahvé, son Dieu, à cause de la guerre que les
ennemis lui ont faite de tous côtés, jusqu'à ce que Yahvé
⁴ les eût mis sous la plante de ses pieds. ¹⁸ Maintenant,
Yahvé mon Dieu m'a donné la tranquillité alentour : je
⁵ n'ai ni adversaire ni contrariété du sort. ¹⁹ Je pense donc à
construire un temple au Nom de Yahvé mon Dieu, selon
ce que Yahvé a dit à mon père David : ' Ton fils que je
mettrai à ta place sur ton trône, c'est lui qui construira
⁶ le Temple pour mon Nom[b]. ' ²⁰ Maintenant, ordonne que
l'on me coupe des arbres du Liban; mes serviteurs seront
avec tes serviteurs et je te payerai la location de tes serviteurs selon tout ce que tu me fixeras. Tu sais en effet qu'il
n'y a personne chez nous qui soit habile à abattre les arbres

---

17. « *ses pieds* » G ; « *mes pieds* » *ou* « *son pied* » H.
20. « *les arbres* » G ; les « *cèdres* » H.

---

a) Comparer l'ambassade de David à Hanûn d'Ammon, 2 S **10** 1 s.
C'était la coutume entre cours de l'ancien Orient. A son avènement un
roi de Babylone écrit à Aménophis III : « Comme auparavant toi et mon
père vous fûtes bien ensemble, que maintenant moi et toi nous soyons
bien ensemble... Ce que tu désires dans mon pays, écris-le moi pour que
je te l'envoie; et ce que je désire dans ton pays, je te l'écrirai pour que tu
me l'envoies. »
b) Dans la prophétie de Natân, 2 S **7** 12-13.

‖ 2 Ch **2** 10-11   **7**   comme les Sidoniens[a]. » ²¹ Lorsque Hiram entendit les paroles de Salomon, il éprouva une grande joie et dit : « Béni soit aujourd'hui Yahvé qui a donné à David un

‖ 2 Ch **2** 15   **8**   fils sage qui commande à ce grand peuple ! » ²² Et Hiram manda ceci à Salomon[b] : « J'ai reçu ton message. Pour moi, je satisferai tout ton désir en bois de cèdre et en bois

**9**   de genévrier. ²³ Tes serviteurs les descendront du Liban à la mer, je les ferai remorquer jusqu'à l'endroit que tu me manderas, je les délierai là et toi, tu les prendras. De ton côté, tu assureras selon mon désir l'approvisionnement

**10**   de ma maison. » ²⁴ Hiram procura à Salomon des bois de

‖ 2 Ch **2** 9   **11**   cèdre et des bois de genévrier autant qu'il en voulut, ²⁵ et Salomon donna à Hiram vingt mille muids[c] de froment, comme nourriture de sa maison, et vingt mille mesures d'huile vierge. Voilà ce que Salomon donnait à Hiram

**12**   chaque année. ²⁶ Yahvé accorda la sagesse à Salomon, comme il le lui avait promis; la bonne entente régna entre Hiram et Salomon et tous les deux conclurent un accord.

**13**       ²⁷ Le roi Salomon leva des hommes de corvée dans

**14**   tout Israël; il y eut trente mille hommes de corvée. ²⁸ Il les envoya au Liban, dix mille par mois, à tour de rôle : ils étaient un mois au Liban et deux mois à la maison;

‖ 2 Ch **2** 2, 17   **15**   Adoram était chef de la corvée. ²⁹ Salomon eut aussi soixante-dix mille porteurs et quatre-vingt mille carriers

---

23. « *Tes serviteurs* » *conj. cf. v.* 28; « *Mes serviteurs* » *H.*
25. « *vingt mille mesures* » *G, cf.* 2 *Ch* **2** 9; « *vingt muids* » *H.*

---

*a*) Hiram était roi de Tyr et de Sidon, et « Sidoniens » désigne, ici comme souvent, les Phéniciens en général.

*b*) La lettre de Hiram ressemble à celle d'un gros commerçant, et c'est ce qui convient à ce roi, fournisseur de bois pour tout le Proche-Orient et chef d'un peuple de marchands. Le grand commerce était d'ailleurs un privilège royal, cf. la reine de Saba, **10** 1-13, et Salomon lui-même, **9** 26-28; **10** 15, 28-29.

*c*) Sur le muid (*kor*), voir le v. 2; « mesure » traduit *bat,* mesure pour les liquides, qui représente le dixième du *kor*.

16 dans la montagne, [30] sans compter les officiers des préfets qui dirigeaient ses travaux; ceux-ci étaient trois mille trois cents et commandaient au peuple employé aux tra-
17 vaux. [31] Le roi ordonna d'extraire de grands blocs, des pierres de choix, pour établir les fondations du Temple,
18 des pierres de taille. [32] Les ouvriers de Salomon et ceux de Hiram et les Giblites[a] taillèrent et mirent en place le bois et la pierre pour la construction du Temple.

**6.** [1] En la quatre cent    ‖ 2 Ch **3** 1-7
**La bâtisse du Temple.**    quatre-vingtième année après la sortie des Israélites du pays d'Égypte[b], en la quatrième année du règne de Salomon sur Israël, au mois de Ziv qui est le second mois[c], il bâtit le Temple de Yahvé. [2] Le Temple que le roi Salomon bâtit pour Yahvé avait soixante coudées[d] de long, vingt de large et vingt-cinq de haut. [3] Le Ulam devant le Hékal[e] du Temple avait vingt coudées de long dans le sens de la largeur du Temple et dix coudées de large dans le sens de la longueur du Temple. [4] Il fit au Temple des

---

**6** 2. « *vingt-cinq* » G ; « *trente* » H.

---

*a*) Des ouvriers de Gebal, la Byblos des Grecs.

*b*) Cette date se rattache à un système chronologique qui mettait une durée égale entre l'érection du Tabernacle au désert et la construction du Temple par Salomon, d'une part, et entre celle-ci et la reconstruction au retour de l'Exil, d'autre part. Chaque période correspondait à douze générations de grands prêtres, dont la liste est donnée à 1 Ch **5** 27-41 et **6** 35-38. L'événement se situe historiquement aux environs de 960 av. J. C.

*c*) Ziv est un ancien nom cananéen de mois. L'équivalence est donnée avec le calendrier postérieur : c'est le 2ᵉ mois de l'année commençant au printemps.

*d*) La coudée mesurait environ 50 cm.

*e*) Le Ulam désigne le vestibule du Temple; le Hékal, appelé plus tard le Saint, est la grande salle de culte; le Debir, dont il sera question ensuite, est l'arrière-chambre, la partie la plus sacrée qu'on appellera le Saint des Saints, où reposait l'arche d'alliance. Les trois pièces étaient dans le prolongement les unes des autres, selon un plan qui est attesté en Syrie vers cette époque.

fenêtres à cadres et à grilles [a]. [5] Il adossa au mur du Temple
une annexe autour du Hékal et du Debir, et il fit des
étages latéraux autour [b]. [6] L'étage inférieur avait cinq coudées de large, l'intermédiaire, six coudées, et le troisième
sept coudées, car il avait disposé des retraits autour du
Temple à l'extérieur, en sorte que cela ne faisait pas prise
avec les murs du Temple. [7] (La construction du Temple
se fit en pierres de carrière; on n'entendit ni marteaux,
ni pics, ni aucun outil de fer dans le Temple pendant sa
construction [c].) [8] L'entrée de l'étage inférieur était à
l'angle droit du Temple, et par des trappes on montait à
l'étage intermédiaire, et de l'intermédiaire au troisième.
[9] Il construisit le Temple et l'acheva, et il couvrit le Temple
avec du cèdre. [10] Il construisit l'annexe [d] à tout le Temple;
elle avait cinq coudées de hauteur et elle faisait prise avec
le Temple par des poutres de cèdre. [11] La parole de Yahvé
fut adressée à Salomon : [12] « Cette maison que tu es en
train de construire... [e] si tu marches selon mes lois, si tu
accomplis mes ordonnances et si tu suis fidèlement mes
commandements, alors j'accomplirai ma parole sur toi,
celle que j'ai dite à ton père David, [13] et j'habiterai au

---

5. *Après* « *une annexe* » H *répète* « *autour des murs du Temple* »; *omis par* G.
6. « *L'étage* » G Targ ; « *L'annexe* » H.
8. « *inférieur* » G Targ ; « *intermédiaire* » H.
9. *Après* « *Temple* » (2°) H *ajoute* gébîm uṣ<sup>e</sup>dérôt « *creux et rangs* » (?); *omis par* G. *Glose probable se référant à un plafond caissonné ?*

---

a) Traduction incertaine de deux mots difficiles.
b) Sur trois des côtés extérieurs du Temple était appuyé un bâtiment de trois étages peu élevés, v. 10. Les étages supérieurs s'élargissaient dans une mesure correspondant à deux rétrécissements du maître mur du Temple, tel est le sens du v. 6.
c) Le v. est une glose tardive, qui interrompt la description.
d) Voir les vv. 5-6.
e) Les premiers mots restent en suspens; la fin du v. est un rappel de la prophétie de Natân, 2 S **7** 13 s.

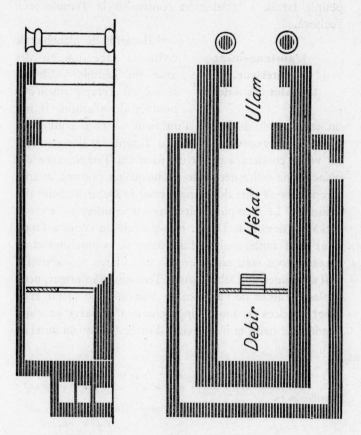

Fig. 2. — Temple de Jérusalem. Plan et coupe.

milieu des enfants d'Israël et je n'abandonnerai pas mon
peuple Israël. » [14] Salomon construisit le Temple et il
l'acheva.

‖ 2 Ch **3** 8-9

**L'aménagement
intérieur.
Le Saint des Saints.**

[15] Il garnit de planches de
cèdre la face interne des
murs du Temple — depuis
le sol du Temple jusqu'aux
poutres du plafond, il mit
un revêtement de bois à l'intérieur — et il couvrit de
planches de genévrier le sol du Temple. [16] Il construisit
les vingt coudées à partir du fond du Temple avec des
planches de cèdre depuis le sol jusqu'aux poutres, et elles
furent mises à part du Temple pour le Debir, le Saint des
Saints[a]. [17] Le Temple avait quarante coudées — c'est le
Hékal — devant le Debir. [18] Il y avait du cèdre à l'intérieur du Temple, sculpté d'un décor de coloquintes et de
rosaces; tout était en cèdre, aucune pierre ne paraissait.
[19] Il aménagea un Debir dans le Temple, à l'intérieur, pour
y placer l'arche de l'alliance de Yahvé. [20] Le Debir avait
vingt coudées de long, vingt coudées de large et vingt
coudées de haut, et il le revêtit d'or fin[b]; il fit un autel de

---

15 et 16. « *jusqu'aux poutres* » qôrôt *G* ; « *jusqu'aux murs* » qîrôt *H.*

16. « *elles furent mises à part* » wayyibbâdlû *conj.*; « *il en construisit* »
wayyibèn lô *H.*

17. « *devant le Debir* » *Vers.*; *H a fautivement ces mots au début du v.* 20.

---

*a)* Le Debir était une chambre cubique, v. 20, située à l'extrémité du
Hékal dont elle paraît avoir été séparée par une simple cloison de bois.
La différence de sa hauteur, 20 coudées, et de celle du Hékal, 25 coudées
v. 2, suggère que son sol était surélevé par rapport au reste du Temple
et qu'elle constituait une sorte d'estrade pour l'arche d'alliance qui y était
placée, v. 19.

*b)* Cette richesse était réelle; on trouve l'équivalent dans les descriptions anciennes des temples d'Égypte et de Mésopotamie. Mais des gloses
hyperboliques, vv. 22 et 30, ont renchéri sur ce glorieux souvenir.

cèdre[c] [21] devant le Debir et il le revêtit d'or. [22] Tout le
Temple, il le revêtit d'or, absolument tout le Temple.

[23] Dans le Debir, il fit deux ‖ 2 Ch **3** 10-
**Les chérubins.**          chérubins[b] en bois d'éléa-          [13]
gne...[c] Il avait dix coudées
de haut. [24] Une aile du chérubin avait cinq coudées et la
seconde aile du chérubin avait cinq coudées, soit dix coudées d'une extrémité à l'autre de ses ailes. [25] Le second
chérubin avait aussi dix coudées : même dimension et
même facture pour les deux chérubins. [26] La hauteur d'un
chérubin était de dix coudées, et de même l'autre. [27] Il
plaça les chérubins au milieu de la chambre intérieure;
ils déployaient leurs ailes, en sorte que l'aile de l'un touchait au mur, que l'aile de l'autre touchait à l'autre mur
et que leurs ailes se touchaient au milieu de la chambre,
aile contre aile. [28] Et il revêtit d'or les chérubins. [29] Sur
tous les murs du Temple, à l'entour, il sculpta des figures
de chérubins, de palmiers et de rosaces, à l'intérieur et à

---

21. *Au début, H a une surcharge, dont le texte est d'ailleurs corrompu.*
22. *A la fin, H ajoute « et tout l'autel du Debir, il le revêtit d'or » qui répète
la seconde partie du v.* 21 *et qui manque dans G.*
29. *« à l'intérieur » cf. v.* 30; *H corrompu.*

---

*a*) Il s'agit de l'autel de l'encens, cf. Ex **30** 1 s.
*b*) C'étaient deux grandes figures, probablement des quadrupèdes ailés à
tête humaine. Leurs ailes éployées occupaient toute la largeur du Debir,
dont l'arche occupait le milieu. Ces représentations s'inspirent de celles
des génies gardiens et intercesseurs de l'Asie antérieure, griffons égéens
et *kâribu* assyriens; dans la Bible, cette imagerie symbolise des êtres sur-
naturels au service de Dieu (Gn **3** 24; Ps **18** 11; **99** 1; Ez **1** et 10), auxquels
la tradition donnera une place dans la hiérarchie des Anges. D'après Ex **25**
17-22, deux petites figures de chérubins étaient fixées sur l'arche et encadraient le « propitiatoire » qui servait de trône à Yahvé invisible; on parlait
en conséquence de « Yahvé qui siège sur les chérubins », 1 S **4** 4; 2 S **6** 2;
2 R **19** 15; Ps **80** 2.
*c*) Un ou deux mots sont tombés du texte. Le sens invite à suppléer
« chaque chérubin ».

l'extérieur[a]. [30] Il couvrit d'or le plancher du Temple, à l'intérieur et à l'extérieur.

**Les portes[b]. La cour.**

[31] Il fit la porte du Debir à montants en bois d'éléagne, le jambage à cinq retraits, [32] deux vantaux en bois d'éléagne. Il sculpta des figures de chérubins, des palmiers et des rosaces, qu'il revêtit d'or; il étendit l'or en pellicule sur les chérubins et les palmiers. [33] De même, il fit à la porte du Hékal des montants en bois d'éléagne, le jambage à quatre retraits, [34] deux vantaux en bois de genévrier : un vantail avait deux bandes qui le cerclaient et l'autre vantail avait deux bandes qui le cerclaient. [35] Il sculpta des chérubins, des palmiers et des rosaces, qu'il revêtit d'or ajusté sur la sculpture.

[36] Il construisit le mur de la cour intérieure[c] par trois assises de pierres de taille et une assise de madriers de cèdre[d].

---

31. « *montants* » *se trouve dans* H *après* « *jambage* » : *bonne correction, mal insérée, de* « *vantaux* » *que* H *a en première place.*
33. «*jambage*» hâ'ayl *conj.*; H *n'a aucun sens.*
34. « *bandes* » *Vers.*; H *corrompu.*

---

a) Ici, comme au v. suivant, « l'intérieur » désigne le Debir ou « temple intérieur », v. 27; « l'extérieur » s'applique, par opposition, au Hékal. Les deux vv. paraissent d'ailleurs être additionnels.
b) La description des portes du Debir et du Hékal est difficile à interpréter. Le texte a passablement souffert et le sens de plusieurs termes techniques est incertain.
c) Celle ou s'élevait le Temple, par opposition à la grande cour, **7** 12, qui entourait Temple et palais.
d) Les madriers de cèdre forment un chaînage de bois qui assure la stabilité du mur. Ce procédé de construction est attesté dans des murs de pierres en Crète, en Grèce, en Syrie et à Samarie en Palestine, dans des murs de briques en Syrie et en Asie Mineure. La seule question est de savoir si, à Jérusalem, les madriers supportaient d'autres assises de pierres ou un mur de briques. La seconde solution est suggérée par certains bâtiments salomoniens de Megiddo où sont conservées trois assises de pierres,

<sup>37</sup> En la quatrième année,
**Les dates.**                   au mois de Ziv, les fonda-
                                 tions du Temple furent po-
sées ; <sup>38</sup> en la onzième année, au mois de Bûl, — c'est le
huitième mois<sup>a</sup>, — le Temple fut achevé selon tout son
plan et toute son ordonnance. Salomon le construisit en
sept ans.

**7.**    <sup>1</sup> Quant à son palais<sup>b</sup>,
**Le palais de Salomon.**        Salomon y travailla treize
                                 ans jusqu'à son complet achè-
vement. <sup>2</sup> Il construisit la Galerie de la Forêt du Liban<sup>c</sup>,
cent coudées de long, cinquante coudées de large et trente
coudées de haut, sur quatre rangées de colonnes de cèdre,
et il y avait des chapiteaux de cèdre sur les colonnes. <sup>3</sup> Elle
était lambrissée de cèdre à la partie supérieure jusqu'aux
planches qui étaient sur les colonnes. <sup>4</sup> Il y avait trois rangées d'architraves<sup>d</sup>, quarante-cinq en tout, soit quinze
par rangée, se faisant vis-à-vis trois fois. <sup>5</sup> Toutes les portes

---

**7** 2. « *chapiteaux* » kotârôt *Targ Syr Sym ;* « *madriers* » k<sup>e</sup>rutôt *H.*

   3. *A la fin, H a* « *quarante-cinq en tout, soit quinze par rangée* » *accidentelle-
ment transposé du v.* 4.

---

surmontées de bois de cèdre carbonisé et probablement d'une superstruc-
ture de briques. La même technique a été employée pour les murs de la
grande cour, **7** 12, et le sera pour le Second Temple, d'après Esd **6** 4.

  *a*) Ziv, cf. **6** 1, et Bûl sont deux noms cananéens de mois. Une addition
au document ancien donne l'équivalence de second avec le calendrier de
printemps introduit tout à la fin de la monarchie.

  *b*) La description est incomplète : l'habitation privée de la famille royale
est seulement mentionnée, v. 8, et on ne s'étend un peu que sur les parties
publiques du palais. Ces bâtiments s'élevaient au sud de l'esplanade du
Temple, sur la colline d'Ophel.

  *c*) Nom expressif donné à une grande pièce hypostyle, à laquelle ses
colonnes de cèdre du Liban donnaient l'aspect d'une forêt. Elle servait
de salle des gardes et de passage pour les entrées royales. Elle était précédée
d'un vestibule, v. 6.

  *d*) Le sens est incertain; d'autres l'expliquent de chambres situées à
l'étage.

et les montants étaient à cadre rectangulaire, se faisant vis-à-vis de face, trois fois. ⁶ Il fit le vestibule des colonnes, cinquante coudées de long et trente coudées de large... avec un porche par devant. ⁷ Il fit le vestibule du trône[a], où il rendait la justice, c'est le vestibule du jugement; il était lambrissé de cèdre depuis le sol jusqu'aux poutres. ⁸ Son habitation privée, dans l'autre cour et à l'intérieur par rapport au vestibule, avait la même façon; il y avait aussi une maison, semblable à ce vestibule, pour la fille de Pharaon, qu'il avait épousée.

⁹ Tous ces bâtiments étaient en pierres de choix, à la mesure des pierres de taille, parées à la scie au dedans et au dehors, depuis le fondement jusqu'aux bois de chaînage[b], — ¹⁰ ils avaient pour fondations des pierres de choix, de grandes pierres de dix et huit coudées, ¹¹ et, au-dessus, des pierres de choix, à la mesure des pierres de taille, et du cèdre[c], — ¹² et à l'extérieur, la grande cour avait, à l'entour, trois assises de pierres de taille et une assise de madriers de cèdre, de même pour la cour intérieure du Temple de Yahvé et pour le vestibule du Temple.

‖ 2 Ch **4** 9

---

6. *La fin du v. paraît irrémédiablement corrompue.*

7. « *jusqu'aux poutres* » *cf. Syr* ; « *jusqu'au plafond* » *d'après une interprétation possible de H.*

9. *A la fin, le texte ajoute* « *et à l'extérieur jusqu'à la grande cour* » *qui ne signifie rien et qui est un doublet corrompu du début du v.* 12.

---

a) La salle du trône communiquait évidemment avec l'appartement royal du v. 8 et se trouvait peut-être dans le prolongement de la salle hypostyle des vv. 2 et s.

b) L'hébreu *ṭeþâḥôt*, pluriel de *ṭéþaḥ* « paume de la main », est ici interprété d'après l'équivalent akkadien *ṭappu* qui signifie à la fois « paume de la main » et « planche, poutre ». On lit dans les lettres d'Amarna : « La brique peut bien glisser de sous ses *ṭappâti*, mais je ne glisserai pas de sous les pieds du roi, mon maître. » Les *ṭeþâḥôt* seraient les bois de chaînage, cf. la note sur **6** 36 et ici même la glose du v. 11. D'autres les expliquent comme les corbeaux ou consoles qui soutenaient les poutres du plafond.

c) Les vv. 10 et 11 sont une addition qui glose le v. 9.

**Le bronzier Hiram.**

[13] Salomon envoya chercher Hiram de Tyr; [14] c'était le fils d'une veuve de la tribu de Nephtali, mais son père était Tyrien, ouvrier en bronze. Il était plein d'habileté, d'adresse et de savoir pour exécuter tout travail de bronze. Il vint auprès du roi Salomon et il exécuta tous ses travaux.

‖ 2 Ch 2 13

**Les colonnes de bronze.**

[15] Il coula les deux colonnes de bronze[a]; la hauteur d'une colonne était de dix-huit coudées et un fil de douze coudées en mesurait le tour; de même la seconde colonne. [16] Il fit deux chapiteaux coulés en bronze destinés au sommet des colonnes; la hauteur d'un chapiteau était de cinq coudées et la hauteur de l'autre chapiteau était de cinq coudées. [17] Il fit deux treillis pour couvrir les deux tores des chapiteaux qui étaient au sommet des colonnes, un treillis pour un chapiteau et un treillis pour l'autre chapiteau. [18] Il fit les grenades : il y en avait deux rangées autour de chaque treillis, [19b] en tout quatre cents, [20] appliquées contre le noyau qui était derrière le treillis; il y avait deux cents grenades autour d'un chapiteau, et de même l'autre chapiteau. [19a] Les chapiteaux qui étaient au sommet des colonnes étaient en forme de fleurs. [21] Il dressa les colonnes devant le vestibule du sanctuaire; il dressa la colonne de droite et lui donna pour nom : Yakîn; il dressa la colonne

‖ 2 Ch 3 15-17

---

17-22. *Le texte est bouleversé et irrémédiablement corrompu par endroits : la restitution proposée est conjecturale.*

---

*a*) Ces deux colonnes se dressaient devant le vestibule du Temple, de chaque côté de l'entrée. Des petits modèles de sanctuaires, trouvés à Chypre et en Palestine, des monnaies de Sidon et la description du temple d'Héraklès à Tyr par Hérodote témoignent d'une semblable disposition.

de gauche et lui donna pour nom : Boaz[a]. ²² Ainsi fut achevée l'œuvre des colonnes.

‖ 2 Ch **4** 2-5

**La Mer de bronze.**

²³ Il fit la Mer[b] en métal fondu, de dix coudées de bord à bord, à pourtour circulaire, de cinq coudées de hauteur; un fil de trente coudées en mesurait le tour. ²⁴ Il y avait des coloquintes au-dessous de son bord, l'encerclant tout autour : sur trente coudées elles tournaient autour de la Mer; les coloquintes étaient en deux rangées, coulées avec la masse. ²⁵ Elle reposait sur douze bœufs : trois regardaient le nord, trois regardaient l'ouest, trois regardaient le sud et trois regardaient l'est; la Mer s'élevait au-dessus d'eux, et tous leurs arrière-trains étaient tournés vers l'intérieur. ²⁶ Son épaisseur était d'un palme et son bord avait la même forme que le bord d'une coupe, comme une fleur. Elle contenait deux mille mesures.

**Les bases roulantes et les bassins de bronze[c].**

²⁷ Il fit les dix bases en bronze; chaque base avait quatre coudées de long, quatre coudées de large et trois coudées de haut. ²⁸ Voici

---

24. « *trente* » *conj.*; « *dix* » H *par confusion du diamètre et de la circonférence.*

---

*a*) Ces deux noms sont obscurs; peut-être, avec une légère correction : « elle est solide » et « avec force », *yâkûn* (forme phénicienne) et *beʿoz*. Les noms sont donnés par l'artisan et expriment sa satisfaction de l'œuvre accomplie. Ils ne paraissent qu'ici et dans le parallèle de 2 Ch **3** 17.

*b*) La traduction « mer » est consacrée par l'usage; on pourrait aussi — et mieux — dire « lac ». C'était un grand réservoir d'eau lustrale.

*c*) Cette notice est très difficile : le sens de plusieurs mots essentiels est incertain et le texte est corrompu en plus d'un endroit; elle est éclairée par la découverte, en Chypre et en Palestine, d'objets analogues, quoique beaucoup plus petits : ce sont des bases quadrangulaires, surmontées d'un support circulaire où s'encastrait le bassin. Ces bassins montés sur roues servaient au transport de l'eau, nécessaire en grande quantité pour laver le parvis où l'on immolait les victimes.

comment elles étaient faites : elles avaient un châssis et
des traverses au châssis. <sup>29</sup> Sur les traverses du châssis, il
y avait des lions, des taureaux et des chérubins, et au-dessus du châssis, il y avait un support; en dessous des lions
et des taureaux, il y avait des volutes en façon de...<sup>a</sup>
<sup>30</sup> Chaque base avait quatre roues de bronze et des axes
de bronze; ses quatre pieds avaient des épaulements, en
dessous du bassin, et les épaulements étaient coulés...<sup>b</sup>
<sup>31</sup> Son embouchure, à partir de la croisée des épaulements
jusqu'en haut, avait une coudée et demie; son embouchure
était ronde en forme de support de vase et sur l'embouchure aussi il y avait des sculptures; mais les traverses
étaient quadrangulaires et non rondes. <sup>32</sup> Les quatre roues
étaient sous les traverses. Les tourillons des roues étaient
dans la base; la hauteur des roues était d'une coudée et
demie. <sup>33</sup> La forme des roues était celle d'une roue de
char : leurs tourillons, leurs jantes, leurs rais et leurs
moyeux, tout était coulé. <sup>34</sup> Il y avait quatre épaulements,
aux quatre angles de chaque base : la base et ses épaulements faisaient corps. <sup>35</sup> Au sommet de la base, il y avait
un support d'une demi-coudée de hauteur, à pourtour
circulaire; sur le sommet de la base, il y avait des tenons;
les traverses faisaient corps avec elle. <sup>36</sup> Il grava sur les
bandes des chérubins, des lions et des palmettes...<sup>c</sup> et des

---

28. « *un châssis* » *conj. d'après la fin du v.*; « *des traverses* » *H.*
31. « *une coudée et demie* » *mis par H après* « *support de vase* ».
35. « *un support* » *omis par H.*
36. *Après* « *bandes* » *H a une dittographie de la fin du v. précédent.*

---

*a*) Mot de sens inconnu.
*b*) La fin du v. est corrompue et défie toute traduction.
*c*) Deux mots incompréhensibles. Les vv. 35 et 36, qui emploient des
termes nouveaux, sont une addition.

volutes autour. [37] Il fit ainsi les dix bases : même fonte et même mesure pour toutes.

‖ 2 Ch 4 6    [38] Il fit dix bassins de bronze, chaque bassin contenait quarante mesures et chaque bassin avait quatre coudées, un bassin sur chaque base pour les dix bases. [39] Il plaça les bases, cinq près du côté droit du Temple et cinq près
‖ 2 Ch 4 10    du côté gauche du Temple; quant à la Mer, il l'avait placée à distance du côté droit du Temple, au sud-est.

‖ 2 Ch 4 11-18

**Le petit mobilier.**
**Résumé.**

[40] Hiram fit les vases à cendres, les pelles, les bols à aspersion. Il acheva tout l'ouvrage dont l'avait chargé le roi Salomon pour le Temple de Yahvé :

[41] deux colonnes; les deux tores des chapiteaux qui étaient au sommet des colonnes; les deux treillis pour couvrir les deux tores des chapiteaux qui étaient au sommet des colonnes; [42] les quatre cents grenades pour les deux treillis : les grenades de chaque treillis étaient en deux rangées;

[43] les dix bases et les dix bassins sur les bases;

[44] la Mer unique et les douze taureaux sous la Mer;

[45] les vases à cendres, les pelles, les bols à aspersion.

Tous ces objets que Hiram fit au roi Salomon pour le Temple de Yahvé étaient en bronze poli. [46] C'est dans le district du Jourdain qu'il les coula en pleine terre, entre Sukkot et Çartân[a]; [47] à cause de leur énorme quantité, on ne calcula pas le poids du bronze.

---

37. « *même mesure* » *G* ; « *même mesure, même figure* » *H.*
40. « *les vases à cendres* » hassîrôt *Mss héb. G Vulg* ; « *les bassins* » hakkiyyorôt *H.*
42. *A la fin, H a un doublet du v.* 41.
46. « *il les coula* » *G* ; « *le roi les coula* » *H.*
47. *Au début du v., H a un doublet du v.* 48.

---

*a)* Sukkot est aujourd'hui le Tell Dên Allah, sur la rive orientale du Jourdain; le site de Çartân est incertain. En tout cas, cette fonderie était ins-

⁴⁸ Salomon déposa tous les objets qu'il avait faits dans le Temple de Yahvé, l'autel d'or[a] et la table sur laquelle étaient les pains d'oblation[b], en or ; ⁴⁹ les chandeliers, cinq à droite et cinq à gauche devant le Debir, en or fin ; les fleurons, les lampes, les mouchettes, en or ; ⁵⁰ les bassins, les couteaux, les bols à aspersion, les coupes et les encensoirs, en or fin ; les pivots pour les portes de la chambre intérieure — c'est le Saint des Saints — et du Hékal, en or.

|| 2 Ch 4 7

|| 2 Ch 4 8

⁵¹ Alors fut achevé tout le travail que fit le roi Salomon pour le Temple de Yahvé, et Salomon apporta ce que son père David avait consacré, l'argent, l'or et les vases, qu'il mit dans le trésor du Temple de Yahvé.

|| 2 Ch 5 1

**8.** ¹ Alors Salomon convoqua les anciens d'Israël à Jérusalem pour faire monter de la Cité de David, qui est Sion, l'arche de l'alliance de Yahvé[c]. ² Tous les hommes d'Israël se rassemblèrent auprès du roi Salomon, au mois

**Transfert de l'arche d'alliance.**

|| 2 Ch 5 2-10

---

50. *La fin du v. est surchargée dans H.*

**8** 1. *Après « Israël », H a « tous les chefs des tribus et les chefs de famille des enfants d'Israël auprès du roi Salomon », addition qui manque dans une partie du grec.*

---

tallée à un point de la vallée où la nature du sol convenait à la confection des moules et où les vents procuraient une soufflerie naturelle pour les fourneaux.

*a)* L'autel de l'encens, cf. **6** 20-21.

*b)* Ce sont les pains servis à la table de Yahvé, cf. Ex **25** 23-30 ; Lv **24** 5-9. Dans tout ce récit, il n'est pas question de l'autel des sacrifices, qui se dressait devant le Temple. Il y a une omission dans le texte, ou bien Salomon a simplement conservé l'autel élevé par David, 2 S **24** 25.

*c)* L'arche était depuis l'Horeb-Sinaï le symbole de l'alliance conclue avec Yahvé et de la présence de celui-ci au milieu de son peuple. Perdue pendant les guerres philistines, 1 S **5**, puis récupérée, 1 S **6**, elle avait été ramenée par David sur la colline de Sion, site restreint de la Jérusalem primitive, 2 S **6**.

d'Étanim, pendant la fête*a* (c'est le septième mois), ³ et
les prêtres portèrent l'arche ⁴ et la Tente de Réunion*b*
avec tous les objets sacrés qui y étaient. ⁵ Le roi Salomon
et tout Israël avec lui sacrifièrent devant l'arche moutons
et bœufs en quantité innombrable. ⁶ Les prêtres apportèrent l'arche de l'alliance de Yahvé à sa place, au Debir
du Temple, c'est-à-dire au Saint des Saints, sous les ailes
des chérubins. ⁷ En effet, les chérubins étendaient leurs
ailes au-dessus de l'emplacement de l'arche et faisaient
un abri au-dessus de l'arche et de ses barres. ⁸ᵃ Celles-ci
étaient assez longues pour qu'on vît leur extrémité depuis
le Saint devant le Debir, mais pas en dehors de là. ⁹ Il n'y
avait rien dans l'arche, sauf les deux tables de pierre que
Moïse y déposa à l'Horeb, les tables de l'alliance que

---

3. *Au début, H a « Tous les anciens d'Israël vinrent », surcharge qui manque
dans G.*

4. *H ajoute au début « Ils transportèrent l'arche de Yahvé » et à la fin « les
prêtres et les lévites les transportèrent », additions qui manquent dans une partie
du grec.*

5. *« et tout Israël » G ; « et tout le congrès d'Israël assemblé près de lui » H.*

9. *« les tables de l'alliance » G ; omis par H.*

---

*b)* Étanim est un mois du calendrier cananéen, qui correspond au septième mois (septembre-octobre) du calendrier israélite postérieur, comme
l'indique l'addition, cf. déjà 6 1 et 38. Cette date paraît s'opposer à celle
que 6 38 donne pour l'achèvement du Temple (huitième mois). Il est peu
vraisemblable qu'on ait attendu presque un an pour l'inaugurer. Il est
possible que la fête, commencée à la fin d'Étanim, 8 2, se soit achevée au
début de Bûl, 6 38, qui daterait la conclusion de tout le travail du Temple,
y compris la dédicace, cf. encore sur 12 32. La « fête » par excellence est
la fête des Tentes, anciennement appelée fête de la Récolte, qui, dans
l'ancien calendrier d'automne, se célébrait au passage d'une année à l'autre,
Ex 23 16; 34 22.

*b)* L'arche était restée sous la tente que David avait dressée, 2 S 6 17;
1 R 1 38. Mais ce n'était pas la Tente de Réunion où Yahvé « rencontrait »
Moïse au désert, Ex 25 22, et qui n'existait plus à l'époque des Juges où
l'arche avait un sanctuaire construit, 1 S 1 9; 3 15. La tente de David elle-
même n'a certainement pas été transportée dans le nouveau Temple. Tout
le v. paraît être une addition.

Yahvé avait conclue avec les Israélites à leur sortie de la terre d'Égypte ; [8b] elles y sont restées jusqu'à ce jour[a].

[10] Or quand les prêtres sor- ‖ 2 Ch **5** 11-

**Dieu prend possession**     tirent du sanctuaire, la nuée[b]                 **6** 2

**de son Temple.**     remplit le Temple de Yahvé

[11] et les prêtres ne purent pas continuer leur fonction, à cause de la nuée : la gloire de Yahvé remplissait le Temple de Yahvé !

[12] Alors Salomon dit[c] :

« Yahvé a décidé d'habiter la nuée obscure.

[13] Oui, je t'ai construit une demeure,

une demeure où tu résides à jamais. »

[14] Puis le roi se retourna ‖ 2 Ch **6** 3-11

**Discours de Salomon**     et bénit toute l'assemblée

**au peuple.**     d'Israël, et toute l'assemblée

d'Israël se tenait debout.

[15] Il dit : « Béni soit Yahvé, Dieu d'Israël, qui a accompli

---

[8b]. *Transposition conjecturale ; cette phrase manque dans une partie du grec.*

---

*a*) Pour les barres et les tables déposées dans l'arche, cf. Ex **25** 13-16, 21 ; **40** 20 ; Dt **10** 2-5. Les vv. 8-9 ne sont pas du document ancien mais d'un rédacteur, avant la destruction du Temple.

*b*) La nuée est la manifestation sensible de la présence de Yahvé, associée à sa « gloire », Ex **16** 10 ; **19** 16 ; **24** 15-16. Celui-ci, par l'entrée de l'arche, prend possession de son sanctuaire. Comparer le parallèle très étroit de la consécration de la Tente du désert, Ex **40** 34-35, et le retour de Yahvé en son Temple dans la vision d'Ez **43** 4-5.

*c*) Ce court poème, à n'en pas douter authentique, est donné sous une forme un peu plus développée, mais après **8** 53 et dans un texte incertain, par certains témoins grecs, qui disent l'emprunter à un livre de chant ; sous cette forme complète, il paraît mettre en contraste le soleil qui brille au ciel et Yahvé qui choisit d'habiter dans l'obscurité du Saint des Saints. On traduirait mieux : « ... une demeure, une résidence où tu habites à jamais ». La traduction de *bêt zebul* par « demeure » est autorisée par Is **63** 15 ; Ha **3** 11 ; Ps **49** 15. Mais, d'après le sens de *zbl* en ugaritique, on pourrait comprendre : « maison princière », cf. sur 2 R **1** 2.

de sa main ce qu'il avait promis de sa bouche à mon père David en ces termes[a] : [16] ' Depuis le jour où j'ai fait sortir d'Égypte mon peuple Israël, je n'ai pas choisi de ville, dans toutes les tribus d'Israël, pour qu'on y bâtît une maison où réside mon Nom[b], mais j'ai choisi David pour qu'il commandât à mon peuple Israël. ' [17] Mon père David eut dans l'esprit de bâtir une maison pour le Nom de Yahvé, Dieu d'Israël, [18] mais Yahvé lui dit : ' Tu as eu dans l'esprit de bâtir une maison pour mon Nom, et tu as bien fait. [19] Seulement, ce n'est pas toi qui bâtiras cette maison, c'est ton fils, issu de tes reins[c], qui bâtira la maison pour mon Nom. ' [20] Yahvé a réalisé la parole qu'il avait dite : j'ai succédé à mon père David et je me suis assis sur le trône d'Israël comme avait dit Yahvé, j'ai construit la maison pour le Nom de Yahvé, Dieu d'Israël, [21] et j'y ai fixé un emplacement pour l'arche, où est l'alliance que Yahvé a conclue avec nos pères lorsqu'il les fit sortir de la terre d'Égypte. »

|| 2 Ch 6 12-20

**Prière personnelle de Salomon[d].**

[22] Puis Salomon se tint devant l'autel de Yahvé, en présence de toute l'assemblée d'Israël; il étendit les

---

*a*) L'énoncé des promesses divines aux vv. 16-17 se réfère librement à la prophétie de Natân, 2 S 7 4-16, rappelée déjà 1 R 5 19. Voir aussi le Ps **132**, qui s'inspire à son tour de la dédicace du Temple.

*b*) C'est « le Nom » de Yahvé qui habite le Temple, précision théologique qui concilie cette restriction locale avec l'immensité divine (v. 27). Le nom, d'après la conception antique, exprime vraiment la personne et la représente; où est « le Nom de Yahvé », Dieu est présent d'une manière très spéciale, mais non exclusive.

*c*) Plus exactement en hébreu les lombes ou les hanches, siège de la vigueur physique et de la puissance virile.

*d*) L'auteur va développer, en un style inspiré du Deutéronome, les idées du discours de Salomon (vv. 15-21). D'abord le principe de la fidélité réciproque (v. 23; cf. Dt 4 39; **7** 9) : la bienveillance divine découle du pacte conclu au Sinaï entre Yahvé et Israël, mais elle est conditionnée par la loyauté des fidèles; c'est toute la théologie de l'Alliance, qui est une

mains vers le ciel [23] et dit : « Yahvé, Dieu d'Israël ! il n'y
a aucun Dieu pareil à toi là-haut dans les cieux ni ici-bas
sur la terre, toi qui es fidèle à l'alliance et gardes la bienveillance à l'égard de tes serviteurs, quand ils marchent
de tout leur cœur devant toi. [24] Tu as tenu à ton serviteur
David, mon père, la promesse que tu lui avais faite, et ce
que tu avais dit de ta bouche, tu l'as accompli aujourd'hui
de ta main. [25] Et maintenant, Yahvé, Dieu d'Israël, tiens
à ton serviteur David, mon père, la promesse que tu lui
as faite, quand tu as dit : ' Tu ne seras jamais dépourvu
d'un descendant qui soit devant moi, assis sur le trône
d'Israël, à condition que tes fils veillent à leur conduite
et marchent devant moi comme tu as fait toi-même. '
[26] Maintenant donc, Dieu d'Israël, que se vérifie la parole
que tu as dite à ton serviteur David, mon père ! [27] Mais
Dieu habiterait-il vraiment avec les hommes sur la terre ?
Voici que les cieux et les cieux des cieux ne le peuvent
contenir, moins encore cette maison que j'ai construite[a] !
[28] Sois attentif à la prière et à la supplication de ton serviteur, Yahvé, mon Dieu, écoute l'appel et la prière que
ton serviteur fait aujourd'hui devant toi ! [29] Que tes yeux
soient ouverts jour et nuit sur cette maison, sur ce lieu
dont tu as dit : ' Mon Nom sera là ', écoute la prière que
ton serviteur fera en ce lieu.

---

27. « *avec les hommes* » G Targ, *cf.* 2 Ch 6 18 ; *omis par* H.

---

doctrine centrale de l'A. T. Puis deux applications : 1º Yahvé a tenu sa
promesse relativement au Temple (v. 24) : 2º qu'il tienne également sa
promesse relativement à la perpétuité de la dynastie (v. 25).

*a*) Texte magnifique où se révèle le caractère hautement spirituel de
la religion d'Israël. Mais c'est ici une insertion postérieure, qui interrompt
le contexte et qui a pour objet d'écarter une interprétation trop grossière
de la présence divine dans le Temple. Cf. Is 66 1 ; Jr 23 24 ; Ac 7 48-49,
et déjà la prophétie de Natân, 2 S 7 6-7, toute une suite de textes qui réa-
gissent contre la vénération presque superstitieuse dont on entourait le
Temple, Jr 7 4.

‖ 2 Ch 6 21-31

**Prières pour le peuple.**

30 « Écoute la supplication de ton serviteur et de ton peuple Israël lorsqu'ils prieront en ce lieu. Toi, écoute du lieu où tu résides, au ciel, écoute et pardonne.

31 « Supposé qu'un homme pèche contre son prochain et que celui-ci prononce sur lui un serment imprécatoire[a] et le fasse jurer devant ton autel dans ce Temple, 32 toi, écoute au ciel et agis; juge entre tes serviteurs : déclare coupable le méchant en faisant retomber sa conduite sur sa tête, et justifie l'innocent en lui rendant selon sa justice.

33 « Quand ton peuple Israël sera battu devant l'ennemi, parce qu'il aura péché contre toi, s'il revient à toi, loue ton Nom, prie et supplie vers toi dans ce Temple, 34 toi, écoute au ciel, pardonne le péché de ton peuple Israël et ramène-le dans le pays que tu as donné à ses pères.

35 « Quand le ciel sera fermé et qu'il n'y aura pas de pluie parce qu'ils auront péché contre toi, s'ils prient en ce lieu, louent ton Nom et se repentent de leur péché, parce que tu les auras humiliés, 36 toi, écoute au ciel, pardonne le péché de ton serviteur et de ton peuple Israël — tu leur indiqueras la bonne voie qu'ils doivent suivre — et arrose de pluie ta terre, que tu as donnée en héritage à ton peuple.

---

31. « *prononce* » nâśâ' *Mss* ; « *prête sur gage* » nâśâ' *H*.

35. « *tu les auras humiliés* » tᵉʻanném *G Vulg* ; « *tu leur auras répondu* » taʻăném *H*.

36. « *ton serviteur* » *G, cf. v.* 30; « *tes serviteurs* » *H*.

---

*a*) C'est un jugement de Dieu : un accusateur, à défaut d'autres preuves, prononce devant l'autel une formule d'imprécation à laquelle l'accusé s'associe; Dieu déclarera celui-ci coupable ou innocent en accomplissant ou non la malédiction. Voir Ex **22** 6-10; Nb **5** 19 s; Qo **9** 2. La même coutume existait chez les anciens Arabes et en Mésopotamie.

[37] « Quand le pays subira la famine, la peste, la rouille
ou la nielle, quand surviendront les sauterelles ou les
criquets, quand l'ennemi de ce peuple assiégera l'une de
ses portes, quand il y aura n'importe quel fléau ou épidémie, [38] si quelqu'un éprouve le remords de sa propre
conscience et fait quelque prière ou supplication, en éten-
dant les mains vers ce Temple, [39] toi, écoute au ciel, où
tu résides, pardonne et agis; rends à chaque homme selon
sa conduite, puisque tu connais son cœur, — tu es le seul
à connaître le cœur de tous, — [40] en sorte qu'ils te craignent tous les jours qu'ils vivront sur la terre que tu as
donnée à nos pères.

**Suppléments**[a].

[41] « Même l'étranger qui
n'est pas de ton peuple, s'il
vient d'un pays lointain à
cause de ton Nom, — [42] car on entendra parler de ton
grand Nom, de ta main forte et de ton bras étendu, —
s'il vient et prie en ce Temple, [43] toi, écoute-le au ciel, où
tu résides, exauce toutes les demandes de l'étranger afin
que tous les peuples de la terre reconnaissent ton Nom
et te craignent comme fait ton peuple Israël, et qu'ils
sachent que ton Nom est attaché à ce Temple que j'ai
bâti[b].

|| 2 Ch **6** 32-39

[44] « Si les fils de ton peuple partent en guerre contre
leurs ennemis par le chemin où tu les auras envoyés et s'ils

---

37. « *l'une de ses portes* » be'aḥad *G Syr* ; « *le pays de ses portes* » be'èrèṣ *H.*
38. « *quelqu'un* » *G* ; *H ajoute* « *de tout ton peuple Israël* ».

---

*a*) Les vv. 41-51 sont des suppléments ajoutés après le retour de l'Exil,
voir les notes suivantes.
*b*) Cet universalisme ne paraît, avant l'Exil, que comme une vision
d'avenir, Is **2** 2 s; Jr **16** 19 et 21; Mi **4** 1 s; le prosélytisme qui transparaît
ici est un trait de l'âge suivant, voir Za **8** 20-22.

prient Yahvé, tournés vers la ville que tu as choisie[a] et vers le Temple que j'ai construit pour ton Nom, [45] écoute au ciel leur prière et leur supplication et fais-leur justice.

[46] « Quand ils pécheront contre toi, — car il n'y a aucun homme qui ne pèche[b], — quand tu seras irrité contre eux, que tu les livreras à l'ennemi et que leurs conquérants les emmèneront captifs dans un pays lointain ou proche[c], [47] s'ils rentrent en eux-mêmes dans le pays où ils auront été déportés, s'ils se repentent et te supplient dans le pays de leurs conquérants en disant : 'Nous avons péché, nous avons agi d'une manière perverse et mauvaise', [48] s'ils reviennent à toi de tout leur cœur et de toute leur âme dans le pays des ennemis qui les auront déportés, et s'ils te prient tournés vers le pays que tu as donné à leurs pères, vers la ville que tu as choisie et le Temple que j'ai bâti pour ton Nom, [49] écoute au ciel où tu résides, [50] pardonne aux fils de ton peuple les péchés qu'ils ont commis contre toi et toutes les rébellions dont ils furent coupables, fais-leur trouver grâce devant leurs conqué-

---

49. *H ajoute à la fin « leur prière et leur supplication et fais-leur justice », répétition du v. 45, omise par G.*

---

*a*) De même au v. 48. La coutume de prier dans la direction de Jérusalem s'est établie dans les communautés de la Diaspora après l'Exil; elle est attestée par Tb **3** 11; Dn **6** 11.

*b*) Le sentiment de la malice générale des hommes s'est développé surtout après le terrible châtiment de l'Exil, Ne **9**; Jb **4** 17; **15** 14 s; Qo **7** 20; Si **8** 5, etc., et 1 Jn **1** 8-10.

*c*) Évidemment le grand Exil de Babylone, d'abord, mais les expressions sont très générales et visent tous les départs forcés pour la Diaspora. Il est remarquable qu'on va demander non pas que les exilés reviennent, mais qu'ils trouvent grâce aux yeux de leurs vainqueurs. Cela a tout l'air d'une prière faite par la communauté rentrée en Palestine pour ceux qui sont restés à l'étranger.

rants, que ceux-ci aient pitié d'eux; [51] car ils sont ton peuple et ton héritage, ceux que tu as fait sortir d'Égypte, cette fournaise à fondre le fer.

[52] « Que tes yeux soient ‖ 2 Ch **6** 40

**Conclusion de la prière et bénédiction du peuple.**

ouverts sur la supplication de ton serviteur et de ton peuple Israël, pour écouter tous les appels qu'ils lanceront vers toi. [53] Car c'est toi qui les as mis à part comme ton héritage, parmi tous les peuples de la terre, ainsi que tu l'as déclaré par le ministère de ton serviteur Moïse, quand tu as fait sortir nos pères d'Égypte, Seigneur Yahvé ! »

[54] Quand Salomon eut achevé d'adresser à Yahvé toute cette prière et cette supplication, il se releva de l'endroit où il était agenouillé, les mains étendues vers le ciel, devant l'autel de Yahvé, [55] et se tint debout. Il bénit à haute voix toute l'assemblée d'Israël : [56] « Béni soit Yahvé, dit-il, qui a accordé du repos à son peuple Israël, selon toutes ses promesses; de toutes les bonnes paroles qu'il a dites par le ministère de son serviteur Moïse, aucune n'a failli. [57] Que Yahvé notre Dieu soit avec nous, comme il fut avec nos pères, qu'il ne nous abandonne pas et ne nous rejette pas ! [58] Qu'il incline nos cœurs vers lui, pour que nous suivions toutes ses voies et gardions les commandements, les lois et les ordonnances qu'il a donnés à nos pères. [59] Puissent ces paroles que j'ai dites en suppliant devant Yahvé rester présentes jour et nuit à Yahvé notre Dieu, pour qu'il rende justice à son serviteur et justice à son peuple Israël, selon les besoins de chaque jour; [60] tous les peuples de la terre sauront alors que Yahvé seul est Dieu, qu'il n'y en a point d'autre, [61] et votre cœur sera tout entier à Yahvé, notre

Dieu, observant ses lois et gardant ses commandements comme maintenant. »

|| 2 Ch **7** 4-10

**Les sacrifices
de la fête de dédicace.**

⁶² Le roi et tout Israël avec lui sacrifièrent devant Yahvé. ⁶³ Comme sacrifices de communion qu'il présenta à Yahvé, Salomon offrit vingt-deux mille bœufs et cent vingt mille moutons, et le roi et tous les Israélites dédièrent le Temple de Yahvé. ⁶⁴ En ce jour, le roi consacra le milieu de la cour qui est devant le Temple de Yahvé; c'est là qu'il offrit l'holocauste, l'oblation et les graisses des sacrifices de communion*a*, parce que l'autel de bronze*b* qui était devant Yahvé était trop petit pour contenir l'holocauste, l'oblation et les graisses des sacrifices de communion. ⁶⁵ En ce temps-là, Salomon célébra la fête*c*, et tous les Israélites avec lui, rassemblés depuis l'Entrée de Hamat jusqu'au Torrent d'Égypte*d*, devant Yahvé notre Dieu, pendant sept jours. ⁶⁶ Puis, le huitième jour, il congédia les gens; ils bénirent le roi et s'en allèrent chacun chez soi, joyeux et le cœur content de tout le bien que Yahvé avait fait à son serviteur David et à son peuple Israël.

---

65. *A la fin, H ajoute « et encore sept jours, soit quatorze jours », glose qui manque dans G et est contredite par le v. suivant.*

---

*a*) Dans les holocaustes, la victime était entièrement brûlée; dans les sacrifices de communion on ne portait sur l'autel que le sang et certaines parties grasses, les chairs étant consommées par les fidèles. Les oblations étaient de farine fine pétrie avec de l'huile; leur mention ici est peut-être additionnelle. Pour le détail voir Lv **1-3**.

*b*) Cet autel des holocaustes était placé devant l'entrée du Temple. C'était un bâti de métal qu'on pouvait déplacer, cf. 2 R **16** 14. L'autel dressé par Salomon, **9** 25, resta en usage jusqu'au temps d'Achaz, 2 R **16** 10.

*c*) La dédicace du Temple coïncide avec la fête des Tentes (v. 2), qui durait sept jours (Dt **16** 13-15).

*d*) Limites extrêmes du royaume de David, depuis un point indéterminé au sud de Hama (en Syrie), jusqu'au Wâdy el-Arish, au sud de Gaza.

**9.** ¹ Après que Salomon eut achevé de construire le Temple de Yahvé, le palais royal et tout ce qu'il lui plut de construire, ² Yahvé apparut une seconde fois à Salomon comme il lui était apparu à Gabaôn*ᵃ*. ³ Yahvé lui dit : « J'exauce la prière et la supplication que tu m'as présentées. Je consacre cette maison que tu as bâtie, en y plaçant mon Nom à jamais; mes yeux et mon cœur y seront toujours. ⁴ Pour toi, si tu marches devant moi comme a fait ton père David, dans l'innocence du cœur et la droiture, si tu agis selon tout ce que je te commande et si tu observes mes lois et mes ordonnances, ⁵ je maintiendrai pour toujours ton trône royal sur Israël, comme je l'ai promis à ton père David quand j'ai dit : ' Il ne te manquera jamais un descendant sur le trône d'Israël '; ⁶ mais si vous m'abandonnez, vous et vos fils, si vous n'observez pas les commandements et les lois que je vous ai proposés, si vous allez servir d'autres dieux et leur rendez hommage, ⁷ alors je retrancherai Israël du pays que je lui ai donné; ce Temple que j'ai consacré à mon Nom, je le rejetterai de ma présence, et Israël sera la fable et la risée de tous les peuples. ⁸ Ce Temple sublime*ᵇ*, tous ceux qui le longeront seront stupéfaits; ils siffleront*ᶜ* et diront : ' Pourquoi Yahvé a-t-il fait cela à ce pays et à ce

**Nouvelle apparition divine.**

|| 2 Ch **7** 11-22

---

**9** 8. « *Ce Temple sublime* » G (*en partie*) *Syr-Hex Éth ;* « *Ce Temple sera sublime* » H.

---

*a*) Voir **3** 5 s.

*b*) Au lieu de la correction ici adoptée, d'autres, pour *'èlyôn* (H), lisent *l*ᵉ*'iyyîn* « en ruines », d'après *Syr Ar* et *Lactance :* « Ce temple sera en ruines », cf. Jr **26** 18; Mi **3** 12. Le sens est excellent, mais les témoins de cette leçon paraissent avoir moins d'autorité.

*c*) Le sifflement exprime stupeur et moquerie, Jr **18** 16; **19** 8; **29** 18.

Temple ? ' ⁹ et l'on répondra : ' Parce qu'ils ont abandonné Yahvé leur Dieu qui avait fait sortir leurs pères du pays d'Égypte, qu'ils se sont attachés à d'autres dieux et qu'ils leur ont rendu hommage et culte, voilà pourquoi Yahvé leur a envoyé tous ces maux '[a]. »

2 Ch **8** 1-6

**Marché avec Hiram.**

¹⁰ Au bout des vingt années pendant lesquelles Salomon construisit les deux édifices, le Temple de Yahvé et le palais royal, ¹¹ (Hiram, roi de Tyr, lui avait fourni du bois de cèdre et de genévrier, et de l'or, tant qu'il en avait voulu[b]), alors le roi Salomon donna à Hiram vingt villes dans le pays de Galilée. ¹² Hiram vint de Tyr pour voir les villes que Salomon lui avait données, et elles ne lui plurent pas ; ¹³ il dit : « Qu'est-ce que ces villes que tu m'as données, mon frère ? » et, jusqu'à ce jour, on les appelle « le pays de Kabul »[c]. ¹⁴ Hiram envoya au roi cent vingt talents d'or[d].

**La corvée de construction.**

¹⁵ Voici ce qui concerne la corvée que le roi Salomon leva pour construire le Temple de Yahvé, son propre

---

*a*) Les vv. 8-9 s'inspirent de Dt **29** 23-26. Un parallèle extra-biblique se trouve dans les annales d'Assurbanipal : « Les gens d'Arabie se demandaient l'un à l'autre : ' Pourquoi un malheur comme celui-là est-il arrivé à l'Arabie ? ' (et on répondait :) ' Parce que nous n'avons pas observé le serment solennel du dieu Assur, et que nous avons péché contre la bonté d'Assurbanipal, le roi cher au cœur du dieu Ellil '. »

*b*) Ce rappel de la première négociation avec Hiram (**5** 24) est une addition maladroite, car les livraisons de bois avaient été autrement payées (**5** 25). Il s'agit, vv. 11ᵇ-14, d'un nouveau marché : Salomon vend à prix d'or (v. 14) une partie de son territoire. Le renseignement est omis par 2 Ch.

*c*) Le nom se maintient au village de Kâbûl, à l'est de Saint-Jean d'Acre, et le territoire cédé par Salomon s'étendait autour de ce point dans une région montagneuse et peu fertile. Il n'est pas sûr qu'il y ait une relation entre la réflexion méprisante de Hiram et le nom du pays, et s'il y a un jeu de mots il est obscur pour nous.

*d*) Le poids du talent à l'époque israélite est incertain ; probablement aux environs de 35 kg.

palais, le Millo *a* et le mur de Jérusalem, Haçor *b*, Megiddo *c*,
Gézèr, [16] (Pharaon, le roi d'Égypte, fit une expédition,
prit Gézèr, l'incendia et massacra les Cananéens qui y
habitaient, puis il donna la ville en cadeau de noces à sa
fille, la femme de Salomon, [17] et Salomon reconstruisit
Gézèr *d*), Bet-Horôn-le-Bas, [18] Baalat, Tamar au désert *e*,
dans le pays, [19] toutes les villes de garnison *f* qu'avait
Salomon, les villes de chars et de chevaux *g*, et ce qu'il
plut à Salomon de construire à Jérusalem, au Liban et
dans tous les pays qui lui étaient soumis. [20] Tout ce qui    ‖ 2 Ch 8 7-10
restait des Amorites, des Hittites, des Perizzites, des
Hivvites et des Jébuséens *h*, qui n'étaient pas des Israélites,
[21] leurs descendants restés après eux dans le pays, ceux
que les Israélites n'avaient pas pu vouer à l'anathème *i*,
Salomon les leva comme hommes de corvée servile; ils

*a*) D'une racine qui signifie « remplir », le Millo désigne le remblai de
terre nivelant la colline rocheuse autour du Temple et du palais.

*b*) Au sud-ouest du lac Houlé.

*c*) Au sud-est de Caïffa, au débouché de la passe du Carmel.

*d*) Sur la route de Jérusalem à Jaffa, à la limite du territoire israélite
et dominant le pays philistin. On n'a pas d'autre indication sur cette campagne du Pharaon, probablement Psousennès II, voir **3** 1.

*e*) Bet-Horôn-le-Bas commandait l'accès le plus fréquenté vers la montagne au nord-ouest de Jérusalem. Le site de Baalat est inconnu; c'était
probablement une place du Sud, protégeant la route commerciale de la
mer Rouge, comme Tamar qui se trouvait près de l'anse méridionale de
la mer Morte. « Dans le pays » : dans le territoire de Juda, cf. **4** 19.

*f*) Proprement « villes d'entrepôts », celles où l'on gardait les redevances en nature, spécialement destinées à l'entretien de l'armée permanente.

*g*) Villes où stationnaient les chars de guerre et leurs attelages, qui formaient sous Salomon — et c'était une nouveauté — le noyau de l'armée
permanente. Ce sont les villes qui viennent d'être énumérées et qui cons-
tituent une ligne de défense au pourtour du territoire proprement israélite.

*h*) Cette liste des anciens peuples de Palestine, dépossédés par les Israélites, revient souvent dans Ex, Dt, Jos (voir en particulier Dt **7** 1; **20** 17).
La liste complète comprend aussi les Cananéens et les Girgashites, ajoutés
ici par une partie des mss grecs.

*i*) Encore une référence au Dt (**7** 2; **20** 16) : ces païens devaient être
exterminés.

le sont encore[a]. [22] Mais il n'imposa pas la corvée servile aux Israélites[b], plutôt ceux-ci servaient comme soldats : ils étaient ses gardes, ses officiers et ses écuyers, les officiers de sa charrerie et de sa cavalerie. [23] Voici les officiers des préfets qui dirigeaient les travaux de Salomon : cinq cent cinquante, qui commandaient au peuple occupé aux travaux. [24] Dès que la fille de Pharaon fut montée de la Cité de David à sa maison qu'il lui avait construite, alors il bâtit le Millo.

‖ 2 Ch **8** 11

[25] Salomon offrait trois fois

**Le service du Temple.**   par an[c] des holocaustes et des sacrifices de communion sur l'autel qu'il avait dressé à Yahvé...[d] et il maintenait le Temple en bon état[e].

‖ 2 Ch **8** 12-16

## III. Salomon le Commerçant

‖ 2 Ch **8** 17-18

[26] Le roi Salomon arma

**Salomon armateur.**   une flotte à Éçyôn-Gébèr, qui est près d'Élat, sur le bord de la mer Rouge, au pays d'Édom. [27] Hiram envoya sur

---

*a*) Il y avait donc, à l'époque où fut rédigé ce passage, des esclaves publics d'origine non israélite, dont on faisait remonter l'origine à Salomon.

*b*) Cette indication du rédacteur ne s'accorde guère avec les données anciennes qu'il utilise à **5** 27; **11** 28 et qu'il faut préférer.

*c*) Aux trois grandes fêtes annuelles, la Pâque, la Pentecôte et les Tentes. Salomon y faisait office de prêtre, cf. **12** 33; 2 R **16** 12-15.

*d*) Littéralement : « et faire fumer avec lui qui est (*weḥaqṭîr ʿittô 'ăšèr*) devant Yahvé ». On a proposé : « il faisait fumer le sacrifice par le feu (*weḥiqṭîr 'èt-'iššèh*) devant Yahvé ». Le texte paraît irrémédiablement corrompu.

*e*) Le verbe *wešillam* ne peut pas avoir le sens de « et il acheva » que lui donnent les versions et les commentateurs. Il signifie « et il restaurait ». Les rois d'Assyrie et de Babylonie se nommaient : « restaurateurs (*mušallimu*) des sanctuaires ».

les vaisseaux ses serviteurs, des matelots qui connaissaient
la mer, avec les serviteurs de Salomon. ²⁸ Ils allèrent à
Ophir et en rapportèrent quatre cent vingt talents d'or,
qu'ils remirent au roi Salomon[a].

**10.** ¹ La renommée de  || 2 Ch **9** 1-12
**Visite de la reine**  Salomon étant parvenue jus-
**de Saba**[b].  qu'à elle..., la reine de Saba
vint l'éprouver par des énig-
mes[c]. ² Elle apporta à Jérusalem de très grandes richesses,
des chameaux chargés d'aromates, d'or en énorme quantité
et de pierres précieuses. Quand elle fut arrivée auprès de
Salomon, elle lui proposa tout ce qu'elle avait médité,
³ mais Salomon l'éclaira sur toutes ses questions et aucune
ne fut pour le roi un secret qu'il ne pût élucider. ⁴ Lorsque
la reine de Saba vit toute la sagesse de Salomon, le palais
qu'il s'était construit, ⁵ le menu de sa table, le placement
de ses officiers, le service de ses gens et leur livrée, ses
échansons[d], les holocaustes qu'il offrait au Temple de

---

**10** 1. « ... » *litt.* « au Nom de Yahvé »; *manque dans le parallèle de* 2 Ch **9** 1.

---

*a*) Éçyon-Gébèr, aujourd'hui Tell el-Kheleifé, tout près d'Aqaba, était
un port à l'extrémité du bras le plus oriental que la mer Rouge projette
vers le Nord; Élat, dans sa proximité immédiate, fut ensuite confondue
avec lui. Ophir est une région aurifère, qui se localise vraisemblablement
sur la côte occidentale de l'Arabie et s'étend peut-être à la côte opposée
des Somalis, cf. encore **10** 11-12, 22. Sur le poids du talent, voir le v. 14.

*b*) Le royaume de Saba s'étendait au sud-ouest de la péninsule ara-
bique, mais cette reine était vraisemblablement la régente d'une colonie
sabéenne établie en Arabie du Nord et elle tirait sa richesse du commerce
caravanier entre le Yémen et le Proche-Orient. La première raison de son
voyage fut peut-être la conclusion d'un accord commercial avec Salomon,
mais la Bible insiste seulement sur ce qui glorifie la sagesse et le luxe du
roi. Le Christ a fait allusion à cet épisode, Mt **12** 42; Lc **11** 31, et les Pères
et la liturgie y ont reconnu (à cause du v. 9) une préfiguration des Rois
Mages. Il a eu une fortune extraordinaire dans la légende musulmane (la
reine Bilqis) et la légende chrétienne d'Éthiopie (la reine Makeda).

*c*) De telles joutes d'esprit entre souverains sont racontées dans des
contes égyptiens et Josèphe en imagine une entre Hiram et Salomon.

*d*) Mieux : « son service à boire ».

Yahvé, le cœur lui manqua [6] et elle dit au roi : « Ce que j'ai entendu dire sur toi et ta sagesse dans mon pays était donc vrai ! [7] Je n'ai pas voulu croire ce qu'on disait avant de venir et de voir de mes yeux, mais vraiment on ne m'en avait pas appris la moitié : tu surpasses en sagesse et en prospérité la renommée dont j'ai eu l'écho[a]. [8] Bienheureuses tes femmes, bienheureux tes serviteurs que voici, qui se tiennent continuellement devant toi et qui entendent ta sagesse ! [9] Béni soit Yahvé ton Dieu qui t'a montré sa faveur en te plaçant sur le trône d'Israël; c'est parce que Yahvé aime Israël pour toujours qu'il t'a établi roi, pour exercer le droit et la justice[b]. » [10] Elle donna au roi cent vingt talents d'or, une grande quantité d'aromates et des pierres précieuses; la reine de Saba avait apporté au roi Salomon une abondance d'aromates telle qu'il n'en vint plus jamais la pareille. [11] De même, la flotte d'Hiram, qui apporta l'or d'Ophir, ramena du bois d'almuggim[c] en grande quantité et des pierres précieuses. [12] Le roi fit avec le bois d'almuggim des supports[d] pour le Temple de Yahvé et pour le palais royal, des lyres et des harpes pour les musiciens; il ne vint plus de ce bois d'almuggim et on n'en a plus vu jusqu'à maintenant. [13] Quant au roi Salomon, il offrit à la reine de Saba tout ce dont elle manifesta l'envie, en plus des cadeaux qu'il lui fit avec une munificence digne de lui. Puis elle s'en retourna et alla dans son pays, elle et ses serviteurs.

---

8. « *tes femmes* » nâšêka *G Syr ;* « *tes hommes* » 'ănâšêka *H.*

*a)* La richesse de Salomon est le résultat de sa sagesse pratique. Ainsi s'achève le tableau de la sagesse de Salomon, cf. **3** 9, 16-28; **5** 9-14.

*b)* Où l'on retrouve le thème de la justice, cf. **3** 9 et 28.

*c)* Bois d'une essence rare, qu'on ne peut déterminer. La traduction fréquente par « santal » s'appuie sur un faux rapprochement avec le sanscrit.

*d)* Sens incertain.

La richesse
de Salomon.

‖ 2 Ch 9 13-24

[14] Le poids de l'or qui arriva à Salomon en une année fut de six cent soixante six talents[a] d'or, [15] sans compter ce qui venait des redevances des marchands, du gain des commerçants et de tous les rois étrangers et des gouverneurs du pays. [16] Le roi Salomon fit trois cents grands boucliers d'or battu, sur chacun desquels il appliqua six cents sicles d'or[b], [17] et trois cents petits boucliers d'or battu, sur chacun desquels il appliqua trois mines d'or, et il les déposa dans la Galerie de la Forêt du Liban. [18] Le roi fit aussi un grand trône d'ivoire et le plaqua d'or raffiné. [19] Ce trône avait six degrés, des têtes de taureaux en arrière et des bras de part et d'autre du siège; deux lions étaient debout près des bras [20] et douze lions se tenaient de part et d'autre des six degrés. On n'a rien fait de semblable dans aucun royaume.

[21] Tous les vases à boire du roi Salomon étaient en or et tout le mobilier de la Galerie de la Forêt du Liban était en or fin; car on faisait fi de l'argent au temps de Salomon. [22] En effet, le roi avait en mer une flotte de Tarsis[c] avec la flotte d'Hiram et tous les trois ans la flotte de Tarsis

---

15. *Texte incertain.* « *redevances* » 'onšê *G Syr* (*à* 2 *Ch* 9 14); « *hommes* » 'anšê *H*. — « *étrangers* » 'èrêb *conj., cf. Ex* 12 38; *Ne* 13 3; « *occident* » 'èrêb *H;* « *Arabes* » 'ărab *Aq Sym Syr.*

16. « *trois cents* » *G VetLat ;* « *deux cents* » *H*.

---

*a)* Voir **9** 14, note.

*b)* Poids le plus usuel et qui deviendra l'unité monétaire. 50 sicles faisaient alors une mine, v. 17, et le talent, v. 14, valait 60 mines. Sur ces boucliers, cf. **14** 26-28.

*c)* L'identification commune avec Tartessos, colonie phénicienne d'Espagne, n'est pas sûre. Le mot pourrait signifier simplement « fonderie » et les « vaisseaux de Tarsis » seraient ceux qui faisaient le service des exploitations minières. Il s'agit ici de la flotte qui transporte, comme marchandise d'échange, les produits de la fonderie d'Éçyôn-Gébèr, retrouvée par des fouilles récentes. Cf. la même expression à **22** 49.

revenait chargée d'or, d'argent, d'ivoire, de singes et de
guenons[a]. [23] Le roi Salomon surpassa en richesse et en
sagesse tous les rois de la terre. [24] Tout le monde voulait
être reçu par Salomon pour profiter de la sagesse que Dieu
lui avait mise au cœur [25] et chacun apportait son présent :
vases d'argent et vases d'or, vêtements, armes[b], aromates,
chevaux et mulets, et ainsi d'année en année.

2 Ch **1** 14-
17

**La charrerie
de Salomon.**

2 Ch **1** 14
= **9** 25

|| 2 Ch **1** 15
= **9** 27

|| 2 Ch **1** 16
= **9** 28

[26] Salomon rassembla des
chars et des chevaux; il eut
mille quatre cents chars et
douze mille chevaux et il les
cantonna dans les villes des chars et près du roi à Jérusalem[c]. [27] Salomon fit que l'argent était aussi commun à
Jérusalem que les cailloux, et les cèdres aussi nombreux
que les sycomores du Bas-Pays[d]. [28] Les chevaux de Salomon venaient de Cilicie; les courtiers du roi les expor-
taient de Cilicie à prix d'argent. [29] Un char était livré
d'Égypte pour six cents sicles; un cheval en valait cent
cinquante. Par l'entremise des courtiers, ils étaient expor-
tés de la même manière pour les rois des Hittites et les
rois d'Aram[e].

---

28. « de Cilicie » en lisant les deux fois miqqowah (*Qûê est le nom ancien de
la Cilicie*) au lieu de l'hébreu miqwéh « *rassemblement* »; *supprimer* « *d'Égypte* »
ajouté d'après le v. 29.

a) « Guenons » d'après l'égyptien. La traduction ordinaire « paons »
est une conjecture qui remonte aux anciennes versions. Mais le paon, ori-
ginaire de l'Inde, n'a été introduit que tardivement dans le Proche-Orient.

b) C'est le sens de *néšèq* en hébreu, mais le parallélisme avec « aromates »
et la traduction grecque invitent à comprendre « parfums », d'après le sens
de l'arabe *nšq*.

c) Cf. **5** 6; **9** 19.

d) En hébreu *šépélah*, zone des collines entre la chaîne judéenne et le
cordon littoral.

e) Les vv. 28-29, de texte incertain et d'interprétation discutée, peuvent
se comprendre d'un double commerce de transit : les chevaux de Cilicie
étaient renommés et l'Égypte fabriquait des chars depuis le Nouvel

## IV. LES OMBRES DU RÈGNE

**Les femmes
de Salomon.**

**11.** ¹ Le roi Salomon aima beaucoup de femmes étrangères — outre la fille de Pharaon — : des Moabites, des Ammonites, des Édomites, des Sidoniennes, des Hittites, ² de ces peuples dont Yahvé avait dit aux Israélites*ᵃ* : « Vous n'irez pas chez eux et ils ne viendront pas chez vous; sûrement ils détourneraient vos cœurs vers leurs dieux. » Mais Salomon s'attacha à elles par amour; ³ il eut sept cents épouses de rang princier et trois cents concubines. ⁴ Quand Salomon fut vieux, ses femmes détournèrent son cœur vers d'autres dieux et son cœur ne fut plus tout entier à Yahvé comme avait été celui de son père David. ⁵ Salomon suivit Astarté*ᵇ*, la divinité des Sidoniens, et Milkom*ᶜ*, l'abomination des Ammonites. ⁶ Il fit ce qui déplaît à Yahvé et il ne lui obéit pas parfaitement comme son père David. ⁷ C'est alors que Salomon construisit un sanctuaire à Kemosh*ᵈ*, le dieu de Moab, sur

---

**11** 3. *Ainsi G ; H ajoute « et ses femmes détournèrent son cœur » repris du v. suivant.*

7. *« dieu (de Moab)... dieu (des Ammonites) » G, cf. v.* 33; *« abomination » H.* — *« Milkom » Gᴸ Syr ; « Molek » H.*

---

Empire; les courtiers de Salomon fournissaient les chevaux à l'Égypte et des chars aux « rois des Hittites », ceux qui gouvernent les principautés constituées en Syrie du Nord après la dislocation de l'Empire Hittite, et aux « rois d'Aram », chefs araméens de Syrie méridionale.

*a*) Référence à Dt **7** 3-4.

*b*) Astarté, ou Ashtoreth, est une déesse souvent citée dans les inscriptions phéniciennes et dont la Bible a fait le type des divinités féminines de Canaan.

*c*) Dieu national des Ammonites, voir Jr **49** 1 et 3; 2 S **12** 30 (grec).

*d*) Dieu principal des Moabites, le « peuple de Kemosh », Nb **21** 29; Jr **48** 46. Il est mentionné sur la stèle moabite de Mésha.

la montagne à l'orient de Jérusalem, et à Milkom, le dieu des Ammonites. ⁸ Il en fit autant pour toutes ses femmes étrangères, qui offraient de l'encens et des sacrifices à leurs dieux.

⁹ Yahvé s'irrita contre Salomon parce que son cœur s'était détourné de Yahvé, Dieu d'Israël, qui lui était apparu deux fois ¹⁰ et qui lui avait défendu à cette occasion de suivre d'autres dieux, mais il n'observa pas cet ordre. ¹¹ Alors Yahvé dit à Salomon : « Parce que tu t'es comporté ainsi et que tu n'as pas observé mon alliance et les prescriptions que je t'avais faites, je vais sûrement t'arracher le royaume et le donner à l'un de tes serviteurs. ¹² Seulement je ne ferai pas cela durant ta vie, en considération de ton père David; c'est de la main de ton fils que je l'arracherai. ¹³ Encore ne lui arracherai-je pas tout le royaume : je laisserai une tribu à ton fils, en considération de mon serviteur David et de Jérusalem que j'ai choisie *a*. »

¹⁴ Yahvé suscita un adver-

**Les ennemis extérieurs de Salomon.** saire à Salomon : l'Édomite Hadad, de la race royale d'Édom. ¹⁵ Après que David eut battu Édom, quand Joab, chef de l'armée, était allé enterrer les morts, il avait frappé tous les mâles d'Édom ¹⁶ (Joab et tout Israël avaient cantonné là six mois jusqu'à l'anéantissement de tous les mâles d'Édom *b*), ¹⁷ Hadad

---

*a*) Les mariages étrangers de Salomon servaient sa politique; les sanctuaires païens étaient destinés à ses femmes et aussi aux commerçants, visiteurs ou vassaux venant à Jérusalem. Mais les relations trop étroites avec les peuples voisins ont toujours mis en péril la pureté du Yahvisme et l'auteur interprète ces faits dans l'esprit et le style du Deutéronome : l'amour pour les étrangères, défendu par la Loi, a fait tomber Salomon dans l'infidélité religieuse et Dieu le punit en lui suscitant des ennemis à l'extérieur (vv. 14 s) et, à l'intérieur, des difficultés qui aboutiront au schisme (vv. 26 s).

*b*) La victoire de David sur les Édomites est mentionnée dans 2 S **8**

s'était enfui en Égypte avec des Édomites au service de
son père. Hadad était alors un jeune garçon. ¹⁸ Ils partirent de Madiân*ᵃ* et arrivèrent à Parân*ᵇ*; ils prirent avec
eux des hommes de Parân et allèrent en Égypte auprès
de Pharaon, roi d'Égypte, qui lui donna une maison,
assura son entretien et lui assigna une terre. ¹⁹ Hadad
jouit d'une grande faveur auprès de Pharaon, qui lui fit
épouser la sœur de sa femme, la sœur de la Grande Dame
Tahpnès*ᶜ*. ²⁰ La sœur de Tahpnès lui enfanta son fils Genu-
bat, que Tahpnès éleva dans le palais de Pharaon, et Genu-
bat vécut parmi les enfants de Pharaon. ²¹ Quand Hadad
apprit, en Égypte, que David s'était couché avec ses pères
et que Joab, chef de l'armée, était mort, il dit à Pharaon :
« Laisse-moi partir, que j'aille dans mon pays. » ²² Pharaon lui dit : « Que te manque-t-il chez moi pour que tu
cherches à aller dans ton pays ? » Mais il répondit : « Rien,
laisse-moi partir. » ²⁵ᵇ Voici le mal que fit Hadad : il eut
Israël en aversion et il régna sur Édom.

²³ A Salomon Dieu suscita aussi comme adversaire
Rezôn, fils d'Élyada. Il avait fui de chez son maître Hadadézer, roi de Çoba*ᵈ*; ²⁴ des gens s'étaient joints à lui et il

---

20. « *éleva* » wattᵉgaddᵉléhû *G* ; « *sevra* » wattigmᵉléhû *H*.
25. *Le v. a été bouleversé par l'insertion de la notice sur Rezôn, vv.* 23-24;
*le texte est rétabli d'après G.*

---

13-14, mais l'expédition funéraire et punitive de Joab paraît se rapporter
à un événement postérieur, que le récit du règne de David a passé sous
silence.

*a*) Région située au sud du pays édomite, à l'est du golfe d'Aqaba.

*b*) Région septentrionale de la péninsule sinaïtique.

*c*) Le nom de personne « Tahpnès » n'est pas attesté sûrement en égyptien. Cette « Grande Dame » est l'épouse principale du Pharaon, et reçoit
un titre hébreu appliqué à la reine mère, cf. la note sur **15** 13. La cour
d'Égypte accueillera de même Jéroboam révolté, **11** 40.

*d*) La principauté araméenne de Çoba s'étendait en Syrie au nord du
territoire d'Israël et jusqu'à celui de Hama. Son roi Hadadézer avait été
vaincu et dépossédé par David, 2 S **8** 3 s; **10** 16 s.

était devenu chef de bande (c'est alors que David les massacra). Rezôn prit Damas, s'y installa et régna sur Damas[a].
²⁵ᵃ Il fut un adversaire d'Israël pendant toute la vie de
Salomon[b].

La révolte<br>de Jéroboam.

²⁶ Jéroboam était fils de
l'Éphraïmite Nebat, de Çe-
rêda[c], et sa mère était une
veuve nommée Çerua; il
était au service de Salomon et se révolta contre le roi.
²⁷ Voici l'histoire de sa révolte.

Salomon construisait le Millo[d], il fermait la brèche de
la Cité de David, son père. ²⁸ Ce Jéroboam était homme de
condition; Salomon remarqua comment ce jeune homme
accomplissait sa tâche et il le préposa à toute la corvée de
la maison de Joseph[e]. ²⁹ Il arriva que Jéroboam, étant
sorti de Jérusalem, fut abordé en chemin par le prophète
Ahiyya, de Silo[f]; celui-ci était vêtu d'un manteau neuf et
ils étaient seuls tous les deux dans la campagne. ³⁰ Ahiyya
prit le manteau neuf qu'il avait sur lui et le déchira en
douze morceaux[g]. ³¹ Puis il dit à Jéroboam : « Prends

---

*a*) Cet établissement du royaume de Damas, où David avait dominé,
2 S **8** 6, préparait un rude ennemi pour Israël.

*b*) C'est donc dès le début de son règne que Salomon perdit le contrôle
sur Édom, cf. le v. 21, et sur une partie des possessions araméennes de
David; mais le rédacteur a rejeté à la fin de son récit ce qui faisait ombre
à la gloire de Salomon.

*c*) Le nom se maintient dans celui d'une source et d'une vallée près de
Deir Ghassané, dans la montagne d'Éphraïm.

*d*) Voir **9** 15.

*e*) La « maison de Joseph » comprend, au sens strict, les deux tribus
d'Éphraïm et de Manassé.

*f*) Aujourd'hui Seiloun, entre Béthel et Naplouse. Célèbre jusqu'à
Samuel à cause du sanctuaire de l'arche (Jos **18** 1; Jg **18** 31; **21** 19; 1 S **1** 3;
**3** 21; **4** 3 s), la ville avait perdu beaucoup de son importance.

*g*) Une de ces actions symboliques qu'affectionnaient les prophètes;
le geste ne faisait pas seulement l'oracle le plus expressif, il le rendait,
selon la conception antique, plus efficace. Les dix morceaux attribués à
Jéroboam sont les dix tribus du Nord (comparer 2 S **19** 44); il reste deux

LIBRARY
KENRICK SEMINARY
7800 KENRICK ROAD
ST. LOUIS, MISSOURI 63119

pour toi dix morceaux, car ainsi parle Yahvé, Dieu d'Israël :
Voici que je vais arracher le royaume de la main de Salomon et je te donnerai les dix tribus. [32] Il aura une tribu,
en considération de mon serviteur David et de Jérusalem,
la ville que j'ai élue de toutes les tribus d'Israël. [33] C'est
qu'il m'a délaissé, qu'il s'est prosterné devant Astarté,
la déesse des Sidoniens, Kemosh, le dieu de Moab, Milkom, le dieu des Ammonites, et qu'il n'a pas suivi mes
voies, en faisant ce qui est juste à mes yeux, ni mes lois
et mes ordonnances, comme son père David. [34] Mais ce
n'est pas de sa main que je prendrai le royaume, car je l'ai
établi prince pour tout le temps de sa vie, en considération de mon serviteur David, que j'ai élu et qui a observé
mes commandements et mes lois; [35] c'est de la main de
son fils que j'enlèverai le royaume et je te le donnerai,
c'est-à-dire les dix tribus. [36] Pourtant je laisserai à son fils
une tribu, pour que mon serviteur David ait toujours
une lampe devant moi à Jérusalem, la ville que j'ai choisie
pour y faire résider mon Nom. [37] Pour toi, je te prendrai
pour que tu règnes sur tout ce que tu voudras et tu seras
roi sur Israël. [38] Si tu obéis à tout ce que je t'ordonnerai,
si tu suis mes voies et fais ce qui est juste à mes yeux,
en observant mes lois et mes commandements comme a
fait mon serviteur David, alors je serai avec toi et je te
construirai une maison stable comme j'ai construit pour

---

33. *Dans H les verbes sont au pluriel, mais le singulier est maintenu par les*
*Vers. et exigé par la suite.*

---

morceaux mais qui ne représentent qu'une tribu (celle de Juda, laissée
au successeur de Salomon, **12** 20) parce que s'était opérée au profit de
Juda la fusion de Juda et de Siméon, qui vivaient dans le même territoire,
Jos **19** 1. Ce n'est pas Benjamin qui complète la douzaine, comme dit le
grec ici et à **12** 20 et comme le pensent certains commentateurs : Benjamin
faisait partie des dix tribus et n'a été rattaché que plus tard à Juda. Sur
**12** 21, cf. la note.

David. Je te donnerai Israël [39] et j'humilierai la descendance de David à cause de cela; cependant pas pour toujours. »

[40] Salomon chercha à faire mourir Jéroboam[a]; celui-ci partit et s'enfuit en Égypte auprès de Sheshonq[b], roi d'Égypte, et il demeura en Égypte jusqu'à la mort de Salomon.

|| 2 Ch **9** 29-31

**Conclusion du règne.**        [41] Le reste de l'histoire de Salomon, tout ce qu'il a fait, et sa sagesse, n'est-ce pas écrit dans le livre de l'Histoire de Salomon[c]? [42] La durée du règne de Salomon à Jérusalem sur tout Israël fut de quarante ans. [43] Puis Salomon se coucha avec ses pères et on l'enterra dans la Cité de David, son père, et son fils Roboam régna à sa place.

# III

## LE SCHISME POLITIQUE ET RELIGIEUX

|| 2 Ch **10**

**L'Assemblée**
**de Sichem.**        **12.** [2] Dès que Jéroboam, fils de Nebat, fut informé[d], — il était encore en Égypte, où il avait fui le roi Salomon,

---

a) Dans la suite actuelle du texte, les poursuites de Salomon contre Jéroboam semblent être motivées par l'oracle d'Ahiyya. En réalité, le v. 40 se rattache aux vv. 26-28, récit ancien qui racontait la révolte. Le détail de celle-ci a été remplacé par l'histoire prophétique d'Ahiyya.

b) Premier Pharaon de la XXIIe dynastie, voir **14** 25.

c) Ce livre perdu paraît avoir été une compilation à laquelle l'auteur des Rois a emprunté la plupart des renseignements anciens des ch. **3** à **11**, mais il a dû avoir une source plus détaillée pour la description du Temple et une source (ou deux sources) provenant du Royaume du Nord pour l'histoire de Jéroboam, qui prélude au schisme.

d) De la mort de Salomon (**11** 43). Mais cette indication, rapportée

— il revint d'Égypte. ¹ Roboam se rendit à Sichem, car c'est à Sichem que tout Israël*a* était venu pour le proclamer roi, ³ et on lui parla ainsi : ⁴ « Ton père a rendu pénible notre joug, allège maintenant le dur servage de ton père, la lourdeur du joug qu'il nous imposa, et nous te servirons ! » ⁵ Il leur dit : « Retirez-vous pour trois jours, puis revenez vers moi », et le peuple s'en alla.

⁶ Le roi Roboam prit conseil des anciens, qui avaient servi son père Salomon pendant qu'il vivait, et demanda : « Quelle réponse conseillez-vous de faire à ce peuple ? » ⁷ Ils lui répondirent : « Si tu te fais aujourd'hui serviteur de ces gens, si tu te soumets et leur donnes de bonnes paroles, alors ils seront toujours tes serviteurs. » ⁸ Mais il repoussa le conseil que les anciens avaient donné et consulta des jeunes gens de son service, ses compagnons d'enfance. ⁹ Il leur demanda : « Que conseillez-vous que nous répondions à ce peuple qui m'a parlé ainsi : Allège le joug que ton père nous a imposé ? » ¹⁰ Les jeunes gens,

---

**12** 2. « *il revint d'Égypte* » wayyâšab *Vers.*; « *il séjourna en Égypte* » wayyéšèb *H.*

3. *Au début le texte a* « *On fit appeler Jéroboam et il vint, lui et toute l'assemblée d'Israël* », *glose qui manque dans G et est contredite par le v.* 20.

7. *Après* « *tu te soumets* » *H ajoute* « *et tu acquiesces* », *qui manque dans G et le parallèle de* 2 Ch **10** 7.

---

à l'assemblée de Sichem, a occasionné l'inversion des vv. 1 et 2, puis l'insertion de la glose du v. 3. D'autres auteurs considèrent le v. 2 comme une glose : le tout viendrait du parallèle 2 Ch **10**, qui avait omis l'histoire de la révolte de Jéroboam et devait rappeler ici sa fuite en Égypte; cela justifie aussi la leçon de H aux deux endroits « il séjourna en Égypte ». D'après le récit ancien, Jéroboam n'assistait pas à la rencontre de Sichem et ne fut appelé qu'ensuite par les révoltés, v. 20.

*a*) « Tout Israël », comme dans les textes historiques anciens, représente les dix tribus du Nord, distinguées de Juda. A Jérusalem, les Judéens ont volontiers reconnu la royauté de Roboam. A Sichem, pour les gens du Nord lieu normal de réunion depuis Josué (Jos **24**), les Israélites réclament une charte : sous Salomon, ils ont été désavantagés au profit de Juda. L'intransigeance de Roboam consommera la rupture, mais la crise se préparait depuis longtemps.

ses compagnons d'enfance, lui répondirent : « Voici ce que tu diras à ce peuple qui t'a dit : ' Ton père a rendu pesant notre joug, mais toi allège notre charge ', voici ce que tu leur répondras : Mon petit doigt est plus gros que les reins de mon père ! [11] Ainsi, mon père vous a fait porter un joug pesant, moi j'ajouterai encore à votre joug ; mon père vous a châtiés avec des lanières, moi je vous châtierai avec des fouets à pointes de fer ! »

[12] Tout le peuple vint à Roboam le troisième jour, selon cet ordre qu'il avait donné : « Revenez vers moi le troisième jour. » [13] Le roi fit au peuple une dure réponse, il rejeta le conseil que les anciens avaient donné [14] et, suivant le conseil des jeunes, il leur parla ainsi : « Mon père a rendu pesant votre joug, moi j'ajouterai encore à votre joug ; mon père vous a châtiés avec des lanières, moi je vous châtierai avec des fouets à pointes de fer. » [15] Le roi n'écouta donc pas le peuple : c'était une intervention de Yahvé, pour accomplir la parole qu'il avait dite à Jéroboam fils de Nebat par le ministère d'Ahiyya le Silonite[a]. [16] Quand les Israélites virent que le roi ne les exauçait pas, ils lui répliquèrent :

« Quelle part avons-nous sur David ?
Nous n'avons pas d'héritage sur le fils de Jessé.
A tes tentes, Israël !
Et maintenant, pourvois à ta maison, David[b]. »

Et Israël s'en fut à ses tentes. [17] Quant aux enfants d'Israël qui habitaient les villes de Juda, Roboam régna

---

12. « *Tout le peuple* » G ; « *Jéroboam et tout le peuple* » H, *cf. v.* 3.

---

*a*) Voir **11** 29 s.
*b*) C'est le cri de révolte des mécontents du Nord, poussé déjà lors du soulèvement de Sheba, 2 S **20** 1.

sur eux. [18] Le roi Roboam dépêcha Adoram, le chef de la corvée[a], mais les Israélites le lapidèrent et il mourut; alors le roi Roboam se vit contraint de monter sur son char pour fuir vers Jérusalem. [19] Et Israël fut séparé de la maison de David, jusqu'à ce jour.

**Le schisme politique.**

[20] Lorsque les Israélites apprirent que Jéroboam était revenu, ils l'appelèrent à l'assemblée et ils le firent roi sur tout Israël; il n'y eut pour se rallier à la maison de David que la seule tribu de Juda.

[21] Roboam se rendit à Jérusalem[b]; il convoqua toute la maison de Juda et la tribu de Benjamin, soit cent quatre-vingt mille guerriers d'élite, pour combattre la maison d'Israël et rendre le royaume à Roboam fils de Salomon. [22] Mais la parole de Yahvé fut adressée à Shemaya l'homme de Dieu en ces termes : [23] « Dis ceci à Roboam fils de Salomon, roi de Juda, à toute la maison de Juda, à Benjamin et au reste du peuple : [24] Ainsi parle Yahvé. N'allez pas vous battre contre vos frères, les enfants d'Israël; que chacun retourne chez soi, car cet événement vient de moi. » Ils écoutèrent la parole de Yahvé et prirent le chemin du retour comme avait dit Yahvé[c].

2 Ch **11** 1-4

---

*a*) Voir **4** 6 et **5** 28. Par bêtise ou par provocation, Roboam envoie aux révoltés le fonctionnaire qui leur était le plus odieux.

*b*) Les vv. 21-24 n'appartiennent pas à la source ancienne : ils interrompent l'histoire de Jéroboam, v. 25, et rattachent Benjamin à Juda, ce qui s'est fait partiellement sous Asa, **15** 22, et totalement sous Josias seulement, semble-t-il. Le passage se retrouve identique en 2 Ch **11** 1-4 et ressemble à d'autres histoires prophétiques, en particulier 2 Ch **28** 8-15.

*c*) Après le v. 24, la Septante insère une longue addition qui raconte l'histoire de Jéroboam d'une manière notablement différente du texte canonique. Bien que ce récit remonte à un original hébreu, il ne représente pas, même pour le fond, une tradition préférable au texte canonique. Il combine et transpose des éléments pris des ch. **11**, **14** et **12**, en y ajoutant des détails qui semblent inventés. C'est un exemple d'ancien midrash.

²⁵ Jéroboam fortifia Sichem dans la montagne d'Éphraïm et y séjourna. Puis il sortit de là et fortifia Penuel[a].

**Le schisme religieux.**

²⁶ Jéroboam se dit en lui-même : « Comme sont les choses, le royaume va retourner à la maison de David. ²⁷ Si ce peuple continue de monter au Temple de Yahvé à Jérusalem pour offrir des sacrifices, le cœur du peuple reviendra à son seigneur, Roboam, roi de Juda, et on me tuera. » ²⁸ Après avoir délibéré, il fit deux veaux d'or[b] et dit au peuple : « Assez longtemps vous êtes montés à Jérusalem ! Israël, voici ton Dieu qui t'a fait monter du pays d'Égypte. » ²⁹ Il dressa l'un à Béthel, ³⁰ et le peuple alla en procession devant l'autre jusqu'à Dan[c]. ³¹ Il établit le temple des hauts lieux[d] et il institua des prêtres pris du commun, qui n'étaient pas fils de Lévi. ³² Jéroboam célébra une fête

---

27. *A la fin du v.* H *ajoute* « Ils reviendront à Roboam, roi de Juda », *doublet qui manque dans* G.

28. « *et dit au peuple* » G ; « *et leur dit* » H.

29. *Après le v.,* H *continue* « et il mit l'autre à Dan. Cette affaire mena au péché », *addition suspecte qui rompt l'équilibre de la phrase.*

---

*a)* Probablement Tulul ed-Dahab sur le Yabboq près de son débouché dans la vallée du Jourdain.

*b)* Jéroboam poursuivait une fin politique : il voulait détourner le peuple d'aller à Jérusalem qui ne lui appartenait pas, mais il n'entendait pas changer de divinité. Ces images de « veaux », entendons : de jeunes taureaux, représentaient Yahvé, ou étaient peut-être seulement le symbole de ses attributs et le piédestal de sa présence invisible. Mais, comme de semblables figures jouaient le même rôle dans le culte de Baal-Hadad, Jéroboam rabaissait le Yahvisme au niveau des religions environnantes et ouvrait la porte aux pires compromissions, cf. Os **13** 2. Le récit est parallèle à celui du veau d'or au Sinaï, cf. en particulier Ex **32** 4.

*c)* Dan, près d'une source du Jourdain, et Béthel, sur la route de Jérusalem, encadraient le nouveau royaume. C'étaient des sanctuaires déjà vénérés, cf. Gn **12** 8, etc.; Jg **17-18**.

*d)* C'est le « sanctuaire royal » où prophétisera Amos, Am **7** 13, et que détruira Josias, 2 R **23** 15. On a proposé récemment de traduire « temple des stèles », *bâmah* étant interprété comme un tertre funéraire, auquel une stèle était associée.

le huitième mois, le quinzième jour du mois, comme la fête qu'on célébrait en Juda, et il monta à l'autel[a]. Voilà comme il a agi à Béthel, sacrifiant aux veaux qu'il avait faits, et il établit à Béthel les prêtres des hauts lieux, qu'il avait institués. [33] Il monta à l'autel qu'il avait fait, le quinzième jour du huitième mois, le mois qu'il avait arbitrairement choisi; il institua une fête pour les Israélites et il monta à l'autel pour offrir le sacrifice

**13.** [1] Sur l'ordre de Yahvé, un homme de Dieu arriva de Juda à Béthel, au moment où Jéroboam se tenait près de l'autel pour offrir le sacrifice, [2] et, par ordre de Yahvé, il lança contre l'autel cette proclamation : « Autel, autel ! ainsi parle Yahvé : Voici qu'il naîtra à la maison de David un fils nommé Josias, il immolera sur toi les prêtres des hauts lieux qui ont offert sur toi des sacrifices, et il brûlera sur toi des ossements humains. » [3] Il donna en même temps un signe : « Tel est le signe que Yahvé a parlé : Voici que l'autel va se fendre et que se répandra la cendre qui est sur lui. » [4] Quand le roi entendit ce que l'homme de Dieu disait contre l'autel de Béthel, il étendit la main hors de l'autel, en disant : « Saisissez-le ! » mais la main qu'il avait tendue contre l'homme sécha, en sorte qu'il ne pouvait plus la ramener à lui, [5] l'autel se fendit et les cendres cou-

**Condamnation de l'autel de Béthel.**

---

33. « *qu'il avait fait* » G ; « *qu'il avait fait à Béthel* » H.
**13** 2. « *il brûlera* » *Vers.*; « *on brûlera* » H.

---

*a*) C'est la dédicace du nouveau temple de Béthel, célébrée en la fête des Tentes, où précisément le Temple de Salomon avait été inauguré, et à la même date, cf. la note sur **8** 2. Lorsque, plus tard, la fête eut été fixée au 15e jour du 7e mois, Lv **23** 34, on accusa Jéroboam d'avoir modifié le calendrier religieux, d'où la glose « le quinzième jour » en v. 32 et tout le v. 33.

lèrent de l'autel, selon le signe qu'avait donné l'homme de
Dieu, par ordre de Yahvé. [6] Le roi reprit et dit à l'homme
de Dieu : « Apaise, je t'en supplie, Yahvé ton Dieu, afin
que ma main puisse revenir à moi. » L'homme de Dieu
apaisa Yahvé, la main du roi revint à lui et fut comme
auparavant. [7] Le roi dit à l'homme de Dieu : « Viens avec
moi à la maison pour te réconforter, et je te ferai un
cadeau. » [8] Mais l'homme de Dieu dit au roi : « Quand
tu me donnerais la moitié de ta maison, je n'irais pas avec
toi. Je ne mangerai ni je ne boirai rien en ce lieu, [9] car
j'ai reçu ce commandement de Yahvé : Tu ne mangeras
ni tu ne boiras rien et tu ne reviendras pas par le même
chemin. » [10] Et il s'en alla par un autre chemin, sans
reprendre le chemin par où il était venu à Béthel.

**L'homme de Dieu
et le prophète**[a].

[11] Or habitait à Béthel un
vieux prophète, et ses fils
vinrent lui raconter tout ce
qu'avait fait, ce jour-là,
l'homme de Dieu à Béthel; les paroles qu'il avait dites
au roi, ils les racontèrent aussi à leur père. [12] Celui-ci leur
demanda : « Quel chemin a-t-il pris ? » et ses fils lui montrèrent le chemin qu'avait pris l'homme de Dieu qui était
venu de Juda. [13] Il dit à ses fils : « Sellez-moi l'âne »; ils
lui sellèrent l'âne et il l'enfourcha. [14] Il poursuivit l'homme
de Dieu et le trouva assis sous le térébinthe; il lui demanda :
« Es-tu l'homme de Dieu venu de Juda ? » et il répondit :
« Oui. » [15] Le prophète lui dit : « Viens avec moi à la mai-

---

6. *Après « ton Dieu », H ajoute « et prie pour moi »*; omis par *Vers.*
11. *« ses fils » Vers., cf. vv. suivants ; « son fils » H.*
12. *« lui montrèrent » wayyar'uhû Vers.; « ils virent » wayyir'û H.*

---

a) Le « prophète » *nâbî'*, à cette époque, représente un genre d'inspiré
inférieur au véritable « homme de Dieu », comparez Élie et Élisée d'une
part et les « frères prophètes », et cf. Am **7** 14.

son pour manger quelque chose. » [16] Mais il répondit :
« Je ne dois pas revenir avec toi, ni rien manger ou rien
boire ici, [17] car j'ai reçu cet ordre de Yahvé : Tu ne mangeras ni tu ne boiras rien là-bas, et tu ne retourneras pas
par le chemin où tu seras allé. » [18] Alors l'autre lui dit :
« Moi aussi je suis un prophète comme toi, et un ange
m'a dit ceci, par ordre de Yahvé : Ramène-le avec toi à la
maison pour qu'il mange et qu'il boive »; il lui mentait[a].
[19] L'homme de Dieu revint donc avec lui, il mangea chez
lui et il but.

[20] Or, comme ils étaient assis à table, une parole de
Yahvé arriva au prophète qui l'avait ramené [21] et celui-ci
interpella l'homme de Dieu venu de Juda : « Ainsi parle
Yahvé. Parce que tu as été rebelle à l'ordre de Yahvé et
n'as pas observé le commandement que t'avait fait Yahvé
ton Dieu, [22] que tu es revenu, que tu as mangé et bu au
lieu où il t'avait dit de ne pas manger ni boire, ton cadavre
n'entrera pas dans le sépulcre de tes pères. » [23] Après qu'il
eut mangé et bu le prophète lui sella l'âne, il s'en retourna
et partit. [24] Un lion le trouva sur le chemin et le tua; son
cadavre resta étendu sur le chemin, l'âne se tenait près
de lui, le lion aussi se tenait près du cadavre. [25] Des gens
passèrent, qui virent le cadavre étendu sur le chemin et
le lion se tenant près du cadavre, et ils vinrent le dire à la
ville où habitait le vieux prophète. [26] Quand le prophète

16. *H est un peu surchargé.*

23. « *il s'en retourna et partit* » *Vers.*; *H est corrompu et coupe autrement
les vv.*

*a*) La morale de cette histoire, dont le style populaire est si accusé, et
les motifs que le « prophète » eut de mentir ont préoccupé les commentateurs, mais la pointe du récit est ailleurs : les ordres divins exigent une
soumission absolue et l'homme de Dieu n'aurait pas dû mettre en doute
celui qu'il avait reçu, pas même au commandement prétendu d'un ange,
comp. saint Paul, Ga **1** 8.

qui lui avait fait rebrousser chemin apprit cela, il dit :
« C'est l'homme de Dieu qui a été rebelle à l'ordre de
Yahvé ! Et Yahvé l'a livré au lion, qui l'a abattu et tué,
selon la parole que Yahvé lui avait dite ! » [27] Il dit à ses
fils : « Sellez-moi l'âne » et ils le sellèrent. [28] Il partit et
trouva son cadavre étendu sur le chemin, l'âne et le lion
se tenant à côté du cadavre; le lion n'avait pas dévoré le
cadavre ni brisé l'échine de l'âne. [29] Il releva le cadavre
de l'homme de Dieu et le mit sur l'âne, et il le ramena à
la ville où il habitait pour faire le deuil et l'ensevelir. [30] Il
déposa le cadavre dans son propre sépulcre et on fit le
deuil sur lui : « Hélas, mon frère[a] ! » [31] Après qu'il l'eut
enseveli, il parla ainsi à ses fils : « Après ma mort, vous
m'ensevelirez dans le même sépulcre que l'homme de
Dieu; déposez mes os à côté des siens. [32] Car elle s'ac-
complira vraiment la parole qu'il a prononcée par ordre
de Yahvé contre l'autel de Béthel, et contre tous les
sanctuaires des hauts lieux qui sont dans les villes de
Samarie[b]. »

[33] Après cet événement, Jéroboam ne se convertit pas
de sa mauvaise conduite, mais il continua d'instituer
prêtres des hauts lieux des gens pris du commun : à qui

---

*a)* Voir Jr **22** 18.

*b)* Cette histoire du ch. **13** est rappelée à propos de la réforme de Josias,
2 R **23** 16-20. Ce dernier passage est une addition qui suppose connu notre
récit, mais la rédaction de celui-ci a été influencée par l'histoire de la réforme,
cf. v. 32 et surtout v. 2 : une annonce aussi précise d'un événement très
distant, avec un nom propre, est étrangère au genre prophétique. La source
est une tradition qui était attachée à un tombeau de prophète près de
Béthel (comparer les *wélys* musulmans). Il n'est pas raisonnable de considérer cette tradition comme très tardive, car elle s'apparente à d'autres histoires prophétiques, comme celles du cycle d'Élisée, et elle met en œuvre
des thèmes anciens : opposition entre « prophète » et « homme de Dieu »,
entre homme de Dieu et roi, entre Israël et Juda. Ces trois thèmes se
retrouvent ensemble dans l'histoire d'Amos, et précisément à propos de
Béthel, Am **7** 10-17. Mais il est invraisemblable que notre récit soit une
transposition populaire de l'histoire d'Amos.

le voulait il donnait l'investiture pour devenir prêtre des hauts lieux. [34] Cette conduite fit tomber dans le péché la maison de Jéroboam et motiva sa ruine et son extermination de la face de la terre.

## IV

## *LES DEUX ROYAUMES JUSQU'A ÉLIE*

**14.** [1] En ce temps-là, le fils de Jéroboam, Abiyya, tomba malade, [2] et Jéroboam dit à sa femme : « Lève-toi, je te prie, déguise-toi pour qu'on ne reconnaisse pas que tu es la femme de Jéroboam et va à Silo. Il y a là le prophète Ahiyya[a] : c'est lui qui a prédit que je régnerais sur ce peuple. [3] Prends avec toi dix pains, des friandises et un pot de miel[b], et va vers lui : il t'apprendra ce qui doit arriver à l'enfant. » [4] Ainsi fit la femme de Jéroboam : elle se leva, alla à Silo et entra chez Ahiyya. Or celui-ci ne pouvait pas voir, ayant les yeux affaiblis par son grand âge, [5] mais Yahvé lui avait dit : « Voici que la femme de Jéroboam vient solliciter de toi un oracle pour son fils, car il est malade ; tu lui parleras de telle et telle manière. Elle viendra en se donnant pour une autre. » [6] Dès qu'Ahiyya entendit le bruit de ses pas à la porte, il dit : « Entre, femme de Jéroboam. Pourquoi donc te donner pour une autre, quand j'ai un dur message pour toi ?

**Suite du règne de Jéroboam Ier (931-910).**

---

*a*) Voir **11** 29 s.
*b*) On n'allait pas consulter un prophète sans lui faire un cadeau, 1 S **9** 7 s; 2 R **5** 15; **8** 8; Am **7** 12; Ez **13** 19.

⁷ Va dire à Jéroboam : ' Ainsi parle Yahvé, Dieu d'Israël,
Je t'ai tiré de la masse et t'ai établi comme chef sur mon
peuple Israël, ⁸ j'ai arraché le royaume à la maison de
David et je te l'ai donné. Mais tu n'as pas été comme mon
serviteur David qui a observé mes commandements et
qui m'a suivi de tout son cœur, ne faisant que ce qui me
plaît; ⁹ tu as agi plus mal que tous tes prédécesseurs, tu
es allé te fabriquer d'autres dieux, des idoles fondues*ᵃ*,
pour mon irritation, et tu m'as jeté derrière ton dos.
¹⁰ C'est pourquoi je vais faire venir le malheur sur la
maison de Jéroboam, j'exterminerai tous les mâles*ᵇ* de la
famille de Jéroboam, liés ou libres*ᶜ* en Israël, je balayerai
la maison de Jéroboam comme on balaye à fond l'ordure.
¹¹ Ceux de la famille de Jéroboam qui mourront dans la
ville seront mangés par les chiens, et ceux qui mourront
dans la campagne seront mangés par les oiseaux du ciel*ᵈ*,
car Yahvé a parlé. ' ¹² Pour toi, lève-toi et va chez toi : au
moment où tes pieds entreront dans la ville, l'enfant
mourra. ¹³ Tout Israël fera son deuil et on l'ensevelira.
En effet ce sera le seul de la famille de Jéroboam qui sera
mis dans un sépulcre, car en lui seul se sera trouvé quelque
chose d'agréable à Yahvé, Dieu d'Israël, dans la maison
de Jéroboam. ¹⁴ Yahvé établira un roi sur Israël qui exter-

---

**14** 14. *A la fin le texte ajoute « Voici le jour, et quoi de plus maintenant ? » glose
du v.* 15 *par un exilé.*

---

*a*) Voir **12** 28 et la note : c'est la réaction du pur Yahvisme contre les
veaux d'or, qui ne peuvent pas représenter Yahvé ou ses attributs et sont
donc de « faux dieux ».

*b*) Litt. « ceux qui urinent contre le mur ».

*c*) Deux mots de sens imprécis, exprimant la totalité et choisis pour
faire allitération : *'aṣûr* *weʿâzûb*.

*d*) En Orient, où la voirie est laissée aux chiens et aux oiseaux de proie,
ces expressions désignent la privation de sépulture régulière; voir le
contraste du v. 13.

minera la maison de Jéroboam. [15] Yahvé fera vaciller
Israël comme dans l'eau vacille le roseau, il arrachera
Israël de ce bon pays qu'il a donné à ses pères et le disper-
sera de l'autre côté du Fleuve, parce qu'ils ont fait leurs
pieux sacrés pour l'irritation de Yahvé. [16] Il abandonnera
Israël à cause des péchés que Jéroboam a commis et qu'il
a fait commettre à Israël. » [17] La femme de Jéroboam se
leva et partit. Elle arriva à Tirça[a] et, lorsqu'elle franchit
le seuil de la maison, l'enfant était déjà mort. [18] On l'ensevelit et tout Israël fit son deuil, comme avait dit Yahvé,
par le ministère de son serviteur le prophète Ahiyya[b].

[19] Le reste de l'histoire de Jéroboam, comment il guerroya et régna, cela est écrit au livre des Annales des rois
d'Israël. [20] La durée du règne de Jéroboam fut de vingt-
deux années, puis il se coucha avec ses pères et son fils
Nadab régna à sa place.

**Règne de Roboam**
(931-913).

[21] Roboam fils de Salo-
mon devint roi sur Juda; il
avait quarante et un ans à
son avènement et régna dix-
sept ans à Jérusalem, la ville que, dans toutes les tribus
d'Israël, Yahvé avait choisie pour y placer son Nom. Sa
mère s'appelait Naama, l'Ammonite. [22] Il fit ce qui déplaît

∥ 2 Ch **12** 13-14

---

15. « *fera vaciller* » w$^e$hénîd *conj.*, *cf. la suite ; « frappera* » w$^e$hikkah *H.*
22. « *Il fit... il irrita* » *G*$^L$; « *Ils firent... ils irritèrent* » *H.*

---

*a*) Capitale du royaume d'Israël avant la fondation de Samarie, **16** 24.
Le nom ancien a disparu, mais le site est très probablement Tell el-Fâr'ah,
au nord-est de Naplouse.

*b*) Cette histoire, vv. 1-18, provient sans doute de la même source prophétique que **11** 29 s, mais a été amplifiée de formules deutéronomiques
dans les vv. 7-16, qui ressemblent aux autres oracles contre les rois d'Israël,
**16** 1-4; **21** 20-24; 2 R **9** 6-10. Elle manquait dans l'ancienne Septante
mais a été reprise par l'addition grecque après **12** 24.

à Yahvé : il irrita sa jalousie plus que n'avaient fait ses pères avec tous les péchés qu'ils avaient commis, [23] eux qui s'étaient construit des hauts lieux, avaient dressé des stèles et des pieux sacrés[a] sur toute colline élevée et sous tout arbre verdoyant[b]. [24] Même il y eut des prostitués sacrés[c] dans le pays. Il imita toutes les ignominies des nations que Yahvé avait chassées devant les enfants d'Israël.

‖ 2 Ch **12** 2, 9-11

[25] La cinquième année du roi Roboam, le roi d'Égypte, Sheshonq[d], marcha contre Jérusalem. [26] Il se fit livrer les trésors du Temple de Yahvé et ceux du palais royal, absolument tout, jusqu'à tous les boucliers d'or[e] qu'avait faits Salomon. [27] A leur place, le roi Roboam fit des boucliers de bronze et les confia aux chefs des gardes, qui veillaient à la porte du palais royal. [28] Chaque fois que le roi allait au Temple de Yahvé, les gardes les prenaient puis ils les rapportaient à la salle des gardes.

[29] Le reste de l'histoire de Roboam, tout ce qu'il a fait, cela n'est-il pas écrit au livre des Annales des rois de Juda ? [30] Il y eut tout le temps guerre entre Roboam et Jéroboam.

---

*a)* La stèle, *maṣṣēbah,* est une pierre dressée qui symbolise peut-être la divinité masculine ; le pieu sacré, *'ăšērah,* est un tronc d'arbre ou un pieu mal équarri, planté dans le sanctuaire et consacré à la divinité féminine, proprement la déesse Ashera, dont il porte le nom.

*b)* Cf. Dt **12** 2 ; 2 R **16** 4 ; **17** 10 ; Is **57** 5 ; Jr **2** 20, etc.

*c)* La prostitution des deux sexes était, dans les cultes cananéens, une tare que condamne Dt **23** 18-19. Elle avait contaminé Israël, voir **15** 12 ; **22** 47 et 2 R **23** 7.

*d)* Premier Pharaon de la XXIIe dynastie. Dans les documents égyptiens, cette campagne est attestée surtout par une liste de villes palestiniennes, qui suggère que Sheshonq épargna la Judée (en raison du tribut payé par Roboam) mais qu'il parcourut une partie du royaume d'Israël et la vallée du Jourdain. Une inscription portant son nom a été retrouvée à Megiddo.

*e)* Voir **10** 16. Ils étaient destinés, comme leurs remplaçants de bronze, aux gardes qui veillaient sur le palais et le Temple et qui accompagnaient le roi dans ses déplacements, les « coureurs », **1** 5 ; 2 R **11** *passim.*

³¹ Roboam se coucha avec ses pères et on l'enterra dans ‖ 2 Ch **12** 16
la Cité de David. Son fils Abiyyam régna à sa place.

**15.** ¹ La dix-huitième an- ‖ 2 Ch **13** 1-2ᵃ

**Règne d'Abiyyam** née du roi Jéroboam fils de
**en Juda** (913-911). Nebat, Abiyyam devint roi
de Juda ² et régna trois ans
à Jérusalem; sa mère s'appelait Maaka, fille d'Absalom.
³ Il imita les péchés que son père avait commis avant lui
et son cœur ne fut pas tout entier à Yahvé son Dieu
comme le cœur de son ancêtre David. ⁴ Pourtant, en considération de David, Yahvé son Dieu lui donna une lampeᵃ
à Jérusalem, en maintenant ses fils après lui et en épargnant
Jérusalem. ⁵ En effet David avait fait ce qui est juste aux
yeux de Yahvé et il ne s'était dérobé à rien de ce qu'il lui
avait ordonné durant toute sa vie.

(⁶) ⁷ Le reste de l'histoire d'Abiyyam, tout ce qu'il a
fait, cela n'est-il pas écrit au livre des Annales des rois de
Juda ? Il y eut guerre entre Abiyyam et Jéroboam. ⁸ Puis ‖ 2 Ch **13** 2b
Abiyyam se coucha avec ses pères et on l'enterra dans la ‖ 2 Ch **13** 23
Cité de David; son fils régna Asa à sa place.

⁹ La vingtième année de

**Règne d'Asa en Juda** Jéroboam, roi d'Israël, Asa
(911-870). devint roi de Juda ¹⁰ et
régna quarante et un ans à
Jérusalem; sa grand'mère s'appelait Maaka, fille d'Absa-
lom. ¹¹ Asa fit ce qui est juste aux yeux de Yahvé, comme ‖ 2 Ch **14** 1-3

---

31. *H est un peu surchargé ; texte rétabli d'après le parallèle de 2 Ch **12** 16.*
**15** 3. *« les péchés » G ; « tous les péchés » H.*
4. *« ses fils » G ; « son fils » H.*
5. *H ajoute une glose « sauf dans l'histoire d'Urie le Hittite », qui manque
dans G.*
6. *Ce v., qui manque dans les meilleurs témoins grecs, est un doublet de **14** 30.*

---

*a*) Image de la permanence d'une lignée, **11** 36; 2 R **8** 19.

son ancêtre David. [12] Il expulsa du pays les prostitués sacrés[a] et supprima toutes les idoles que ses pères avaient faites.

|| 2 Ch **15** 16-18 [13] Même il enleva à sa grand'mère la dignité de Grande Dame[b], parce qu'elle avait fait horreur[c] pour Ashéra; Asa abattit son horreur et la brûla dans la vallée du Cédron. [14] Les hauts lieux ne disparurent pas; pourtant le cœur d'Asa fut tout entier à Yahvé pendant toute sa vie. [15] Il déposa dans le Temple de Yahvé les offrandes consacrées par son père et ses propres offrandes, de l'argent, de l'or et du mobilier.

|| 2 Ch **16** 1-6 [16] Il y eut guerre entre Asa et Basha, roi d'Israël, tant qu'ils vécurent. [17] Basha, roi d'Israël, marcha contre Juda et il fortifia Rama[d] pour bloquer les communications d'Asa, roi de Juda. [18] Alors Asa prit l'argent et l'or qui restaient dans les trésors du Temple de Yahvé et ceux du palais royal. Il les remit à ses serviteurs et envoya ceux-ci vers Ben-Hadad[e] fils de Tabrimmôn fils de Hèzyôn, le roi d'Aram qui résidait à Damas, avec ce message : [19] « Alliance entre moi et toi, entre mon père et ton père ! Je t'envoie un présent d'argent et d'or : va, romps ton alliance avec Basha, roi d'Israël, pour qu'il s'éloigne de moi ! » [20] Ben-Hadad acquiesça et envoya ses chefs d'armée contre les villes d'Israël; il conquit Iyyôn, Dan,

---

*b*) Voir **14** 24.

*b*) La reine mère avait, en Juda comme dans d'autres royaumes orientaux, un rang d'honneur et certaines prérogatives et portait le titre de g[e]bîrah, « Grande Dame », cf. **2** 19. C'est pourquoi son nom est donné, sauf exception, dans l'introduction à chaque règne. Maaka avait conservé cette dignité sous son petit-fils, qui avait accédé très jeune au pouvoir. Le titre équivalent en hittite est *tavannana* et un texte fournit un parallèle exact au récit biblique : le roi Mursil II « dégrada de sa position de *tavannana* » sa mère qu'il accusait de la mort de sa femme.

*c*) Traduction douteuse d'un terme unique en hébreu; peut-être un baldaquin qui abritait le symbole de la déesse.

*d*) Aujourd'hui Er-Ram, à 9 km. au nord de Jérusalem.

*e*) Ben-Hadad Ier. Sur la suite de la dynastie, voir **20** 1.

Abel Bet-Maaka, tout Kinnerot et même tout le pays de Nephtali*a*. [21] Quand Basha l'apprit, il arrêta les travaux à Rama et retourna à Tirça. [22] Le roi Asa convoqua tout Juda, sans exemption pour personne; on enleva les pierres et le bois avec lesquels Basha fortifiait Rama et le roi en fortifia Géba de Benjamin et Miçpa*b*.

[23] Le reste de l'histoire d'Asa, toute sa vaillance et tout ce qu'il a fait, cela n'est-il pas écrit au livre des Annales des rois de Juda ? Seulement, au temps de sa vieillesse, il eut les pieds malades. [24] Asa se coucha avec ses pères et on l'enterra dans la Cité de David, son ancêtre. Son fils Josaphat régna à sa place.

|| 2 Ch **16** 11-14

**Règne de Nadab en Israël** (910-909).

[25] Nadab, fils de Jéroboam, devint roi d'Israël, en la deuxième année d'Asa, roi de Juda, et régna deux ans sur Israël. [26] Il fit ce qui déplaît à Yahvé : il imita la conduite de son père et le péché où celui-ci avait entraîné Israël. [27] Basha fils d'Ahiyya, de la maison d'Issachar, conspira contre lui et l'assassina à Gibbetôn*c*, ville philistine qu'assiégeaient Nadab et tout Israël. [28] Basha le fit périr dans la troisième année d'Asa, roi de Juda, et régna à sa place. [29] Devenu roi, il massacra toute la maison de Jéroboam sans épargner personne, jusqu'à

---

21. « *et retourna* » wayyâšab *G* ; « *et résida* » wayyéšèb *H*.
23, *Après* « *ce qu'il a fait* » *H ajoute* « *et les villes qu'il a construites* », *addition inspirée par le v. précédent ; omis par* G^B.

---

*a*) Les trois villes mentionnées d'abord étaient à la frontière septentrionale du royaume israélite. Kinnerot désignait la région à l'ouest du lac de Tibériade. L'ensemble faisait partie du territoire de Nephtali.
*b*) Géba, aujourd'hui Djeba à l'est d'Er-Ram (Rama); Miçpa, aujourd'hui Tell en-Nasbé un peu au nord d'Er-Ram : deux forteresses gardant la grand'route de Jérusalem et couvrant le territoire gagné sur Basha.
*c*) Bastion avancé des Philistins au nord-est, entre la philistine Éqrôn et Gézèr que revendiquaient les Israélites; cf. encore **16** 15.

l'extermination, selon la parole que Yahvé avait dite[a] par le ministère de son serviteur Ahiyya de Silo, [30] pour les péchés où il avait entraîné Israël et pour l'irritation qu'il avait causée à Yahvé Dieu d'Israël.

[31] Le reste de l'histoire de Nadab, et tout ce qu'il a fait, cela n'est-il pas écrit au livre des Annales des rois d'Israël ? ([32])

**Règne de Basha en Israël** (909-886).

[33] La troisième année d'Asa, roi de Juda, Basha, fils d'Ahiyya, devint roi sur Israël à Tirça, pour vingt-quatre ans. [34] Il fit ce qui déplaît à Yahvé, et il imita la conduite de Jéroboam et le péché où il avait entraîné Israël.

**16.** [1] La parole de Yahvé fut adressée à Jéhu, fils de Hanani, contre Basha, en ces termes[b] : [2] « Je t'ai tiré de la poussière et je t'ai établi chef sur mon peuple Israël, mais tu as imité la conduite de Jéroboam et tu as fait commettre à mon peuple Israël des péchés qui m'irritent. [3] Aussi vais-je balayer Basha et sa maison : je rendrai ta maison pareille à celle de Jéroboam fils de Nebat. [4] Celui de la famille de Basha qui mourra dans la ville, les chiens le mangeront, et celui qui mourra dans la campagne, les oiseaux du ciel le mangeront. »

[5] Le reste de l'histoire de Basha, ce qu'il a fait et ses exploits, cela n'est-il pas écrit au livre des Annales des rois d'Israël ? [6] Basha se coucha avec ses pères et on l'enterra à Tirça. Son fils Éla régna à sa place.

---

32. *Le v. est un simple doublet du v.* 16 *et est omis par G.*
33. « *Israël* » *G ;* « *tout Israël* » *H.*

a) **14** 10 s.
b) L'oracle est rédigé en imitation de celui contre la maison de Jéroboam, **14** 7-11.

⁷ De plus, par le ministère du prophète Jéhu fils de
Hanani, la parole de Yahvé fut transmise à Basha et à sa
maison, d'une part à cause de tout le mal qu'il fit au regard
de Yahvé, en l'irritant par ses œuvres, pour devenir comme
la maison de Jéroboam, d'autre part, parce qu'il extermina
celle-ci[a].

**Règne d'Éla en Israël**
(886-885).

⁸ La vingt-sixième année
d'Asa, roi de Juda, Éla fils
de Basha devint roi sur Israël à Tirça, pour deux ans.
⁹ Son officier Zimri, chef de la moitié des chars, conspira
contre lui. Comme il était dans Tirça, buvant à s'enivrer
dans la maison d'Arça, maître du palais à Tirça, ¹⁰ Zimri
entra, le frappa et le tua, en la vingt-septième année d'Asa
roi de Juda, puis il régna à sa place. ¹¹ A son avènement,
dès qu'il fut assis sur le trône, il massacra toute la famille
de Basha, sans lui laisser aucun mâle[b], ses parents et son
familier. ¹² Zimri extermina toute la maison de Basha,
selon la parole que Yahvé avait prononcée contre Basha[c],
par le ministère du prophète Jéhu, ¹³ pour tous les péchés
de Basha et ceux d'Éla, son fils, où ils avaient entraîné
Israël, irritant Yahvé, Dieu d'Israël, par leurs vaines
idoles.

¹⁴ Le reste de l'histoire d'Éla, et tout ce qu'il a fait, cela
n'est-il pas écrit au livre des Annales des rois d'Israël ?

---

**16** 7. « *fils de Hanani* » G ; « *fils de Hanani le prophète* » H.

---

*a*) Tout le v. est une addition évidente : il répète en mauvais style les
vv. 1-4 et donne du châtiment de Basha une seconde raison étrangère à
l'esprit du livre mais qui rappelle Os **1** 4. Cependant une autre traduction
de la fin du v. serait possible : « bien qu'il ait exterminé celle-ci », mais elle
suppose elle-même une langue tardive.

*b*) Voir **14** 10. Dans la suite du v., les « parents » sont ceux à qui
incombe la vengeance du sang et qu'un usurpateur doit supprimer pour
être sauf; le « familier » est un officier de la cour, voir **4** 5.

*c*) **16** 1 s.

**Règne de Zimri en Israël** (885).

[15] La vingt-septième année d'Asa, roi de Juda, Zimri devint roi, pour sept jours, à Tirça. Le peuple campait alors devant Gibbetôn[a] qui appartient aux Philistins. [16] Lorsque le bivouac reçut cette nouvelle : « Zimri a conspiré, il a même tué le roi ! » tout Israël, le jour même, dans le camp, proclama roi Omri, chef de l'armée d'Israël. [17] Omri et tout Israël avec lui levèrent le siège de Gibbetôn et vinrent bloquer Tirça. [18] Quand Zimri vit que la ville était prise, il entra dans le donjon du palais royal, brûla sur lui le palais et périt. [19] Ce fut pour le péché qu'il commit en faisant ce qui déplaît à Yahvé, en imitant la conduite de Jéroboam et le péché où il avait entraîné Israël.

[20] Le reste de l'histoire de Zimri et la conspiration qu'il ourdit, cela n'est-il pas écrit au livre des Annales des rois d'Israël ?

[21] Alors le peuple d'Israël se divisa : une moitié se rallia à Tibni fils de Ginat, pour le faire roi, l'autre moitié à Omri. [22] Mais le parti d'Omri l'emporta sur celui de Tibni fils de Ginat; Tibni mourut et Omri devint roi.

**Règne d'Omri en Israël** (885-874).

[23] La trente et unième année d'Asa, roi de Juda, Omri devint roi sur Israël, pour douze ans[b]. Il régna six années à Tirça. [24] Puis il acquit de Shémer sa montagne pour deux talents d'argent; il y construisit une ville que, d'après

---

*a*) Voir la note à **15** 27.

*b*) Ces douze ans sont comptés à partir de l'usurpation éphémère de Zimri, en la vingt-septième année d'Asa, vv. 15-17. La trente et unième année de ce v. 23 marque la défaite du parti de Tibni, qui s'était donc opposé quatre ans à Omri.

le nom de Shémer, possesseur de la montagne, il nomma
Samarie[a]. ²⁵ Omri fit ce qui déplaît à Yahvé et fut pire que
tous ses devanciers. ²⁶ Il imita en tout la conduite de Jéroboam fils de Nebat et les péchés où il avait entraîné Israël,
irritant Yahvé, Dieu d'Israël, par leurs vaines idoles.

²⁷ Le reste de l'histoire d'Omri, ce qu'il a fait et ses
exploits, cela n'est-il pas écrit au livre des Annales des
rois d'Israël ? ²⁸ Omri se coucha avec ses pères et on
l'enterra à Samarie. Son fils Achab régna à sa place.

**Introduction
au règne d'Achab
(874-853).**

²⁹ Achab fils d'Omri devint
roi sur Israël en la trente-
huitième année d'Asa, roi de
Juda, et il régna vingt-deux
ans sur Israël à Samarie.
³⁰ Achab fils d'Omri fit ce qui déplaît à Yahvé et fut pire
que tous ses devanciers. ³¹ La moindre chose fut qu'il
imita les péchés de Jéroboam fils de Nebat : il prit pour
femme Jézabel, fille d'Ittobaal, roi des Sidoniens[b], et se
mit à servir Baal et à se prosterner devant lui; ³² il lui
dressa un autel dans le temple de Baal qu'il construisit à

---

24. *Après « montagne »* (1°) *le texte ajoute « Samarie », addition que trahit le
manque de liaison grammaticale et qui devance ce qui est dit à la phrase suivante.*
31. *« La moindre chose »* hannâqèl G ; hănâqél H *intraduisible.*

*a*) Omri, auquel la stèle moabite de Mésha attribue des conquêtes en
Transjordanie et dont les annalistes assyriens connaissaient le nom, fut
certainement un grand souverain. Le livre des Rois, que la politique du
royaume d'Israël n'intéresse que si elle touche à l'histoire religieuse, le
condamne simplement et ne retient que la fondation de Samarie (aujour-
d'hui Sébastiyé, au nord de Naplouse), qui devait rester capitale jusqu'à
la ruine du royaume.

*b*) Ittobaal, dans l'hébreu Ethbaal, est, d'après l'historien Josèphe, un
prêtre d'Astarté qui s'empara violemment du pouvoir à Tyr et Sidon, au
moment où Omri devenait roi en Israël : les deux usurpateurs se sont
rapprochés et ont cimenté leur union par une alliance de famille; le mariage
d'Achab a été conclu par son père. Les conséquences religieuses de ces
rapports étroits avec les Phéniciens se développeront pendant tout le
règne d'Achab.

Samarie. [33] Achab installa aussi le pieu sacré[a] et fit encore d'autres offenses, irritant Yahvé, Dieu d'Israël, plus que tous les rois d'Israël qui avaient été avant lui. [34] De son temps, Hiel de Béthel rebâtit Jéricho; au prix de son premier-né Abiram il en établit le fondement et au prix de son dernier-né Segub il en posa les portes[b], selon la parole que Yahvé avait dite par le ministère de Josué, fils de Nûn[c].

<br>

## V

## *LE CYCLE D'ÉLIE*

### I. La grande sécheresse

**17.**      [1] Élie le Tishbite, de
**L'annonce du fléau.**      Tishbé en Galaad[d], dit à
          Achab : « Par Yahvé vivant, le Dieu d'Israël que je sers, il n'y aura ces années-ci ni rosée ni pluie sauf à mon commandement[e]. »

---

**17** 1. « *de Tishbé* » mittišbê *G* ; « *des habitants* » mittošâbê *H*.

---

*a)* Voir **14** 23, et 2 R **13** 6.

*b)* Les deux fils servent de victimes pour un sacrifice de fondation.

*c)* Référence à Jos **6** 26. Mais Hiel agissait sûrement par commission royale : le repeuplement de Jéricho est commandé par le développement des intérêts israélites en Transjordanie.

*d)* Le document sur l'histoire d'Élie, utilisé à partir d'ici (Introduction, p. 11) donnait sans doute les antécédents du prophète, mais l'auteur le prend au point où il rejoint sa propre narration : la sécheresse doit punir l'établissement du culte de Baal, **16** 32-33. Il rappelle seulement le lieu d'origine d'Élie : Tishbé, aujourd'hui El-Istib dans le Nord de la Transjordanie (Galaad).

*e)* Cette longue sécheresse est mentionnée aussi par Ménandre d'Éphèse, que cite l'historien juif Josèphe. Allusions dans le N. T., Lc **4** 25; Jc **5** 17.

**Au torrent de Kerit.**

² La parole de Yahvé lui fut adressée en ces termes : ³ « Va-t'en d'ici, dirige-toi vers l'orient et cache-toi au torrent de Kerit*ª*, qui est à l'est du Jourdain. ⁴ Tu boiras au torrent et j'ordonne aux corbeaux de te donner à manger là-bas. » ⁵ Il fit comme Yahvé avait dit et alla s'établir au torrent de Kerit, à l'est du Jourdain. ⁶ Les corbeaux lui apportaient du pain le matin et de la viande le soir*ᵇ*, et il buvait au torrent.

**A Sarepta.**
**Le miracle de la farine**
**et de l'huile.**

⁷ Mais il arriva au bout d'un certain temps que le torrent sécha, car il n'y avait pas eu de pluie dans le pays. ⁸ Alors la parole de Yahvé lui fut adressée en ces termes : ⁹ « Lève-toi et va à Sarepta*ᶜ*, qui appartient à Sidon, et tu y demeureras. Voici que j'ordonne là-bas à une veuve de te donner à manger. » ¹⁰ Il se leva et alla à Sarepta. Comme il arrivait à l'entrée de la ville, il y avait là une veuve qui ramassait du bois ; il l'interpella et lui dit : « Apporte-moi donc un peu d'eau dans la cruche, que je boive ! » ¹¹ Comme elle allait la chercher, il cria après elle et lui dit : « Apporte-moi donc un morceau de pain dans ta main ! » ¹² Elle répondit :

---

6. « *du pain le matin et de la viande le soir* » G ; « *du pain et de la viande le matin, du pain et de la viande le soir* » H.

---

*a*) Probablement le Wâdy Yabis au nord de Tishbé.

*b*) Comme les Israélites miraculeusement ravitaillés au désert, Ex **16** 8 et 12.

*c*) Aujourd'hui Sarafand, à 15 km. au sud de Sidon sur la côte phénicienne. Allusion à cet épisode dans le N. T., Lc 4 25. D'après les Pères, saint Augustin, saint Césaire d'Arles..., la femme de Sarepta est le type de la Gentilité appelée à la foi, les deux bois sont le symbole de la croix, d'où procède pour l'Église une nourriture qui ne s'épuise pas.

« Par Yahvé vivant, ton Dieu ! je n'ai pas de pain cuit[a];
je n'ai qu'une poignée de farine dans une jarre et un peu
d'huile dans une cruche, je suis à ramasser deux bouts de
bois, je vais préparer cela pour moi et mon fils, nous
mangerons et nous mourrons. » [13] Mais Élie lui dit : « Ne
crains rien, va faire comme tu dis; seulement, prépare-
m'en d'abord une petite galette, que tu m'apporteras : tu
en feras ensuite pour toi et ton fils. [14] Car ainsi parle Yahvé,
Dieu d'Israël :

> Jarre de farine ne s'épuisera
> cruche d'huile ne se videra,
> jusqu'au jour où Yahvé enverra
> la pluie sur la face de la terre. »

[15] Elle alla et fit comme avait dit Élie, et ils mangèrent,
elle, lui et son fils. [16] La jarre de farine ne s'épuisa pas et
la cruche d'huile ne se vida pas, selon la parole que Yahvé
avait dite par le ministère d'Élie.

**La résurrection
du fils de la veuve[b].**

[17] Après ces événements,
il arriva que le fils de la maîtresse de maison tomba malade, et sa maladie fut si vio-

---

15. « *et son fils* » ub$^e$nah *cf. vv.* 12 *et* 13; « *et sa maison* » ubêtah *H, qui
ajoute ensuite* « *longtemps* ».

---

*a*) Ou « pain rond ». C'est la traduction usuelle d'un terme unique en
hébreu, mais elle convient mal au contexte. D'après le sens de la racine,
on pourrait traduire : « je n'ai pas d'endroit où me tourner » (pour trouver
des provisions), ou « je n'ai pas d'endroit rond » (le silo arrondi où l'on
gardait les provisions). La femme est dépourvue de tout.

*b*) Cet épisode ne paraît pas primitif dans son contexte actuel. Il est introduit par une formule rédactionnelle et il ne contient aucune allusion à la
sécheresse qui est le sujet des ch. **17-18**. La femme semble ignorer le miracle
permanent de la farine et de l'huile, qui suffisait à attester la puissance
d'Élie, v. 24. Elle est appelée « maîtresse de maison », v. 17, ce qui convient
mal à la pauvre veuve du récit précédent et rappelle la « femme de qualité »
dont Élisée ressuscite l'enfant, 2 R 4 8. Il y a d'autres rapports entre les
deux passages : dans les deux cas, la mère se plaint, l'enfant est couché sur

lente qu'enfin il expira. [18] Alors elle dit à Élie : « Qu'ai-je
à faire avec toi, homme de Dieu ? Tu es donc venu chez
moi pour rappeler mes fautes et faire mourir mon fils[a] ! »
[19] Il lui dit : « Donne-moi ton fils » ; il l'enleva de son sein,
le monta dans la chambre haute où il habitait et le coucha
sur son lit. [20] Puis il invoqua Yahvé et dit : « Yahvé, mon
Dieu, veux-tu donc aussi du mal à la veuve qui m'héberge,
pour que tu fasses mourir son fils ? » [21] Il s'étendit trois
fois sur l'enfant[b] et il invoqua Yahvé : « Yahvé, mon
Dieu, je t'en prie, fais revenir en lui l'âme de cet enfant ! »
[22] Yahvé exauça l'appel d'Élie, l'âme de l'enfant revint
en lui et il reprit vie. [23] Élie le prit, le descendit de la
chambre haute dans la maison et le remit à sa mère ; et
Élie dit : « Voici, ton fils est vivant. » [24] La femme lui
répondit : « Maintenant je sais que tu es un homme de
Dieu et que la parole de Yahvé dans ta bouche est vérité[c] ! »

**Rencontre d'Élie
et d'Obadyahu.**

**18.** [1] Il se passa longtemps et la parole de Yahvé
fut adressée à Élie, la troisième année, en ces termes :
« Va te montrer à Achab, je vais envoyer la pluie sur la

---

le lit du prophète dans la chambre haute (dont il n'a pas été question à
**17** 7-16), le prophète prie et s'étend sur le corps (le geste est mieux expliqué
à 2 R **4**). Quoi qu'il en soit du fait lui-même, ces ressemblances indiquent
au moins une dépendance littéraire et on peut admettre que ce récit a été
ajouté au cycle d'Élie par les disciples d'Élisée, cf. le cas analogue de 2 R **1**
9-16.

*a*) La femme attribue son malheur à l'intrusion d'Élie dans sa vie ; un
homme de Dieu est comme un témoin à charge : par sa présence les fautes
cachées ou inconscientes sont révélées et attirent le châtiment divin.

*b*) Même geste d'Élisée ressuscitant le fils de la Shunamite, 2 R **4** 33 s.
Comparer aussi la résurrection d'Eutyque par saint Paul, Ac **20** 10. Les
Pères, saint Augustin et saint Bernard, y ont vu une figure du Christ dans
son Incarnation, se rapetissant aux mesures de notre nature humaine.

*c*) Le prodige de la farine et de l'huile aurait pu suffire pour authenti-
quer la mission du prophète. Si l'on n'accepte pas la solution proposée
à la page précédente, note *b*, on dira que l'amour maternel fait oublier à
la femme tout le reste.

face de la terre. » [2] Et Élie partit pour se montrer à Achab.

Comme la famine s'était aggravée à Samarie, [3] Achab fit appeler Obadyahu, le maître du palais[a], — cet Obadyahu craignait beaucoup Yahvé : [4] lorsque Jézabel massacra les prophètes de Yahvé, il prit cent prophètes et les cacha cinquante à la fois dans une grotte, où il les ravitaillait de pain et d'eau[b], — [5] et Achab dit à Obadyahu : « Viens ! Nous allons parcourir le pays, vers toutes les sources et tous les torrents; peut-être trouverons-nous de l'herbe pour maintenir en vie chevaux et mulets et ne pas abattre de bétail. » [6] Ils se partagèrent le pays pour le parcourir : Achab partit seul par un chemin et Obadyahu partit seul par un autre chemin. [7] Comme celui-ci était en route, voici qu'il rencontra Élie; il le reconnut et se prosterna face contre terre en disant : « Te voilà donc, Monseigneur Élie ! » [8] Il lui répondit : « Me voilà ! Va dire à ton maître : Voici Élie. » [9] Mais l'autre dit : « Quel péché ai-je commis, que tu livres ton serviteur aux mains d'Achab, pour me faire mourir ? [10] Par Yahvé vivant, ton Dieu ! il n'y a pas de nation ni de royaume[c] où mon maître n'ait envoyé te chercher, et quand on eut répondu : ' Il n'est pas là ', il a fait jurer le royaume et la nation qu'on ne t'avait pas trouvé. [11] Et maintenant tu ordonnes : ' Va dire à ton maître : voici Élie ', [12] mais quand je t'aurai

---

**18** 4. « *cinquante à la fois* » *Vers.*; « *cinquante* » *H.*
    5. « *Viens ! Nous allons parcourir le pays* » *G* ; « *Viens dans le pays* » *H.*
    10. « *qu'on ne t'avait pas trouvé* » *G Syr* ; « *qu'on ne te trouverait pas* » *H.*

---

*a*) Voir note sur **4** 2.
*b*) Parenthèse qui prépare le v. 13. Ces « prophètes » appartenaient aux confréries d'inspirés qui tiendront une grande place dans le cycle d'Élisée, voir 2 R **2** 3.
*c*) « Royaume » opposé à « nation » désigne ici le gouvernement royal, peut-être même le roi, comme le terme parallèle en phénicien et comme dans Is **60** 12 rapproché de **60** 3.

quitté, l'Esprit de Yahvé t'emportera je ne sais où[a], je viendrai informer Achab, il ne te trouvera pas et il me tuera ! Pourtant ton servieur craint Yahvé depuis sa jeunesse. [13] N'a-t-on pas appris à Monseigneur ce que j'ai fait quand Jézabel a massacré les prophètes de Yahvé ? J'ai caché cent des prophètes de Yahvé, cinquante à la fois, dans une grotte, et je les ai ravitaillés de pain et d'eau. [14] Et maintenant, tu ordonnes : ' Va dire à ton maître : voici Élie. ' Mais il me tuera ! » [15] Élie lui répondit : « Aussi vrai que vit Yahvé Sabaot[b] que je sers, aujourd'hui même je me montrerai à lui. »

**Élie et Achab.** [16] Obadyahu partit à la rencontre d'Achab et lui annonça la chose; et Achab alla au-devant d'Élie. [17] Dès qu'il vit Élie, Achab lui dit : « Te voilà, toi, le fléau d'Israël ! » [18] Élie répondit : « Ce n'est pas moi qui suis le fléau d'Israël, mais c'est toi et ta famille, parce que vous avez abandonné Yahvé et que tu as suivi les Baals[c]. [19] Maintenant, envoie rassembler tout Israël près de moi sur le mont Carmel[d], avec les quatre

---

18. « *Yahvé* » *G ;* « *les commandements de Yahvé* » *H.*

*a)* Ces disparitions subites semblent avoir été un trait de l'histoire d'Élie, 2 R **2** 16; jusqu'à son enlèvement définitif, 2 R **2** 11, 12. L'Esprit de Yahvé est une force extérieure qui transporte le prophète, comp. Ez **8** 3; **11** 1; **43** 5; Ac **8** 39.

*b)* La traduction « Yahvé des armées » (les armées d'Israël ou les armées célestes, les astres, les puissances cosmiques, cf. Gn **2** 1) n'est pas assurée et la liaison de ce titre avec l'arche, *palladium* d'Israël dans les guerres où Yahvé combat avec son peuple, n'est pas si claire qu'on l'a dit, car les prophètes emploient souvent cette expression là où Yahvé lutte contre son peuple. Elle paraît dénoter simplement Yahvé comme tout-puissant et c'est ainsi que les traducteurs grecs l'ont comprise; originairement, semble-t-il, c'était le titre qu'on donnait à Yahvé dans le sanctuaire de Silo.

*c)* Les diverses divinités locales des Cananéens, voir **16** 31-33.

*d)* Le lieu du sacrifice d'Élie est fixé par une très ancienne tradition à El-Muhraqa, à l'un des points culminants de la chaîne du Carmel, vers son angle sud-est.

cent cinquante prophètes de Baal[a], qui mangent à la table de Jézabel. »

**Le sacrifice du Carmel.** [20] Achab convoqua tout Israël et rassembla les prophètes sur le mont Carmel. [21] Élie s'approcha de tout le peuple et dit : « Jusqu'à quand clocherez-vous des deux jarrets[b] ? Si Yahvé est Dieu, suivez-le; si c'est Baal, suivez-le. » Et le peuple ne put rien lui répondre. [22] Élie poursuivit : « Moi, je reste seul comme prophète de Yahvé, et les prophètes de Baal sont quatre cent cinquante. [23] Donnez-nous deux jeunes taureaux; qu'ils en choisissent un pour eux, qu'ils le dépècent et le placent sur le bois, mais qu'ils n'y mettent pas le feu. Moi, je préparerai l'autre taureau et je n'y mettrai pas le feu. [24] Vous invoquerez le nom de votre dieu et moi, j'invoquerai le nom de Yahvé : le dieu qui répondra par le feu, c'est lui qui est Dieu[c]. » Tout le peuple répondit : « C'est bien. » [25] Élie dit alors aux prophètes de Baal : « Choisissez-vous un taureau et commencez, car vous êtes les plus nombreux. Invoquez le nom de votre dieu,

---

19. *Après « prophètes de Baal », une glose ajoute « et les quatre cents prophètes d'Ashéra », dont il ne sera pas question par la suite.*

23. *Après « l'autre taureau », H ajoute « et je le placerai sur le bois »; omis par G.*

---

*a)* Il y avait des extatiques chez les peuples voisins d'Israël, Jr 27 3, 9, 10, et ils formaient des collèges nombreux, comme les prophètes de Yahvé, **18** 4. Ici, ce sont des dévots du Baal de Tyr, appelés en Israël par Jézabel, **16** 31, qui les entretenait.

*b)* Le sens de ce dernier mot n'est pas sûr mais la traduction, qui est celle du grec, s'accorde à la mimique du v. 26 : les Israélites dansent à la fois pour Yahvé et pour Baal; ils voudraient servir l'un et l'autre.

*c)* Il ne s'agit pas seulement de décider lequel, de Yahvé ou de Baal, est le maître de la montagne ou est plus puissant, mais absolument lequel est Dieu; la parole d'Élie, puis sa prière, v. 37, et l'acclamation du peuple, v. 39, ne laissent aucun doute : la foi monothéiste est l'enjeu formidable de cette compétition.

mais ne mettez pas le feu. » [26] Ils prirent le taureau et le préparèrent, et ils invoquèrent le nom de Baal, depuis le matin jusqu'à midi, en disant : « O Baal, réponds-nous ! » Mais il n'y eut ni voix ni réponse; et ils dansaient en pliant le genou[a] devant l'autel qu'ils avaient fait. [27] A midi, Élie se moqua d'eux et dit : « Criez plus fort, car c'est un dieu : il a des soucis ou des affaires, ou bien il est en voyage; peut-être il dort et il se réveillera[b] ! » [28] Ils crièrent plus fort et ils se tailladèrent, selon leur coutume, avec des épées et des lances jusqu'à l'effusion du sang. [29] Quand midi fut passé, ils se mirent à vaticiner jusqu'à l'heure de la présentation de l'offrande[c], mais il n'y eut aucune voix, ni réponse, ni signe d'attention.

[30] Alors Élie dit à tout le peuple : « Approchez-vous de moi »; et tout le peuple s'approcha de lui. Il répara l'autel de Yahvé qui avait été démoli. [31] Élie prit douze pierres, selon le nombre des tribus des fils de Jacob, à qui Dieu s'était adressé en disant : « Ton nom sera Israël », [32] et il construisit un autel au nom de Yahvé[d]. Il fit un canal d'une contenance de deux boisseaux[e] de semence autour

---

26. *Après* « *taureau* », *H ajoute* « *qu'il leur avait donné* »; *omis par G.*

---

*a*) Les danses sacrées, comme les incisions rituelles du v. 28, sont attes-tées dans les cultes syriens par plusieurs textes anciens.

*b*) Les moqueries d'Élie s'inspirent de la légende et du culte du Baal de Tyr, marchand et voyageur comme ses fidèles et dont, d'après un texte grec, on célébrait le « réveil ». La traduction « il a des soucis ou des affaires » se fonde sur le grec et sur la présence des deux mots dans Si **13** 26 (hébreu), qui indique qu'ils sont à peu près synonymes. Des commentateurs anciens et modernes comprennent : « il est occupé », un euphémisme, Baal satisfait un besoin naturel.

*c*) Voir v. 36. Le culte quotidien comportait un sacrifice le matin et un sacrifice l'après-midi, Ex **29** 39; Nb **28** 4; 2 R **16** 15. Ici, c'est une simple indication de l'heure, comme à 2 R **3** 20; Dn **9** 21.

*d*) Les vv. 31-32ᵃ, qui s'entendraient mieux d'une construction que d'une restauration, ont tout l'air d'être une glose. Les douze pierres rap-pellent celles d'Ex **24** 4; Jos **4** 1 s.

*e*) En hébreu *sᵉ'ah,* dont l'équivalence avec notre système reste incer-

de l'autel. <sup>33</sup> Il disposa le bois, dépeça le taureau et le plaça sur le bois. <sup>34</sup> Puis il dit : « Emplissez quatre jarres d'eau et versez-les sur l'holocauste et sur le bois », et ils firent ainsi; il dit : « Doublez » et ils doublèrent; il dit : « Triplez » et ils triplèrent. <sup>35</sup> L'eau se répandit autour de l'autel et même le canal fut rempli d'eau<sup>a</sup>. <sup>36</sup> A l'heure où l'on présente l'offrande, Élie le prophète s'approcha et dit : « Yahvé, Dieu d'Abraham, d'Isaac et d'Israël, qu'on sache aujourd'hui que tu es Dieu en Israël<sup>b</sup>, que je suis ton serviteur et que c'est par ton ordre que j'ai accompli toutes ces choses. <sup>37</sup> Réponds-moi, Yahvé, réponds-moi, pour que tout ce peuple sache que c'est toi, Yahvé, qui es Dieu et qui convertis leur cœur ! » <sup>38</sup> Et le feu de Yahvé<sup>c</sup> tomba et dévora l'holocauste et le bois, et il absorba l'eau qui était dans le canal. <sup>39</sup> Tout le peuple fut saisi de crainte; les gens tombèrent la face contre terre et dirent : « C'est Yahvé qui est Dieu ! C'est Yahvé qui est Dieu ! » <sup>40</sup> Élie leur dit : « Saisissez les prophètes de Baal, que pas un

---

34. *« et ils firent ainsi » G ; omis par H.*
38. *Après « le bois », le texte ajoute « les pierres et la terre », glose insérée en place différente dans H et G.*

---

taine. En tout cas, ces deux boisseaux de « semence » ne déterminent pas la capacité cubique du canal (qui serait d'ailleurs invraisemblablement faible) mais sont une mesure agraire : la surface qu'on ensemence avec deux boisseaux. Mais alors le canal est invraisemblablement large, quelle que soit la valeur attribuée au *s<sup>e</sup>'ah*. Ce doit être un trait populaire qu'il ne faut pas prendre à la lettre.

*a*) Élie ne pratique pas un rite magique pour attirer la pluie en versant lui-même de l'eau, il veut rendre plus éclatant le miracle du feu.

*b*) Ce n'est pas une restriction au monothéisme, qui sera à nouveau professé au v. 37. Les deux vv. ont des intentions différentes : le miracle prouvera : 1<sup>o</sup> aux prophètes de Baal et à l'entourage étranger de Jézabel, représentés par l'indéterminé « qu'on sache », qu'ils n'ont rien à faire en Israël où Yahvé est Dieu (v. 36), 2<sup>o</sup> aux Israélites qu'il est le seul Dieu, qui ramène à lui les cœurs (v. 37).

*c*) La foudre, ainsi Nb **11** 13. Comparer le feu qui embrase le sacrifice d'Aaron, Lv **9** 24, et celui de Gédéon, Jg **6** 21.

d'eux n'échappe ! » et ils les saisirent. Élie les fit descendre près du torrent du Qishôn[a], et là il les égorgea.

[41] Élie dit à Achab :

**La fin de la sécheresse.** « Monte, mange et bois[b], car j'entends le grondement de la pluie. » [42] Pendant qu'Achab montait pour manger et boire, Élie monta vers le sommet du Carmel, il se courba vers la terre et mit son visage entre ses genoux[c]. [43] Il dit à son serviteur : « Monte donc, et regarde du côté de la mer. » Il monta, regarda et dit : « Il n'y a rien du tout. » Élie reprit : « Retourne sept fois. » [44] A la septième fois, le serviteur dit : « Voici un nuage, petit comme une main d'homme, qui monte de la mer[d]. » Alors Élie dit : « Va dire à Achab : Attelle et descends, pour que la pluie ne t'arrête pas. » [45] Sur le coup, le ciel s'obscurcit de nuages et de tempête et il y eut une grosse pluie. Achab monta en char et partit pour Yizréel[e]. [46] La main de Yahvé fut sur Élie[f], il ceignit ses reins et courut devant Achab jusqu'aux abords de Yizréel.

---

a) Le Qishôn est aujourd'hui le Nahr el-Muqatta, qui coule au pied de la chaîne du Carmel. La rudesse du temps et le zèle passionné d'Élie expliquent ce massacre qui nous choque. Dans la guerre entre Yahvé et Baal, les serviteurs de Baal subissent le sort qui menaçait alors les vaincus. Jézabel avait massacré les prophètes de Yahvé, v. 13.

b) On avait jeûné en préparation du sacrifice et pour obtenir la pluie.

c) Élie est agenouillé, et la tête à terre contre les genoux, ou bien il est accroupi, la tête sur les genoux. D'après des textes égyptiens et ugaritiques, c'est une attitude de deuil ou de lamentation; les rites de lamentation et de supplication sont souvent les mêmes. C'est plus que l'attitude ordinaire de la prière, comme si Élie voulait forcer l'action de Dieu.

d) La pluie est amenée en Palestine par les vents d'ouest. Les écrivains de l'Ordre Carmélitain, non les anciens Pères, ont vu dans ce nuage la figure de la Vierge Marie apportant le salut, au septième âge du monde; la liturgie a consacré cette allégorie (préface propre et leçons de la fête de N. D. du Mont-Carmel, 16 juillet).

e) Aujourd'hui Zerin à 25 km. du site traditionnel du sacrifice d'Élie, dans la plaine vers l'est. C'était alors comme une seconde capitale pour les rois d'Israël, **21** 1; 2 R **8** 29; **9** 30 s.

f) Manière d'exprimer l'emprise divine, 2 R **3** 15; Ez **1** 3; **3** 22, etc.

## II. Élie a l'Horeb

**19.** [1] Achab apprit à Jé-
**En route vers l'Horeb.** zabel tout ce qu'Élie avait
fait et comment il avait mas-
sacré tous les prophètes par l'épée. [2] Alors Jézabel envoya
un messager à Élie avec ces paroles : « Que les dieux me
fassent tel mal et y ajoutent tel autre[a], si demain à cette
heure je ne fais pas de ta vie comme de la vie de l'un
d'entre eux ! » [3] Il eut peur; il se leva et partit pour sauver
sa vie[b]. Il arriva à Bersabée[c] qui est à Juda, et il laissa là
son serviteur. [4] Pour lui, il marcha dans le désert un jour
de chemin et il alla s'asseoir sous un genêt[d]. Il souhaita
de mourir et dit : « C'en est assez maintenant, Yahvé !
Prends ma vie, car je ne suis pas meilleur que mes pères. »
[5] Il se coucha et s'endormit. Mais voici qu'un ange le
toucha et lui dit : « Lève-toi et mange. » [6] Il regarda et
voici qu'il y avait à son chevet une galette cuite sur les
pierres et une gourde d'eau. Il mangea et but, puis il se
recoucha. [7] Mais l'ange de Yahvé revint une seconde fois,
le toucha et dit : « Lève-toi et mange, autrement le chemin
sera trop long pour toi. » [8] Il se leva, mangea et but, puis

---

**19** 3. « *Il eut peur* » wayyira' *Vers.*; « *Il vit* » wayyar<sup>e</sup>' *H.*
    5. *Après « s'endormit », le texte répète « sous un genêt ».*

---

*a*) Voir la note sur **2** 23. Jézabel n'avertirait pas Élie si elle voulait le
tuer : elle le menace pour le faire fuir.
*b*) Défaillance humaine et très émouvante : la réaction de Jézabel jette
Élie dans un découragement d'autant plus profond qu'il avait pensé, après
la scène du Carmel, tenir sa victoire, qui était celle de la foi.
*c*) Au sud du royaume de Juda, à l'orée du désert.
*d*) Un de ces grands genêts, qui croissent dans le Sud de la Palestine
et au Sinaï et qui donnent un peu d'ombre.

soutenu par cette nourriture il marcha quarante jours et
quarante nuits jusqu'à la montagne de Dieu, l'Horeb[a].

⁹ Là, il entra dans la grotte[b]

**La rencontre avec Dieu.** et il y resta pour la nuit.

Voici que la parole de Yahvé
lui fut adressée, lui disant : « Que fais-tu ici, Élie ? » ¹⁰ Il
répondit : « Je suis rempli d'un zèle jaloux pour Yahvé
Sabaot[c], parce que les enfants d'Israël t'ont abandonné,
qu'ils ont abattu tes autels et tué tes prophètes par l'épée.
Je suis resté moi seul et ils cherchent à m'enlever la vie[d]. »
¹¹ Il lui fut dit : « Sors et tiens-toi dans la montagne devant
Yahvé. » Et voici que Yahvé passa. Il y eut un grand
ouragan, si fort qu'il fendait les montagnes et brisait les
rochers, en avant de Yahvé, mais Yahvé n'était pas dans
l'ouragan ; et après l'ouragan un tremblement de terre,
mais Yahvé n'était pas dans le tremblement de terre ; ¹² et
après le tremblement de terre un feu, mais Yahvé n'était
pas dans le feu ; et après le feu, le bruit d'une brise légère[e].

---

10. « *t'ont abandonné* » *Vers.* ; « *ont abandonné ton alliance* » *H.*

---

*a*) Horeb est un autre nom du Sinaï. Voulant sauvegarder l'alliance et
rétablir la pureté de foi, Élie va à l'endroit où l'alliance a été conclue et
où le vrai Dieu s'est révélé aux Pères ; il rattache directement son œuvre
à celle de Moïse. Rapprochés par la théophanie de l'Horeb, Moïse et Élie
le seront aussi dans la Transfiguration du Christ, cette théophanie du N. T.

*b*) Le « creux de rocher » où se blottit Moïse pendant l'apparition divine,
Ex **33** 22.

*c*) Voir **18** 15.

*d*) Depuis la fin du v. 9, tout ce passage sera textuellement repris aux
vv. 13-14. C'est un doublet évident, qu'on a rattaché à ce qui suit par les
premiers mots du v. 11 ; liaison d'ailleurs maladroite, puisqu'Élie ne sortira
qu'au v. 13.

*e*) Ouragan, tremblement de terre, éclairs ne sont que les signes avant-
coureurs du passage divin ; le murmure d'un vent tranquille symbolise
la spiritualité de Dieu et l'intimité dans laquelle il s'entretient avec ses
prophètes, non pas la douceur et le silence de l'action divine : les ordres
terribles donnés aux vv. 15-17 prouvent la fausseté de cette interprétation,
pourtant commune.

¹³ Dès qu'Élie l'entendit, il se voila le visage avec son manteau[a], il sortit et se tint à l'entrée de la grotte. Alors une voix lui parvint, qui dit : « Que fais-tu ici, Élie ? » ¹⁴ Il répondit : « Je suis rempli d'un zèle jaloux pour Yahvé Sabaot, parce que les enfants d'Israël t'ont abandonné, qu'ils ont abattu tes autels et tué tes prophètes par l'épée. Je suis resté moi seul, et ils cherchent à m'enlever la vie[b]. »

¹⁵ Yahvé lui dit : « Va, retourne par le même chemin, vers le désert de Damas. Tu iras oindre Hazaël comme roi d'Aram[c]. ¹⁶ Tu oindras Jéhu fils de Nimshi comme roi d'Israël[d], et tu oindras[e] Élisée fils de Shaphat, d'Abel Mehola[f], comme prophète à ta place. ¹⁷ Celui qui échappera à l'épée de Hazaël, Jéhu le fera mourir, et celui qui échappera à l'épée de Jéhu, Élisée le fera mourir[g]. ¹⁸ Mais j'épargnerai en Israël sept milliers, tous les genoux qui n'ont pas plié devant Baal et toutes les bouches qui ne l'ont pas baisé. »

**L'appel d'Élisée.**

¹⁹ Il partit de là[h] et il trouva Élisée fils de Shaphat, tandis qu'il labourait avec

---

14. *Même correction qu'au v.* 10.

---

a) Comme Moïse encore, Ex **3** 6 : une créature ne peut pas voir Dieu et vivre; cf. Ex **19** 21; **33** 20; Lv **16** 2; Nb 4 20.

b) Cité par saint Paul, Rm **11** 3.

c) C'est en fait Élisée qui poussera Hazaël au trône araméen de Damas, voir 2 R **8** 7-15.

d) C'est encore Élisée qui, par l'un de ses disciples, oindra Jéhu, 2 R **9** 1 s.

e) L'onction n'était pas donnée aux prophètes; ce terme impropre est amené par le parallélisme avec Hazaël et Jéhu : les rois étaient oints, **1** 39 et la note.

f) Localisation incertaine, au sud de Bet-Shân.

g) Dans l'histoire d'Élisée, telle que nous l'avons conservée, rien ne correspond à cette annonce.

h) Référence vague par laquelle l'auteur raccorde à ce qui précède les vv. 19-21, qu'il emprunte au cycle d'Élisée.

douze paires de bœufs, lui-même étant à la douzième*a*.
Élie passa près de lui et jeta sur lui son manteau*b*. ²⁰ Élisée
abandonna ses bœufs, courut derrière Élie et dit : « Laisse-
moi embrasser mon père et ma mère, puis j'irai à ta suite*c*. »
Élie lui répondit : « Va, retourne, que t'ai-je donc fait ? »
²¹ Élisée le quitta, prit la paire de bœufs et l'immola. Il se
servit de la charrue pour faire cuire les bœufs, et donna à
ses gens, qui mangèrent*d*. Puis il se leva et suivit Élie
comme son serviteur.

## III. Guerres araméennes

**Siège de Samarie.** **20.** ¹ Ben-Hadad, roi
d'Aram*e*, rassembla toute son
armée — il y avait avec lui
trente-deux rois*f*, des chevaux et des chars — et il vint
investir Samarie et lui donner l'assaut. ² Il envoya en ville
des messagers à Achab, roi d'Israël, ³ et lui fit dire : « Ainsi

---

*a*) Les douze paires de bœufs ne sont pas attelées à la même charrue
mais labourent avec douze charrues une grande pièce de terre. Élisée
appartient à une famille de riches propriétaires. En donnant à *ṣèmèd* « attelage » le sens d' « arpent » qu'il a dans Is **5** 10 et 1 S **14** 14 (corrompu), on
a traduit, moins vraisemblablement : « douze arpents étaient devant lui et
il était au douzième ».

*b*) Le manteau symbolise, dans l'ancien Orient, la personnalité et les
droits de son possesseur ; par exemple, pour attester qu'une somme
d'argent appartenait à quelqu'un, on la liait au coin de son manteau. De
plus, le manteau d'Élie a une efficacité miraculeuse, 2 R **2** 8. Élie acquiert
ainsi un droit sur Élisée, qui ne peut se dérober.

*c*) Comparer Lc **9** 61.

*d*) La destruction de ses instruments de labeur signifie l'entière renon-
ciation d'Élisée à son premier état.

*e*) Ben-Hadad II, roi de la principauté araméenne de Damas, successeur
de Ben-Hadad Iᵉʳ, voir 1 R **15** 18. Les inscriptions cunéiformes l'appellent
Hadadézèr.

*f*) Ce sont seulement des seigneurs, vassaux de Ben-Hadad, voir le
v. 24.

parle Ben-Hadad. Ton argent et ton or sont à moi, tes femmes et tes enfants restent à toi. » [4] Le roi d'Israël donna cette réponse : « A tes ordres, Monseigneur le roi[a] ! Je suis à toi avec tout ce qui m'appartient. »

[5] Mais les messagers revinrent et dirent : « Ainsi parle Ben-Hadad. Je t'ai mandé : ' Donne-moi ton argent et ton or, tes femmes et tes enfants. ' [6] Sois sûr que demain à pareille heure, je t'enverrai mes serviteurs, ils fouilleront ta maison et les maisons de tes serviteurs, ils mettront la main sur tout ce qui leur plaira et ils l'emporteront. »

[7] Le roi d'Israël convoqua tous les anciens du pays et dit : « Reconnaissez clairement que celui-là nous veut du mal ! Il me réclame mes femmes et mes enfants, pourtant je ne lui ai pas refusé mon argent et mon or[b]. » [8] Tous les anciens et tout le peuple lui dirent : « N'obéis pas ! ne consens pas ! » [9] Il donna donc cette réponse aux messagers de Ben-Hadad : « Dites à Monseigneur le roi : Tout ce que tu as demandé à ton serviteur la première fois, je le ferai; mais cette autre exigence, je ne puis la satisfaire. » Et les messagers partirent, emportant la réponse.

[10] Alors Ben-Hadad lui envoya ce message : « Que les dieux me fassent tel mal et qu'ils y ajoutent encore

---

**20** 3. *Après « enfants », H ajoute « bons »; omis par G. — « à toi » conj.; « à moi » H, comme dans le premier membre de la phrase, mais il faut une opposition, cf. la suite.*

6. *« leur plaira » Vers.; « te plaira » H.*

7. *« pourtant... mon or » G; « mon argent et mon or, et je ne lui ai pas refusé » H.*

---

a) Achab fait figure de vaincu et déjà de vassal, de même « ton serviteur » au v. 9. Le siège avait été précédé par des revers israélites, dont la Bible ne parle pas, sauf l'allusion du v. 34.

b) D'après les corrections adoptées aux vv. 3 et 7, Achab a consenti à donner son trésor mais refuse de livrer sa famille. Si l'on garde le texte hébreu, Achab a consenti à tout livrer, mais refuse une perquisition qui signifierait la reddition et le pillage de la ville. On peut hésiter entre les deux solutions.

tel autre[a], s'il y a assez de poignées de décombres à Samarie pour tout ce peuple qui me suit ! » [11] Mais le roi d'Israël
fit cette réponse : « Le proverbe dit : Que celui qui boucle
son ceinturon ne se glorifie pas comme celui qui le défait ! »
[12] Lorsque Ben-Hadad apprit cela, — il était à boire avec
les rois sous les tentes, — il commanda à ses serviteurs :
« A vos postes ! » et ils prirent leurs positions contre la
ville.

[13] Alors un prophète vint

**Victoire israélite.**    trouver Achab, roi d'Israël,
et dit : « Ainsi parle Yahvé.
As-tu vu cette grande foule ? Voici que je la livre aujour-
d'hui en ta main et tu reconnaîtras que je suis Yahvé. »
[14] Achab dit : « Par qui ? » Le prophète reprit : « Ainsi parle
Yahvé : Par les cadets[b] des chefs des districts. » Achab
demanda : « Qui engagera le combat ? » Le prophète
répondit : « Toi[c]. »

[15] Achab passa en revue les cadets des chefs des districts.
Ils étaient deux cent trente-deux. Après eux, il passa en
revue toute l'armée, tous les Israélites[d], ils étaient sept
mille. [16] Ils firent une sortie à midi, alors que Ben-Hadad
était à s'enivrer sous les tentes, lui et ces trente-deux rois,
ses alliés. [17] Les cadets des chefs des districts sortirent

---

11. « *Le proverbe dit* » dabbér yᵉdabbᵉrû *conj.*; « *Dites* » dabbᵉrû *H*.

---

*a)* Voir la note sur 1 R **2** 23.
*b)* Litt. « jeunes gens », au sens militaire comme à 1 S **21** 3, 5; **25** 5;
**26** 22; 2 S **2** 14; **16** 2. Ce sont des soldats de métier, que les vv. 15 et 19
distinguent de l'armée de conscription. Le mot était déjà employé au sens
militaire en cananéen et il est passé en égyptien.
*c)* Dieu est consulté sur la manière de mener le combat, cf. Jg **1** 1-2;
**20** 18, etc. Autrefois on consultait les sorts sacrés, 1 S **23** 9 s; **30** 7 s, maintenant on interroge un prophète, cf. encore **22** 5-12.
*d)* « Tous les Israélites », glose probable.

d'abord. On fit avertir Ben-Hadad : « Des hommes sont
sortis de Samarie. » ¹⁸ Il dit : « S'ils sont sortis pour la
paix, prenez-les vivants, s'ils sont sortis pour le combat,
encore prenez-les vivants ! » ¹⁹ Donc ceux-ci sortirent de
la ville, les cadets des chefs des districts, puis l'armée derrière eux, ²⁰ et ils frappèrent chacun son homme. Aram
s'enfuit et Israël le poursuivit; Ben-Hadad, roi d'Aram,
se sauva sur un cheval d'attelage. ²¹ Alors le roi d'Israël
sortit; il prit les chevaux et les chars et infligea à Aram
une grande défaite.

²² Le prophète s'approcha

**Intermède.**                    du roi d'Israël et lui dit :

« Allons ! Prends courage
et considère bien ce que tu dois faire, car au retour de
l'année*ᵃ* le roi d'Aram marchera contre toi. »

²³ Les serviteurs du roi d'Aram lui dirent : « Leur Dieu
est un Dieu des montagnes *ᵇ*, c'est pourquoi ils l'ont
emporté sur nous. Mais combattons-les dans le plat pays
et sûrement nous l'emporterons sur eux. ²⁴ Fais donc ceci :
destitue ces rois et mets des préfets à leur place. ²⁵ Pour
toi, recrute une armée aussi grande que celle qui t'a abandonné, avec autant de chevaux et autant de chars; puis
combattons-les dans le plat pays et sûrement nous l'emporterons sur eux. » Il écouta leur avis et fit ainsi.

---

17. « *On envoya* » G ; « *Ben-Hadad envoya* » H.
20. « *d'attelage* » pârâšîm G ; « *et des cavaliers* » ûpârâšîm H.
21. « *prit* » wayyiqaḥ G ; « *frappa* » wayyak H.

---

*a*) C'est le moment où l'année paraît revenir sur elle-même, à l'équinoxe;
l'année commençant en automne, il s'agit de l'équinoxe de printemps,
« temps où les rois se mettent en campagne » comme dit 2 S **11** 1.

*b*) Les Araméens avaient-ils conscience des rapports de Yahvé avec le
Mont Sinaï ? Plus vraisemblablement, leur réflexion s'inspire de l'aspect
montagneux de la Samarie.

**Victoire d'Apheq.** ²⁶ Au retour de l'année, Ben-Hadad mobilisa les Araméens et monta à Apheq[a] pour livrer bataille à Israël. ²⁷ Les Israélites furent mobilisés et marchèrent à leur rencontre. Campés en face d'eux, les Israélites étaient comme deux troupeaux[c] de chèvres, tandis que les Araméens couvraient le pays.

²⁸ L'homme de Dieu[d] aborda le roi d'Israël et dit : « Ainsi parle Yahvé. Parce qu'Aram a dit que Yahvé était un Dieu des montagnes et non un Dieu des plaines, je livrerai en ta main toute cette grande foule et tu sauras que je suis Yahvé. » ²⁹ Ils campèrent sept jours les uns en face des autres. Le septième jour, le combat s'engagea et les Israélites massacrèrent les Araméens, cent mille hommes de pied[e] en un seul jour. ³⁰ Le reste s'enfuit à Apheq, dans la ville, mais le rempart s'écroula sur les vingt-sept mille hommes qui restaient.

Or Ben-Hadad avait pris la fuite et s'était réfugié en ville dans une chambre retirée. ³¹ Ses serviteurs lui dirent : « Vois ! Nous avons entendu dire que les rois d'Israël étaient des rois miséricordieux. Nous allons mettre des sacs autour de nos reins et des cordes à nos têtes[f] et nous

---

28. « *tu sauras* » G ; « *vous saurez* » H.

*a*) Aujourd'hui Fîq à l'est du lac de Tibériade, commandant la route de Damas et lieu normal de rencontre entre Israélites et Araméens, voir 2 R **13** 17.

*b*) On a omis ici, avec le grec et beaucoup de critiques, « et ravitaillés » que l'hébreu ajoute. Il vaudrait mieux garder cette indication, qui complète nos maigres renseignements sur la mise en campagne d'une armée israélite.

*c*) C'est la traduction que les versions anciennes donnent d'un terme unique en hébreu.

*d*) Le prophète des vv. 13 et 22.

*e*) Chiffre fantastique, comme le suivant; c'est de l'histoire populaire.

*f*) Le « sac » était un vêtement grossier qui enveloppait le corps au-dessous des aisselles; avec la cordelette serrant les cheveux, c'était un costume archaïque, retenu comme insigne de deuil et de pénitence.

nous rendrons au roi d'Israël; peut-être te laissera-t-il la vie sauve. » ³² Ils ceignirent de sacs leurs reins et de cordes leurs têtes, allèrent auprès du roi d'Israël et dirent : « Ton serviteur Ben-Hadad parle ainsi : Puissé-je vivre! » Il répondit : « Il est donc encore vivant ? Il est mon frère *a* ! » ³³ Les hommes en augurèrent bien et ils se hâtèrent de le prendre au mot en disant : « Ben-Hadad est ton frère. » Achab reprit : « Allez le chercher. » Ben-Hadad se rendit à lui et celui-ci le fit monter sur son char. ³⁴ Ben-Hadad lui dit : « Je restituerai les villes que mon père a prises à ton père *b*; tu établiras pour toi des bazars *c* à Damas, comme mon père en avait à Samarie. Pour moi, au terme de ce traité, tu me laisseras libre. » Achab conclut un traité avec lui et le laissa libre.

**Un prophète condamne la conduite d'Achab.**

³⁵ Un des frères prophètes *d* dit à son compagnon, par ordre de Yahvé : « Frappe-moi ! » mais l'homme refusa de le frapper. ³⁶ Alors il lui dit : « Parce que tu n'as pas obéi à la voix de Yahvé,

---

34. « *tu me laisseras libre* » *conj.*; « *je te laisserai libre* » H.

---

*a*) Les rois vassaux se disaient « serviteurs » de leur suzerain, cf. 2 R **16** 7, les rois de même puissance se traitaient mutuellement de « frères ». La situation des vv. 4 et 9 est renversée : c'est Ben-Hadad qui s'avoue vaincu, mais Achab refuse son hommage, et les messagers, en entendant cette appellation de « frère », devinent que la cause de leur maître est gagnée (v. suivant).

*b*) Il y avait donc eu, entre Omri et Ben-Hadad I\ʳ, des hostilités qui avaient tourné défavorablement pour Israël. La Bible n'en parle pas et on ne sait de quelles villes il s'agit. On en rapproche souvent **15** 20, les villes prises par Ben-Hadad à Basha, mais il faut alors admettre deux inexactitudes dans le récit : Basha n'est pas l'ancêtre d'Achab et de son temps Samarie (fin du v.) n'existait pas.

*c*) En hébreu « des rues », c'est-à-dire ces rues marchandes qu'on appelle « bazars » dans l'Orient contemporain. Les guerres entre Israël et Damas ont eu des motifs économiques : on se disputait les marchés et les voies commerciales.

*d*) L'expression reviendra souvent dans le cycle d'Élisée, où elle sera expliquée, 2 R **2** 3.

dès que tu m'auras quitté, le lion[a] te tuera »; comme il
s'éloignait, il rencontra le lion, qui le tua[b]. 37 Le prophète
alla trouver un autre homme et dit : « Frappe-moi ! »
L'homme le frappa et le blessa. 38 Le prophète s'en alla et
attendit le roi sur le chemin — il s'était rendu méconnais-
sable avec sa coiffure sur les yeux. 39 Comme le roi passait,
il lui cria : « Ton serviteur marchait au combat quand
quelqu'un a quitté les rangs et m'a amené un homme en
disant : ' Garde cet homme ! S'il vient à manquer, ta vie
sera pour sa vie ou tu paieras un talent d'argent[c]. ' 40 Or,
pendant que ton serviteur était occupé ici et là, l'autre a
disparu. » Le roi d'Israël lui dit : « Voilà ton jugement !
Tu l'as toi-même prononcé[d]. » 41 Aussitôt celui-ci enleva
la coiffure qui lui couvrait les yeux, et le roi d'Israël
reconnut qu'il était l'un des prophètes[e]. 42 Il dit au roi :
« Ainsi parle Yahvé. Parce que tu as laissé échapper
l'homme qui m'était voué par anathème[f], ta vie répondra
pour sa vie, et ton peuple pour son peuple. » 43 Et le roi
d'Israël s'en alla sombre et irrité, et il rentra à Samarie.

---

*a*) Avec l'article bien qu'il ne soit pas déterminé; c'est le style du récit
populaire.

*b*) On a lu plus haut une histoire semblable, 1 R **13** 24 s : toute désobéissance, même pour des motifs louables, à la parole de Dieu ou à la
parole d'un homme de Dieu est sévèrement punie; conception inférieure,
qui n'est pas celle des grands Prophètes mais qui reflète l'état d'esprit des
anciens groupes d'inspirés.

*c*) Somme énorme dont ne disposait pas un homme du commun : 
l'alternative est donc illusoire.

*d*) L'histoire inventée par le prophète est une manière d'amener le roi
à prononcer sa propre condamnation. Le procédé rappelle celui de Natân,
2 S **12** 1-12, et de la femme de Teqoa, 2 S **14** 1-20.

*e*) Les prophètes avaient-ils un signe distinctif, tatouage, incision ou
rasure (voir 2 R **2** 23) sur le front ? Ce n'est pas, en tout cas, la blessure
du v. 37, car l'homme, étant prophète, portait déjà la marque de son état,
s'il y en avait une. Cette blessure devait simplement rendre plus vraisemblable l'histoire de sa participation au combat.

*f*) Les ennemis que Yahvé livre à son peuple doivent être mis à mort,
Dt **7** 2; **20** 16.

### IV. LA VIGNE DE NABOT

**Nabot refuse
de céder sa vigne.**

**21.** [1] Voici ce qui arriva après ces événements : Nabot de Yizréel[a] possédait une vigne à côté du palais d'Achab, roi de Samarie, [2] et Achab parla ainsi à Nabot : « Cède-moi ta vigne pour qu'elle me serve de jardin potager, car elle est tout près de ma maison; je te donnerai en échange une vigne meilleure, ou, si tu préfères, je te donnerai l'argent qu'elle vaut. » [3] Mais Nabot, dit à Achab : « Yahvé me garde de te céder l'héritage de mes pères[b] ! »

**Achab et Jézabel.**

[4] Achab s'en alla chez lui sombre et irrité à cause de cette parole que Nabot de Yizréel lui avait dite : « Je ne te céderai pas l'héritage de mes pères. » Il se coucha sur son lit, détourna son visage et ne voulut pas manger. [5] Sa femme Jézabel vint à lui et lui dit : « Pourquoi ton esprit est-il chagrin et ne manges-tu pas ? » [6] Il lui répondit : « J'ai parlé à Nabot de Yizréel et je lui ai dit : ' Cède-moi ta vigne pour de l'argent, ou, si tu aimes mieux, je te donnerai une autre vigne en échange. ' Mais il a dit : ' Je ne te céderai pas ma vigne '. » [7] Alors sa femme Jézabel lui dit : « Vraiment, tu fais un

---

**21** 1. *Après « de Yizréel », H ajoute « qui est à Yizréel », glose absente de G et destinée à « palais », pour distinguer ce palais de celui de Samarie.*

---

*a)* Voir **18** 45. La vigne de Nabot se trouvait près du palais qu'avait Achab à Yizréel, et non à Samarie, voir 2 R **9** 25-26.

*b)* Le patrimoine foncier attachait l'Israélite à son clan et fondait son droit de cité; de plus, ce coin de terre contenait souvent le tombeau de ses ancêtres, voir **2** 34, etc.

joli roi sur Israël ! Lève-toi et mange, et que ton cœur
soit content, moi je vais te donner la vigne de Nabot de
Yizréel. »

**Meurtre de Nabot.**      ⁸ Elle écrivit au nom
d'Achab des lettres qu'elle
scella du sceau royal, et elle
adressa des lettres aux anciens et aux notables qui habitaient
avec Nabot. ⁹ Elle avait écrit dans ces lettres : « Proclamez
un jeûne et mettez Nabot en tête du peuple[a]. ¹⁰ Placez en
face de lui deux vauriens qui l'accuseront ainsi : ' Tu as
maudit Dieu et le roi !' Conduisez-le dehors, lapidez-le et
qu'il meure[b] ! »

¹¹ Les hommes de la ville de Nabot, les anciens et les
notables qui habitaient sa ville, firent comme Jézabel leur
avait mandé, comme il était écrit dans les lettres qu'elle
leur avait envoyées. ¹² Ils proclamèrent un jeûne et mirent
Nabot en tête du peuple. ¹³ Alors arrivèrent les deux vauriens, qui se placèrent en face de lui et l'accusèrent ainsi :
« Nabot a maudit Dieu et le roi. » On le fit sortir hors de
la ville, on le lapida et il mourut. ¹⁴ Puis on envoya dire

---

8. « *notables* » G ; « *notables, ceux de sa ville* » H.

13. *Au lieu de* « *et l'accusèrent* » (*G*), *H est surchargé :* « *et les vauriens accusèrent Nabot devant le peuple* ».

*a*) Dans les temps de malheur, on proclamait un jeûne public, doublé
ordinairement d'une assemblée de prière (Jg 20 26; Jl 1 14; 2 15, etc.),
pour apaiser Dieu et aussi pour découvrir la faute qui avait provoqué la
colère divine. Une calamité publique (sécheresse, famine...) a dû servir de
prétexte à la ruse de Jézabel; mais rien ne doit faire d'abord soupçonner
Nabot, qui sera mis à une place d'honneur.

*b*) La Loi exigeait au moins deux témoins pour une condamnation
capitale, Nb 35 30; Dt 17 6; cf. Mt 26 60 s. D'après Lv 24 14, la mort
par lapidation était le châtiment de quiconque avait maudit Dieu, à quoi
Ex 22 27 assimile la malédiction contre le prince. Dans le texte hébreu,
« maudit » a été remplacé par « béni », comme au v. 13 (et dans Jb 1 5, 11;
2 5, 9) : on répugnait à associer, dans l'écriture ou la lecture, le nom de
Dieu à la malédiction.

à Jézabel : « Nabot a été lapidé et il est mort. » ¹⁵ Lorsque Jézabel eut appris que Nabot avait été lapidé et qu'il était mort, elle dit à Achab : « Lève-toi et prend possession de la vigne de Nabot de Yizréel, qu'il n'a pas voulu te céder pour de l'argent, car Nabot n'est plus en vie, il est mort[a]. » ¹⁶ Quand Achab apprit que Nabot était mort, il se leva pour descendre à la vigne de Nabot et en prendre possession.

**Élie fulmine la condamnation divine.**

¹⁷ Alors la parole de Yahvé fut adressée à Élie le Tishbite en ces termes : ¹⁸ « Lève-toi et descends à la rencontre d'Achab, roi d'Israël à Samarie. Le voici qui est dans la vigne de Nabot, où il est descendu pour se l'approprier. ¹⁹ Tu lui diras ceci : Ainsi parle Yahvé : Tu as assassiné, et de plus tu usurpes ! C'est pourquoi ainsi parle Yahvé : A l'endroit même où les chiens ont lapé le sang de Nabot, les chiens laperont ton sang à toi aussi. » ²⁰ Achab dit à Élie : « Tu m'as donc pris sur le fait, ô mon ennemi[b] ! » Élie répondit : « Oui...[c] Parce que tu as agi en fourbe, faisant ce qui déplaît à Yahvé, ²¹ voici que je vais faire venir sur toi le malheur : je balayerai ta race, j'exterminerai les mâles de la famille d'Achab, liés ou libres en Israël.

---

19. « *C'est pourquoi* » G ; H *répète* « *Tu lui diras* ».

---

a) C'est un meurtre judiciaire, et qui laisse supposer que les biens des condamnés à mort pour crime public étaient dévolus au roi.

b) Nous sommes déjà dans la vigne de Nabot. L'exécution de l'ordre divin par Élie est sous-entendue; procédé de style qui accentue le caractère foudroyant de son intervention, comparer **17** 1 et **18** 7. On traduirait mieux : « Tu m'as donc découvert. »

c) La réponse d'Élie est interrompue. De 20ᵇ à 24 le rédacteur reprend les formules des prophéties contre la famille de Jéroboam, **14** 10-11, et celle de Basha, **16** 3-4. Les vv. 25-26 sont secondaires : réflexion d'un lecteur qui n'est pas convaincu du repentir d'Achab, vv. 27-29. Le récit ancien reprend au v. 27.

²² Je ferai de ta maison comme de celles de Jéroboam fils de Nebat et de Basha fils d'Ahiyya, car tu as provoqué ma colère et fait pécher Israël. ²³ (Contre Jézabel aussi Yahvé a prononcé une parole : ' Les chiens dévoreront Jézabel dans le champ de Yizréel*ᵃ*. ') ²⁴ Celui de la famille d'Achab qui mourra dans la ville, les chiens le mangeront, et celui qui mourra dans la campagne, les oiseaux du ciel le mangeront. »

²⁵ Il n'y eut vraiment personne comme Achab pour agir en fourbe, faisant ce qui déplaît à Yahvé, parce que sa femme Jézabel l'avait séduit. ²⁶ Il a agi d'une manière tout à fait abominable, s'attachant aux idoles, comme avaient fait les Amorites que Yahvé chassa devant les Israélites.

**Repentir d'Achab.** ²⁷ Quand Achab entendit ces paroles, il déchira ses vêtements, mit un sac à même sa chair*ᵇ*, jeûna, coucha avec le sac et marcha à pas lents. ²⁸ Alors la parole de Yahvé fut adressée à Élie le Tishbite en ces termes : ²⁹ « As-tu vu comme Achab s'est humilié devant moi ? Parce qu'il s'est humilié devant moi, je ne ferai pas venir le malheur pendant son temps; c'est au temps de son fils que je ferai venir le malheur sur sa maison*ᶜ*. »

---

23. « *dans le champ* » bᵉḥélèq *Mss Targ Syr Vulg* 2 R **9** 36; « *sur l'avant-mur* » bᵉḥél *H*.

---

*a*) Le v., qui interrompt les menaces contre Achab, est une glose inspirée de 2 R **9** 10.

*b*) Déchirer ses vêtements et porter le sac (voir **20** 31) sont des signes de douleur et de deuil, Gn **37** 34; 2 S **3** 31; 2 R **19** 1.

*c*) La réalisation de la prophétie sera racontée à 2 R **9-10**.

## V. Nouvelle guerre araméenne

**Achab
décide une expédition
à Ramot de Galaad.**

|| 2 Ch **18** 2-3

**22.** ¹ On fut tranquille pendant trois ans, sans combat entre Aram et Israël. ² La troisième année, Josaphat, roi de Juda, vint visiter le roi d'Israël[a]. ³ Le roi d'Israël dit à ses officiers : « Vous savez bien que Ramot de Galaad[b] est à nous, et nous ne faisons rien pour l'arracher des mains du roi d'Aram[c] ! » ⁴ Il dit à Josaphat : « Viendras-tu avec moi combattre à Ramot de Galaad ? » Josaphat répondit au roi d'Israël : « Il en sera pour moi comme pour toi, pour mes gens comme pour tes gens, pour mes chevaux comme pour tes chevaux. »

|| 2 Ch **18** 4-11

**Les faux prophètes
prédisent le succès.**

⁵ Cependant Josaphat dit au roi d'Israël : « Je te prie, consulte d'abord la parole de Yahvé. » ⁶ Le roi d'Israël rassembla les prophètes au nombre d'environ quatre cents[d], et leur demanda : « Dois-je aller attaquer Ramot de Galaad, ou dois-je y renoncer ? » Ils répondirent :

---

*a*) Les deux royaumes s'étaient en effet rapprochés : Joram, fils de Josaphat, avait épousé Athalie, sœur d'Achab, voir 2 R **8** 18; cf. 2 Ch **18** 1. L'alliance ainsi scellée devait comporter des clauses réciproques d'assistance militaire, voir les vv. suivants.

*b*) Probablement l'actuel Tell Ramîth dans le nord de la Transjordanie. Prise par les Araméens sous Omri ou avant lui, la ville n'avait pas été rendue après la paix d'Apheq, **20** 34. Voir encore 2 R **8** 28.

*c*) Probablement encore Ben-Hadad II, voir **20** 1.

*d*) Ils se donnent pour des prophètes de Yahvé, puisque c'est Yahvé qui est consulté par eux et qu'ils prétendent parler en son nom, vv. 11-12, mais ils sont à la dévotion du roi et sans doute indulgents à son syncrétisme religieux; ils ne doivent pas être confondus avec les purs Yahvistes, massacrés ou persécutés par Jézabel, **18** 4, 13; **19** 4.

« Monte, Yahvé[a] la livrera aux mains du roi. » [7] Mais Josaphat dit : « N'y a-t-il donc ici aucun autre prophète de Yahvé, par qui nous puissions le consulter ? » [8] Le roi d'Israël répondit à Josaphat : « Il y a encore un homme par qui on peut consulter Yahvé, mais je le hais, car il ne prophétise jamais le bien à mon sujet, rien que le mal, c'est Michée fils de Yimla[b]. » Josaphat dit : « Que le roi ne parle pas ainsi ! » [9] Le roi d'Israël appela un eunuque et dit : « Fais vite venir Michée fils de Yimla. »

[10] Le roi d'Israël et Josaphat, roi de Juda, étaient assis chacun sur son siège, en grand costume, sur l'aire devant la porte[c] de Samarie, et tous les prophètes se livraient à leurs transports devant eux. [11] Sédécias fils de Kenaana se fit des cornes de fer[d] et dit : « Ainsi parle Yahvé. Avec cela tu encorneras les Araméens jusqu'au dernier. » [12] Et tous les prophètes faisaient la même prédiction, disant : « Monte à Ramot de Galaad ! Tu réussiras, Yahvé la livrera aux mains du roi. »

**Le prophète Michée prédit l'échec.**

[13] Le messager qui était allé chercher Michée lui dit : « Voici que les prophètes n'ont qu'une seule bouche

‖ 2 Ch **18** 12-27

---

**22** 6. « *Yahvé* » *Mss Aq Sym Theod Targ* ; « *Adonaï* » *H.*

---

*a*) Le texte hébreu reçu a changé « Yahvé » en « Adonaï » (« Mon Seigneur ») pour ne pas mettre le nom sacré dans la bouche des faux prophètes, mais cf. vv. 11-12.

*b*) Ce prophète n'a que le nom de commun avec Michée, dont les oracles sont conservés dans le recueil des Douze Petits Prophètes et qui vécut un siècle et demi plus tard.

*c*) Les rois et les prophètes sont réunis sur l'aire à battre, qui s'étendait devant la porte des villes anciennes comme elle se trouve à l'entrée des villages modernes. — G omet « sur l'aire ».

*d*) Ce Sédécias, qui n'est pas autrement connu, apparaît comme le chorège de la troupe des extatiques. Son action symbolique a pour objet de signifier, et de procurer d'une certaine manière, la victoire d'Achab ; les cornes représentent la force, voir Dt **33** 17, etc.

pour parler en faveur du roi. Tâche de parler comme l'un d'eux et prédis le succès. » ¹⁴ Mais Michée répondit : « Par Yahvé vivant ! Ce que Yahvé me dira, c'est cela que j'énoncerai ! » ¹⁵ Il arriva près du roi, et le roi lui demanda : « Michée, devons-nous aller à Ramot de Galaad pour combattre, ou devons-nous y renoncer ? » Il lui répondit : « Monte ! Tu réussiras. Yahvé la livrera aux mains du roi*ᵃ*. » ¹⁶ Mais le roi lui dit : « Combien de fois me faudra-t-il t'adjurer de ne me dire que la vérité au nom de Yahvé ? » ¹⁷ Alors Michée prononça :

« J'ai vu tout Israël dispersé sur les montagnes
comme un troupeau sans pasteur.
Et Yahvé a dit : Ils n'ont plus de maître,
que chacun retourne en paix chez soi*ᵇ* ! »

¹⁸ Le roi d'Israël dit alors à Josaphat : « Ne t'avais-je pas dit qu'il prophétisait pour moi non le bien mais le mal ! » ¹⁹ Michée reprit : « Écoute plutôt la parole de Yahvé. J'ai vu Yahvé assis sur son trône; toute l'armée du ciel*ᶜ* se tenait en sa présence, à sa droite et à sa gauche. ²⁰ Yahvé demanda : ' Qui trompera Achab pour qu'il marche contre Ramot de Galaad et qu'il y succombe ? ' Ils répondirent celui-ci d'une manière, celui-là d'une autre. ²¹ Alors l'Esprit*ᵈ* s'avança et se tint devant Yahvé : ' C'est moi, dit-il, qui le tromperai. ' Yahvé lui demanda : ' Comment ? ' ²² Il répondit : ' J'irai et je me ferai esprit

*a*) Michée reprend textuellement les paroles des faux prophètes. Mais il se moque du roi et celui-ci ne s'y méprend pas.

*b*) Michée prédit de façon voilée la mort du roi et plus clairement la débandade d'Israël, vv. 35-36.

*c*) Les Anges, qui forment la cour du roi du ciel.

*d*) La mise en scène précédente ferait penser que cet Esprit est l'un des Anges, mais la suite montre que c'est une personnification de l'esprit prophétique, que le dessein divin transformera en esprit de mensonge, v. 22.

de mensonge dans la bouche de tous ses prophètes. '
Yahvé dit : ' Tu le tromperas, tu réussiras. Va et fais ainsi. '
²³ Voici donc que Yahvé a mis un esprit de mensonge
dans la bouche de tous tes prophètes qui sont là, mais
Yahvé a prononcé contre toi le malheur. »

²⁴ Alors Sédécias fils de Kenaana s'approcha et frappa
Michée à la mâchoire, en disant : « Par où l'esprit de Yahvé
m'a-t-il quitté pour te parler ? » ²⁵ Michée repartit : « C'est
ce que tu verras, le jour où tu fuiras dans une chambre
retirée pour te cacher$^a$. » ²⁶ Le roi d'Israël ordonna :
« Saisis$^b$ Michée et remets-le à Amôn, gouverneur de la
ville, et au prince$^c$ Yoash. ²⁷ Tu leur diras : Ainsi parle le
roi. Mettez cet homme en prison et nourrissez-le stricte-
ment de pain et d'eau jusqu'à ce que je revienne sain et
sauf$^d$. » ²⁸ Michée dit : « Si tu reviens sain et sauf, c'est
que Yahvé n'a pas parlé par ma bouche$^e$. »

²⁹ Le roi d'Israël et Josaphat, roi de Juda, montè-
rent contre Ramot de Ga-
laad. ³⁰ Le roi d'Israël dit à
Josaphat : « Je me déguiserai pour marcher au combat,

**Mort d'Achab
à Ramot de Galaad.**

‖ 2 Ch **18** 28-
34

---

30. « *Je me déguiserai pour marcher* » G Targ Syr; « *Déguise-toi et marche* » H
*est en contradiction avec ce qui suit.*

---

*a*) Cf. **20** 30. Nous ne savons pas comment cette menace s'est réalisée.
*b*) L'ordre au singulier s'adresse sans doute à l'eunuque qui a introduit
Michée.
*c*) Proprement « fils du roi ». Il est possible que cette appellation soit
devenue un nom de fonction désignant un officier de justice, cf. encore
Jr **36** 26; **38** 6.
*d*) Cela peut sans doute être le sens de *b$^e$ šâlôm,* mais, s'agissant d'une
campagne militaire, on traduirait mieux par « victorieux », cf. Jg **8** 9;
2 S **19** 25, 31; Jr **43** 12.
*e*) Le texte ajoute : « Il dit : Écoutez, toutes les nations ! » C'est le début
des oracles du prophète canonique Michée, ajouté ici par un glossateur
qui a confondu les deux personnages.

mais toi, revêts ton costume ! » Le roi d'Israël se déguisa et marcha au combat. [31] Le roi d'Aram avait donné cet ordre à ses commandants de chars : « Vous n'attaquerez ni petit ni grand, mais seulement le roi d'Israël. » [32] Lorsque les commandants de chars virent Josaphat, ils dirent : « C'est sûrement le roi d'Israël » et ils dirigèrent le combat de son côté; mais Josaphat poussa son cri de guerre [33] et, lorsque les commandants de chars virent que ce n'était pas le roi d'Israël, ils s'éloignèrent de lui.

[34] Or un homme banda son arc sans savoir qui il visait et atteignit le roi d'Israël entre le corselet et les appliques de la cuirasse[a]. Celui-ci dit à son charrier : « Tourne bride et fais-moi sortir de la mêlée, car je me sens mal. » [35] Mais le combat devint plus violent ce jour-là, on soutint le roi debout sur son char en face des Araméens, et le soir il mourut; le sang de sa blessure coulait dans le fond du char. [36] Au coucher du soleil, un cri se répandit dans le camp : « Chacun à sa ville et chacun à son pays ! » [37] Le roi est mort ! » On alla à Samarie et on enterra le roi à Samarie. [38] On lava à grande eau son char à l'étang de Samarie, les chiens lapèrent le sang et les prostituées s'y baignèrent, selon la parole que Yahvé avait dite[b].

---

31. *Après* « *commandants de chars* », *le texte a* « *trente-deux* », *glose qui manque dans le parallèle de* 2 *Ch* **18** 30 *et qui est inspirée de* 1 R **20** 1, 16.

34. « *la mêlée* » hammilḥamah *G ;* « *le camp* » hammalḥănèh *H.*

37. « *Le roi est mort* » *G ;* « *Et le roi mourut* » *H.* — « *On alla* » *G ;* « *Il alla* » *H.*

38. « *On lava* » *G ;* « *Il lava* » *H.*

---

*a*) La cuirasse était un corselet de cuir ou d'étoffe sur lequel étaient fixées des plaques de métal qui ressemblaient à des écailles.

*b*) Ce v. vient d'un glossateur qui se souvenait de **21** 19, mais qui oubliait : 1° que le meurtre de Nabot avait eu lieu à Yizréel, 2° que l'oracle contre Achab avait été reporté sur son fils, **21** 29. Les prostituées sont ajoutées comme une insulte.

## VI. Après la mort d'Achab

**Conclusion
du règne d'Achab.**

[39] Le reste de l'histoire d'Achab, tout ce qu'il a fait, la maison d'ivoire[a] qu'il construisit, toutes les villes qu'il bâtit, cela n'est-il pas écrit au livre des Annales des rois d'Israël ? [40] Achab se coucha avec ses pères et son fils Ochozias régna à sa place.

**Règne de Josaphat
en Juda** (870-848).

[41] Josaphat fils d'Asa devint roi sur Juda en la quatrième année d'Achab, roi d'Israël. [42] Josaphat avait trente-cinq ans à son avènement et il régna vingt-cinq ans à Jérusalem; sa mère s'appelait Azuba, fille de Shilhi. [43] Il suivit entièrement la conduite de son père Asa, sans dévier, faisant ce qui est juste au regard de Yahvé. [44] Seulement, les hauts lieux ne disparurent pas; le peuple continua d'offrir des sacrifices et de l'encens sur les hauts lieux. [45] Josaphat fut en paix avec le roi d'Israël.

‖ 2 Ch **20** 31-**21** 1

[46] Le reste de l'histoire de Josaphat, la vaillance qu'il déploya et les guerres qu'il livra, cela n'est-il pas écrit au livre des Annales des rois de Juda ? [47] Il extermina du pays le reste des prostitués sacrés[b] qui avaient subsisté au temps de son père Asa. [48] Il n'y avait pas de roi établi

---

48. « *établi... et le roi* » niṣṣâb wᵉhammèlèk *conj.*, *cf.* G^B G^L *VetLat ;* « *préposé roi* » niṣṣâb mèlèk *H.*

---

*a*) L'expression, qui revient dans Am **3** 15 et Ps **45** 9, désigne une habitation dont le mobilier était plaqué d'ivoire ou dont les murs étaient revêtus de panneaux de bois incrustés d'ivoire. De tels ornements ont été trouvés de fait dans les fouilles de Samarie.

*b*) Voir **15** 12.

sur Édom[a], et le roi [49] Josaphat construisit un vaisseau de Tarsis pour aller chercher l'or à Ophir[b], mais il ne put y aller, car son vaisseau se brisa à Éçyôn-Géber. [50] Alors Ochozias fils d'Achab dit à Josaphat : « Mes serviteurs iront avec tes serviteurs sur les vaisseaux »; mais Josaphat n'accepta pas. [51] Josaphat se coucha avec ses pères et on l'enterra dans la Cité de David, son ancêtre; son fils Joram régna à sa place.

**Le roi Ochozias d'Israël** (853-852) **et le prophète Élie.**

[52] Ochozias, fils d'Achab, devint roi sur Israël à Samarie en la dix-septième année de Josaphat, roi de Juda, et régna deux ans sur Israël.

[53] Il fit ce qui déplaît à Yahvé et suivit la voie de son père et celle de sa mère, et celle de Jéroboam fils de Nebat qui avait entraîné Israël au péché. [54] Il rendit un culte à Baal et se prosterna devant lui, et il irrita Yahvé, Dieu d'Israël, tout comme avait fait son père.

---

49. « *un vaisseau* » G ; « *des vaisseaux* » H, *qui garde le pluriel dans la* suite.

51. « *on l'enterra* » G ; « *on l'enterra avec ses pères* » H.

---

a) Interprétation disputée. On peut comprendre que le roi d'Édom, qui restera vassal de Juda jusque sous Joram, 2 R **8** 20 s, était un prince indigène institué par son suzerain de Jérusalem. Pendant une vacance du trône, Josaphat gouverne directement. Ou bien on peut lire *neṣib* (ou *niṣṣab*) *hammèlèk...* « le préposé (gouverneur) du roi... », mais la suite montre que le rédacteur attribue l'entreprise à Josaphat lui-même et non à son gouverneur.

b) Sur Ophir et les vaisseaux de Tarsis, voir **9** 28 et **10** 22. Josaphat tente de renouveler la fructueuse expédition de Salomon.

# DEUXIÈME LIVRE DES ROIS[a]

**1.** [1] Après la mort d'Achab, Moab se révolta contre Israël[b].

[2] Comme Ochozias était tombé du balcon de son appartement à Samarie et qu'il allait mal, il envoya des messagers à qui il dit : « Allez consulter Baal Zebub[c], dieu d'Éqrôn, pour savoir si je guérirai de mon mal présent. » [3] Mais l'Ange de Yahvé dit à Élie le Tishbite : « Debout ! monte à la rencontre des messagers du roi de Samarie et dis-leur : N'y a-t-il donc pas de Dieu en Israël, que vous alliez consulter Baal Zebub, dieu d'Éqrôn ? [4] C'est pourquoi ainsi parle Yahvé : Le lit où tu es monté, tu n'en descendras pas, tu mourras certainement. » Et Élie s'en alla.

[5] Les messagers revinrent vers Ochozias, qui leur dit : « Pourquoi donc revenez-vous ? » [6] Ils lui répondirent : « Un homme nous a abordés et nous a dit : ' Allez, retournez auprès du roi qui vous a envoyés, et dites-lui : Ainsi

---

**1** 2. « *mon mal* » *Vers.*; « *ce mal* » *H.*

---

*a*) La division des Rois en deux livres, tombant au milieu du règne d'Ochozias et de l'histoire d'Élie, est manifestement artificielle. Elle était inconnue de la première Bible hébraïque.

*b*) La révolte de Moab est brièvement mentionnée à sa place chronologique; les détails seront donnés à propos de l'expédition répressive conduite par le successeur d'Ochozias, ci-dessous, **3** 4-27.

*c*) Baal Zebub « Baal des mouches » est un jeu de mots dérisoire fait sur le vrai nom du dieu, qui était Baal Zebul « Baal le Prince », conservé dans le grec du N. T., Mt **10** 25. Il est appelé « le Prince des démons » Mt **12** 24; cf. **9** 34. — Éqrôn ou Accaron était la plus septentrionale des villes de la pentapole philistine.

parle Yahvé. N'y a-t-il donc pas de Dieu en Israël, que tu
envoies consulter Baal Zebub, dieu d'Éqrôn ? C'est pourquoi le lit où tu es monté, tu n'en descendras pas, tu mourras certainement '. » [7] Il leur demanda : « De quel genre
était l'homme qui vous a abordés et vous a dit ces
paroles ? » [8] et ils lui répondirent : « C'était un homme
avec une toison et un pagne de peau autour des reins[a]. »
Il dit : « C'est Élie le Tishbite ! »

[9] Il lui envoya un cinquantenier et sa cinquantaine, qui
monta vers lui — il était assis au sommet de la montagne —
et lui dit : « Homme de Dieu ! Le roi a ordonné : Descends ! » [10] Élie répondit et dit au cinquantenier : « Si je
suis un homme de Dieu, qu'un feu descende du ciel et te
dévore, toi et ta cinquantaine », et un feu descendit du
ciel et le dévora, lui et sa cinquantaine. [11] Le roi lui envoya
de nouveau un autre cinquantenier et sa cinquantaine,
qui monta et lui dit : « Homme de Dieu ! Le roi a donné
cet ordre : Dépêche-toi de descendre ! » [12] Élie répondit
et lui dit : « Si je suis un homme de Dieu, qu'un feu descende du ciel et te dévore, toi et ta cinquantaine », et un
feu descendit du ciel et le dévora, lui et sa cinquantaine.
[13] Le roi envoya encore un troisième cinquantenier et sa
cinquantaine. Le troisième cinquantenier arriva, plia les
genoux devant Élie et le supplia ainsi : « Homme de Dieu !
Que ma vie et celle de tes cinquante serviteurs que voici

---

11. « *monta* » wayya‘al *G*[L]*; « *répondit* » wayya‘an *H*.

12. « *un homme de Dieu* » *G ; « l'homme de Dieu* » *H qui ajoute encore « de Dieu »
après « feu ».*

13. « *troisième* » *Vers.*; « *troisièmes* » *H*.

---

*a*) Le roi reconnaît Élie à son vêtement : une pelisse flottante et un
pagne comme vêtement de dessous, voir 1 R **18** 46 et 2 R **2** 8 et 13. Ce
costume sera plus tard celui d'autres prophètes, Za **13** 4, et du nouvel
Élie, saint Jean Baptiste, Mt **3** 4; Mc **1** 6.

aient quelque prix à tes yeux ! [14] Un feu est descendu du ciel et a dévoré les deux cinquanteniers; mais maintenant, que ma vie ait quelque prix à tes yeux ! » [15] L'Ange de Yahvé dit à Élie : « Descends avec lui, n'aie pas peur de lui. » Il se leva et descendit avec lui vers le roi, [16] à qui il dit : « Ainsi parle Yahvé. Puisque tu as envoyé des messagers consulter Baal Zebub, dieu d'Éqrôn, eh bien ! tu ne descendras pas du lit où tu es monté, tu mourras certainement[a]. »

[17] Il mourut, selon la parole de Yahvé qu'Élie avait prononcée. Joram, son frère, devint roi à sa place — en la deuxième année de Joram fils de Josaphat, roi de Juda[b]; en effet il n'avait pas de fils. [18] Le reste de l'histoire d'Ochozias, ce qu'il a fait, cela n'est-il pas écrit au livre des Annales des rois d'Israël ?

---

14. « *les deux cinquanteniers* » G ; « *les deux premiers cinquanteniers et leur cinquantaine* » H.

16. *Après* « *Éqrôn* », *H répète la question des vv.* 3 *et* 6.

17. « *son frère* » *Vers.*; *omis par* H.

---

*a*) Ce feu du ciel qui descend deux fois pour frapper des innocents à la prière du prophète n'est pas du tout dans le genre des autres récits sur Élie, mais rappelle un épisode analogue du cycle d'Élisée, 2 23-24. Il est possible que les vv. 9-16 viennent des disciples de ce dernier, cf. 1 R **17** 17 s. Il s'agit d'inculquer — en négligeant les autres considérations morales — le respect et la soumission qui sont dus aux représentants de Dieu.

*b*) Ce synchronisme, introduit par manière de parenthèse, ne s'accorde pas avec celui qui sera donné à **3** 1. C'est le vestige d'un autre système chronologique, qui était probablement plus exact.

# VI

## LE CYCLE D'ÉLISÉE

### I. LES DÉBUTS

**Enlèvement d'Élie,
qui a pour successeur
Élisée[a].**

**2.** [1] Voici ce qui arriva lorsque Yahvé enleva Élie au ciel dans le tourbillon : Élie et Élisée partirent de Gilgal[b], [2] et Élie dit à Élisée : « Reste donc ici, car Yahvé ne m'envoie qu'à Béthel »; mais Élisée répondit : « Aussi vrai que Yahvé est vivant et que tu vis toi-même, je ne te quitterai pas ! » et ils descendirent à Béthel. [3] Les frères prophètes[c], qui résident à Béthel, sortirent à la rencontre d'Élisée et lui dirent : « Sais-tu qu'aujourd'hui Yahvé va emporter ton maître par-dessus ta tête ? » Il dit : « Moi aussi je sais; silence ! » [4] Élie lui dit : « Élisée ! Reste donc ici, car Yahvé ne m'envoie qu'à Jéricho »; mais il répondit : « Aussi vrai que Yahvé est vivant et que tu vis toi-même, je ne te quitterai pas ! » et ils allèrent à Jéricho. [5] Les frères prophètes qui résident à Jéricho s'approchèrent d'Élisée et lui dirent : « Sais-tu qu'aujourd'hui Yahvé va emporter ton maître

---

*a*) Littérairement, ce beau passage appartient déjà au cycle d'Élisée, qu'il introduit en racontant comment ce prophète est devenu le successeur d'Élie.

*b*) Probablement Djildjiliyeh, 12 km. au nord de Béthel.

*c*) Les « frères prophètes », littéralement « fils des prophètes », sont simplement des prophètes groupés en confréries et vivant ensemble, cf. déjà 1 R **20** 35. Élisée avait des relations étroites avec eux, **4** 1, 38; **5** 22; **6** 1; **9** 1, au contraire d'Élie, le prophète solitaire.

par-dessus ta tête ? » Il dit : « Moi aussi je sais ; silence ! »
[6] Élie lui dit : « Reste donc ici, car Yahvé ne m'envoie
qu'au Jourdain » ; mais il répondit : « Aussi vrai que Yahvé
est vivant et que tu vis toi-même, je ne te quitterai pas ! »
et ils s'en allèrent tous deux.

[7] Cinquante frères prophètes vinrent et s'arrêtèrent à
distance, au loin, pendant que tous deux se tenaient au
bord du Jourdain. [8] Alors Élie prit son manteau, le roula
et frappa les eaux, qui se divisèrent d'un côté et de l'autre,
et tous deux traversèrent à pied sec. [9] Dès qu'ils eurent
passé, Élie dit à Élisée : « Demande : Que puis-je faire
pour toi avant d'être enlevé d'auprès de toi ? » et Élisée
répondit : « Que me revienne une double part de ton
esprit[a] ! » [10] Élie reprit : « Tu demandes une chose difficile[b] : si tu me vois pendant que je serai enlevé d'auprès
de toi, cela t'arrivera ; sinon, cela n'arrivera pas. » [11] Or,
comme ils marchaient en conversant, voici qu'un char
de feu et des chevaux de feu se mirent entre eux deux, et
Élie monta au ciel dans le tourbillon. [12] Élisée voyait et
il criait : « Mon père ! mon père ! Char d'Israël et son
attelage[c] ! » puis il ne le vit plus et, saisissant ses vêtements, il les déchira en deux. [13] Il ramassa le manteau
d'Élie, qui avait glissé, et revint se tenir sur la rive du
Jourdain.

---

*a*) Le fils aîné recevait une double part de l'héritage paternel, cf. Dt **21**
17, et les lois assyriennes. Élisée veut être reconnu pour le principal héritier
spirituel d'Élie.

*b*) Demande difficile, car l'esprit prophétique ne se transmet pas : il
vient de Dieu, et c'est Dieu qui signifiera que la demande est exaucée en
accordant à Élisée de voir ce qui est voilé aux yeux humains : les « frères
prophètes » ne percevront que l'encadrement naturel du mystère, voir
**6** 17.

*c*) La même exclamation se retrouve dans la bouche de Joas d'Israël
s'adressant à Élisée, **13** 14, où elle est d'ailleurs mieux en situation. Comme
paraphrase le Targum, les deux prophètes valent, pour la défense d'Israël,
plus que les chars de guerre.

¹⁴ Il prit le manteau d'Élie et il frappa les eaux en disant : « Où est Yahvé, le Dieu d'Élie ? » Il frappa les eaux, qui se divisèrent d'un côté et de l'autre, et Élisée traversa. ¹⁵ Les frères prophètes le virent à distance et dirent : « L'esprit d'Élie s'est reposé sur Élisée ! »; ils vinrent à sa rencontre et se prosternèrent à terre devant lui. ¹⁶ Ils lui dirent : « Il y a ici avec tes serviteurs cinquantes braves. Permets qu'ils aillent à la recherche de ton maître; peut-être l'Esprit de Yahvé l'a-t-il enlevé et jeté sur quelque montagne ou dans quelque vallée*ᵃ* », mais il répondit : « N'envoyez personne. » ¹⁷ Cependant, comme ils l'importunaient de leurs instances, il dit : « Envoyez ! » Ils envoyèrent donc cinquante hommes, qui cherchèrent pendant trois jours sans le trouver. ¹⁸ Ils revinrent vers Élisée qui était resté à Jéricho, et il leur dit : « Ne vous avais-je pas prévenus de ne pas aller*ᵇ* ? »

**Deux miracles d'Élisée*ᶜ*.**

¹⁹ Les hommes de la ville dirent à Élisée : « La ville est un séjour agréable, comme Monseigneur peut voir, mais

---

**2** 14. *Après « le manteau d'Élie », le texte ajoute « qui avait glissé de lui », probablement repris du v. 13. — Après « le Dieu d'Élie », H ajoute « lui aussi », glose destinée à « il frappa » en référence au v. 8.*

15. *Après « Les frères prophètes » le texte ajoute une glose : « qui sont à Jéricho ».*

---

*a*) On racontait bien que pareille aventure était arrivée au prophète, voir 1 R **18** 12.

*b*) La recherche infructueuse certifie seulement qu'Élie n'est plus de ce monde, son destin est un mystère qu'Élisée ne veut pas éclairer. Le texte ne dit pas qu'Élie n'est pas mort, mais on a pu facilement le conclure, et en déduire qu'il reviendrait, Ml **3** 23-24; Si **48** 11; cf. Mc **6** 15; **8** 28; **9** 11, et parallèles.

*c*) Ces deux brefs récits sont de la même veine que les anecdotes du ch. 4, qu'on se racontait entre « frères prophètes ». Les deux anecdotes sont en parallélisme antithétique. Élisée détient un pouvoir divin pour sauver et pour perdre : il est bienfaisant à ceux qui reconnaissent sa mission, mais on ne se moque pas impunément de l'homme de Dieu.

les eaux sont malsaines et le pays souffre d'avortements. »
²⁰ Il dit : « Apportez-moi une écuelle neuve, où vous
aurez mis du sel », et ils la lui apportèrent. ²¹ Il alla
où jaillissaient les eaux[a], il y jeta du sel et dit : « Ainsi
parle Yahvé : J'assainis ces eaux, il ne viendra plus
de là ni mort ni avortement. » ²² Et les eaux furent
assainies jusqu'à ce jour, selon la parole qu'Élisée avait
dite.

²³ Il monta de là à Béthel, et, comme il montait par le
chemin, de jeunes garçons sortirent de la ville et se moquè-
rent de lui, en disant : « Monte, tondu ! Monde, tondu[b] ! »
²⁴ Il se retourna, les vit et les maudit au nom de Yahvé.
Alors deux ourses sortirent du bois et déchirèrent quarante-deux des enfants. ²⁵ Il alla de là au mont Carmel,
puis il revint à Samarie.

## II. LA GUERRE MOABITE

**Introduction au règne de Joram en Israël** (852-841).

**3.** ¹ Joram fils d'Achab devint roi sur Israël à Samarie en la dix-huitième année de Josaphat roi de Juda, et
il régna douze ans. ² Il fit ce qui déplaît à Yahvé; non pas pourtant comme son père
et sa mère, car il supprima la stèle de Baal que son père
avait faite. ³ Seulement, pour les péchés où Jéroboam fils
de Nebat entraîna Israël, il y resta attaché et ne s'en
détourna pas.

---

*a*) C'est actuellement la Fontaine d'Élisée, au pied du site ancien de
Jéricho.
*b*) Élisée était-il prématurément chauve ? ou avait-il une tonsure, un
signe distinctif des prophètes (1 R **20** 41) ?

**Expédition d'Israël
et de Juda
contre Moab.**

[4] Mésha, roi de Moab[a], était éleveur de troupeaux et il livrait en tribut au roi d'Israël cent mille agneaux et la laine de cent mille béliers; [5] mais, à la mort d'Achab, le roi de Moab se révolta contre le roi d'Israël.

[6] En ce temps-là, le roi Joram sortit de Samarie et passa en revue tout Israël. [7] Ensuite, il envoya ce message au roi de Juda[b] : « Le roi de Moab s'est révolté contre moi. Viendras-tu faire la guerre avec moi en Moab ? » Le roi de Juda répondit : « Je viendrai ! Il en sera pour moi comme pour toi, pour mon peuple comme pour ton peuple, pour mes chevaux comme pour tes chevaux ! » [8] Il ajouta : « Par quel chemin monterons-nous ? » et l'autre répondit : « Par le chemin du désert d'Édom. »

[9] Le roi d'Israël, le roi de Juda et le roi d'Édom[c] partirent. Après un mouvement tournant de sept jours, l'eau manqua pour la troupe et pour les bêtes de somme qui suivaient. [10] Le roi d'Israël s'écria : « Malheur ! c'est que Yahvé a appelé les trois rois que nous sommes pour les

---

*a*) Cf. **1** 1. Une stèle inscrite, élevée par Mésha, a été retrouvée à Dibôn, en Transjordanie. Elle rappelle que Moab était assujetti à Israël sous Omri et Achab et célèbre la guerre de libération, mais elle passe sous silence l'épisode peu glorieux que la Bible a retenu.

*b*) Ici et aux vv. 11, 12, 14, le texte donne au roi de Juda le nom de Josaphat, mais la chronologie paraît indiquer que la guerre n'eut lieu que sous son fils, Joram de Juda. Le texte primitif ne mentionnait peut-être pas le roi de Juda par son nom; on aurait introduit le nom de Josaphat en considération de sa piété et à cause du rôle analogue qu'il joue dans 1 R **22**. Cette correction est appuyée par la recension lucianique.

*c*) Édom est alors vassal de Juda; son « roi » est un prince indigène installé par le suzerain, cf. sur 1 R **22** 48. Le concours de Juda et d'Édom est particulièrement nécessaire au roi d'Israël qui veut attaquer Moab par le sud, par le territoire édomite après avoir contourné la mer Morte. La stèle de Mésha nous apprend que celui-ci avait fortifié sa frontière septentrionale contre Israël.

livrer aux mains de Moab ! » [11] Mais le roi de Juda dit :
« N'y a-t-il pas ici un prophète de Yahvé, que nous con-
sultions Yahvé par lui ? » Alors un des serviteurs du roi
d'Israël répondit : « Il y a Élisée fils de Shaphat, qui ver-
sait l'eau sur les mains d'Élie[a]. » [12] Le roi de Juda dit :
« Il a la parole de Yahvé. » Le roi d'Israël, le roi de Juda
et le roi d'Édom descendirent donc vers Élisée. [13] Mais
celui-ci dit au roi d'Israël : « Qu'ai-je à faire avec toi ? Va
trouver les prophètes de ton père et les prophètes de ta
mère ! » Le roi d'Israël lui répondit : « Mais non ! c'est
que Yahvé a appelé les trois rois que nous sommes pour
les livrer aux mains de Moab ! » [14] Élisée reprit : « Par la
vie de Yahvé Sabaot[b], que je sers, si je n'avais égard au
roi de Juda, je ne ferais pas attention à toi, je ne te regar-
derais même pas. [15] Maintenant, amenez-moi un joueur
de lyre[c]. » Or, comme le musicien jouait, la main de Yahvé
fut sur lui [16] et il dit : « Ainsi parle Yahvé : ' Creusez dans
cette vallée des fosses et des fosses ', [17] car ainsi parle
Yahvé : ' Vous ne verrez pas de vent, vous ne verrez pas
de pluie, et cette vallée se remplira d'eau, et vous boirez,
vous, vos troupes et vos bêtes de somme. ' [18] Encore cela
est-il peu aux yeux de Yahvé, car il livrera Moab entre
vos mains. [19] Vous frapperez toutes les villes fortes, vous
abattrez tous les arbres de rapport[d], vous boucherez toutes

---

**3** 17. « *vos troupes* » maḥănêkèm G$_L$; « *vos troupeaux* » miqnêkèm H.

19. *Après* « **villes fortes** », H *ajoute* « *et toutes les villes de choix* », *doublet
absent de* G.

---

*a*) Présenté ainsi comme le serviteur d'Élie, voir 1 R **19** 21, Élisée
devait être au début de sa carrière.

*b*) Voir note sur 1 R **18** 15.

*c*) Cet emploi de la musique pour procurer l'extase est illustré par de
nombreux parallèles et, dans la Bible, par 1 S **10** 5.

*d*) Destruction que reproduisent les bas-reliefs assyriens, mais que
condamne Dt **20** 19.

les sources et vous désolerez tous les meilleurs champs
en y jetant des pierres. » [20] Or, le matin à l'heure de la
présentation de l'offrande, voici que l'eau venait de la
direction d'Édom et la contrée en fut remplie[a].

[21] Les Moabites ayant appris que les rois étaient montés
pour les combattre, tous ceux qui étaient en âge de porter
les armes furent convoqués, et ils se tenaient sur la frontière. [22] Quand ils se levèrent le matin et que le soleil
brilla sur les eaux, les Moabites virent de loin les eaux
rouges comme du sang[b]. [23] Ils dirent : « C'est du sang !
Sûrement les rois se sont entre-tués, ils se sont mutuellement frappés. Et maintenant, au pillage, Moab ! »

[24] Mais quand ils arrivèrent au camp des Israélites,
ceux-ci se dressèrent et battirent les Moabites, qui s'enfuirent devant eux; et ils allèrent de l'avant, les taillant en
pièces. [25] Ils détruisaient les villes, ils jetaient chacun sa
pierre dans tous les meilleurs champs pour les remplir,
ils bouchaient toutes les sources et abattaient tous les
arbres de rapport. Finalement, il ne resta plus que Qir-
Hérès[c] : les frondeurs l'encerclèrent et la battirent de leurs

---

24. « *et ils allèrent de l'avant* » wayyâbo'û G ; H *intraduisible* wayyâbo
(*Qer* wayyakkû) bah.

25. « *il ne resta plus que Qir-Hérès* » *conj.*; « *il ne resta plus à Qir-Harésèt
que ses pierres* » H.

---

*a*) Les confédérés sont campés dans la vallée supérieure du Wâdy
el-Hesâ, l'ancien torrent de Zared qui marquait la frontière entre Moab
et Édom. Un orage, dont ils n'ont rien vu, a éclaté sur le plateau, l'eau
dévale par les ramifications de la vallée et remplit les fosses qu'Élisée a
fait creuser. Les Bédouins connaissent ce phénomène qu'ils appellent un
*seïl*. Pour l'indication de l'heure, voir 1 R **18** 29.

*b*) Mirage causé par l'étonnante lumière rose des levers de soleil au
désert ou plutôt coloration due aux sables du Wâdy el-Hesâ et que des
voyageurs ont remarquée. Il y a enfin un jeu de mots entre *âdom* rouge,
*dâm* sang, et le nom d'Édom, où se passe l'action.

*c*) Ici « Qir-Harésèt », comme à Is **16** 7, mais plus communément « Qir
Hérès », Is **16** 11; Jr **48** 31, 36. Le nom signifie en hébreu « mur de tes-

coups. [26] Quand le roi de Moab vit qu'il ne pouvait pas soutenir le combat, il prit avec lui sept cents hommes armés de l'épée pour faire une trouée et aller vers le roi d'Aram, mais il n'y réussit pas. [27] Alors il prit son fils aîné, qui devait régner après lui, et il l'offrit en sacrifice sur le rempart. Il y eut un grand ressentiment[a] contre les Israélites, qui décampèrent loin de lui et rentrèrent au pays.

## III. Quelques miracles d'Élisée

**L'huile de la veuve**[b].
4. [1] La femme d'un des frères prophètes implora Élisée en ces termes : « Ton serviteur, mon mari, est mort, et tu sais que ton serviteur craignait Yahvé. Or le prêteur sur gages est venu pour prendre mes deux enfants et en faire ses esclaves[c]. » [2] Élisée lui dit : « Que puis-je faire pour toi ? Dis-moi, qu'as-tu à la maison ? » Elle répondit : « Ta servante n'a rien du

---

26. « *Aram* » conj. cf. *VetLat;* « *Édom* » H. — « *il n'y réussit pas* » G[L] *Syr; les autres témoins ont le pluriel.*

---

sons » et paraît être une déformation moqueuse de « Qir Hadeshet », qui serait une appellation moabite au sens de « Villeneuve ». Le vrai nom indigène est conservé par la stèle de Mésha : c'est *Qorḥah*. Elle était la capitale de Moab et occupait le site actuel de Kérak.

*a*) Interprétation disputée. On pense à une colère divine de Yahvé ou, plus communément, de Kemosh, dieu national des Moabites; les deux sens présentent des difficultés. Peut-être simplement un sursaut désespéré des Moabites qui, excités par le sacrifice de leur prince héritier, repoussent les Israélites.

*b*) Comparer le miracle d'Élie, 1 R **17** 8-15.

*c*) A l'échéance de la dette et à défaut du paiement le prêteur exige que les enfants, qui servent de gage, lui soient remis pour qu'il se paie par leur travail. En éteignant la dette, v. 7, la femme rachètera l'obligation qui pèse sur ses enfants.

tout à la maison, sauf un récipient d'huile[a]. » [3] Alors, il dit : « Va emprunter dehors des vases à tous tes voisins, des vases vides et pas trop peu ! [4] Puis tu rentreras, tu fermeras la porte sur toi et sur tes fils et tu verseras l'huile dans tous ces vases, en les mettant de côté à mesure qu'ils seront pleins. » [5] Elle le quitta et ferma la porte sur elle et sur ses fils; ceux-ci lui tendaient les vases et elle ne cessait de verser. [6] Or, quand les vases furent pleins, elle dit à son fils : « Tends-moi encore un vase », mais il répondit : « Il n'y a plus de vase »; alors l'huile cessa de couler. [7] Elle alla rendre compte à l'homme de Dieu[b], qui dit : « Va vendre cette huile, tu rachèteras ton gage et tu vivras du reste, toi et tes fils ! »

**Élisée, la Shunamite et son fils.**

[8] Un jour qu'Élisée passait à Shunem[c], une femme de qualité qui y vivait l'invita à table. Depuis, chaque fois qu'il passait, il se rendait là pour manger. [9] Elle dit à son mari : « Vois ! Je suis sûre que c'est un saint homme de Dieu qui passe toujours par chez nous. [10] Construisons-lui donc une petite chambre sur la terrasse, et nous y mettrons pour lui un lit, une table, un siège et une lampe[d] : quand il viendra chez nous, il se retirera là. » [11] Un jour qu'il vint là, il se retira dans la chambre haute et s'y coucha. [12] Il dit à Géhazi son serviteur : « Appelle cette bonne

---

*a*) Le grec traduit « sauf de quoi m'oindre d'huile », mais la construction de l'hébreu serait alors irrégulière. Le terme unique 'âsûk doit être le nom d'un récipient, d'après l'étymologie un pot à onguent, un tout petit vase.

*b*) Titre ordinaire d'Élisée, qui n'est jamais donné à Élie, sauf dans deux passages, 1 R 17 17-24 et 2 R 1 9-16, qui ont précisément d'autres contacts littéraires avec le cycle d'Élisée.

*c*) Aujourd'hui Sûlam, au pied du Petit Hermon, au nord de Yizréel.

*d*) Ce mobilier très simple est complaisamment détaillé parce qu'il était un luxe; les gens du commun couchaient, s'asseyaient et mangeaient par terre.

Shunamite. » — Il l'appela et elle se tint devant lui. — [13] Élisée reprit : « Dis-lui[a] : Tu t'es donné tout ce souci pour nous. Que peut-on faire pour toi ? Y a-t-il un mot à dire pour toi au roi ou au chef de l'armée ? » Mais elle répondit : « Je séjourne au milieu des miens[b]. » [14] Il continua : « Alors, que peut-on faire pour elle ? » Géhazi répondit : « Eh bien ! Elle n'a pas de fils et son mari est âgé. » [15] Élisée dit : « Appelle-la. » — Le serviteur l'appela et elle se tint à l'entrée. — [16] « A cette saison, l'an prochain, dit-il, tu tiendras un fils dans tes bras. » Mais elle dit : « Non, Monseigneur, ne trompe pas ta servante[c] ! » [17] Or la femme conçut et elle enfanta un fils à la saison que lui avait dite Élisée.

[18] L'enfant grandit. Un jour il alla trouver son père auprès des moissonneurs [19] et il dit à son père : « Oh ! ma tête ! ma tête ! » et le père ordonna à un serviteur de le porter à sa mère. [20] Celui-ci le prit et le conduisit à sa mère; il resta sur ses genoux jusqu'à midi et il mourut. [21] Elle monta l'étendre sur le lit de l'homme de Dieu, ferma la porte et sortit[d]. [22] Elle appela son mari et dit : « Envoie-moi l'un des serviteurs avec une ânesse, je cours chez l'homme de Dieu et je reviens. » [23] Il demanda : « Pourquoi vas-tu chez lui aujourd'hui ? Ce n'est pas la

---

4 16. *Après « Monseigneur » H ajoute « l'homme de Dieu »; omis par G.*

17. *Au lieu de « à la saison », le texte répète, comme au v. précédent, « à cette saison, l'an prochain ».*

*a*) Élisée communique par l'intermédiaire de son serviteur avec la femme qui est restée en dehors de la chambre; il ne l'interpellera directement qu'au v. 16.

*b*) Élisée a proposé d'intervenir à la Cour au sujet des impôts, des corvées ou du service militaire, dus par la famille qui l'héberge. La femme répond fièrement que la protection de son clan lui suffit.

*c*) Comparer le doute de Sara, Gn **18** 11-15.

*d*) Foi de cette femme : Élisée, qui lui a obtenu ce fils, pourra le lui rendre; en attendant, personne ne doit rien savoir de sa mort, v. 23, et elle dissimule le cadavre.

néoménie ni le sabbat[a] », mais elle répondit : « Reste en paix. » 24 Elle fit seller l'ânesse et dit à son serviteur : « Mène-moi, va ! Ne m'arrête pas en route sans que je te l'ordonne »; 25 elle partit et arriva vers l'homme de Dieu, au mont Carmel. Lorsque celui-ci la vit de loin, il dit à son serviteur Géhazi : « Voici cette bonne Shunamite. 26 Maintenant, cours à sa rencontre et demande-lui : Vas-tu bien ? Ton mari va-t-il bien ? Ton enfant va-t-il bien ? » Elle répondit : « Bien[b]. » 27 Quand elle rejoignit l'homme de Dieu sur la montagne, elle saisit ses pieds. Géhazi s'approcha pour la repousser, mais l'homme de Dieu dit : « Laisse-la, car son âme est dans l'amertume; Yahvé me l'a caché, il ne m'a rien annoncé. » 28 Elle dit : « Avais-je demandé un fils à Monseigneur ? Ne t'avais-je pas dit de ne pas me leurrer ? »

29 Élisée dit à Géhazi : « Ceins tes reins, prends mon bâton en main et va ! Si tu rencontres quelqu'un, tu ne le salueras pas, et si quelqu'un te salue, tu ne lui répondras pas[c]. Tu étendras mon bâton[d] au-dessus de l'enfant. » 30 Mais la mère de l'enfant dit : « Aussi vrai que Yahvé est vivant et que tu vis toi-même, je ne te quitterai pas ! » Alors il se leva et la suivit. 31 Géhazi les avait précédés et il avait étendu le bâton au-dessus de l'enfant, mais il n'y eut ni voix ni réaction. Il revint au-devant d'Élisée

---

a) On avait donc coutume de visiter, aux fêtes, les saints personnages. La néoménie est le jour de la nouvelle lune, cf. 1 S 20 5, le sabbat, le jour hebdomadaire de repos. Les deux termes sont également unis dans Is 1 13; 66 23; Os 2 13; Am 8 5.

b) Réponse indifférente à une salutation banale : la femme réserve au prophète l'aveu de sa douleur.

c) Tout promeneur en Orient sait combien prennent de temps les salutations en chemin; ne saluer personne est le signe d'une mission pressante, comparer Lc 10 4.

d) Une puissance magique paraît attribuée au bâton d'Élisée (comme à celui de Moïse, Ex 4 17), mais la suite montrera que rien ne peut se faire sans la prière et l'intervention personnelle du prophète.

et lui rapporta ceci : « L'enfant ne s'est pas réveillé. »
[32] Élisée arriva à la maison ; là était l'enfant, mort et couché
sur son propre lit. [33] Il entra, ferma la porte sur eux deux
et pria Yahvé. [34] Puis il monta sur le lit, s'étendit sur
l'enfant, mit sa bouche contre sa bouche, ses yeux contre
ses yeux, ses mains contre ses mains, il se replia sur lui[a]
et la chair de l'enfant se réchauffa. [35] Il se remit à marcher
de long en large dans la maison, puis remonta et se replia
sur lui, jusqu'à sept fois[b] : alors l'enfant éternua[c] et ouvrit
les yeux. [36] Il appela Géhazi et lui dit : « Fais venir cette
bonne Shunamite. » Elle fut appelée et lorsqu'elle arriva
près de lui, il dit : « Prends ton fils. » [37] Elle entra, tomba à
ses pieds et se prosterna à terre, puis elle prit son fils et sortit.

**La marmite
empoisonnée.**

[38] Élisée revint à Gilgal[d]
pendant que la famine était
dans le pays. Comme les
frères prophètes étaient assis
devant lui, il dit à son serviteur : « Mets la grande marmite sur le feu et cuis une soupe pour les frères prophètes. »
[39] L'un d'eux sortit dans la campagne pour ramasser des
herbes, trouva des sarments sauvages, sur lesquels il cueil-
lit des coloquintes[e], plein son vêtement. Il revint et les
coupa en morceaux dans la marmite de soupe, car on ne
savait pas ce que c'était. [40] On versa à manger aux hommes.

---

35. *Dans H « jusqu'à sept fois » est reporté à « l'enfant éternua »; on suit ici
l'ordre de G[L] et de VetLat.*

a) Élisée fait les mêmes gestes qu'Élie, 1 R **17** 21, où l'action est résumée
d'un seul mot. Sur les rapports entre les deux récits, cf. la note sur 1 R **17** 17.

b) Dans 1 R **17** 21, Élie s'étend trois fois sur l'enfant. Comparer la
septuple immersion de Naamân, **5** 10, 14.

c) Dieu insuffle l'esprit de vie dans les narines d'Adam, Gn **2** 7, et c'est
par les narines que l'homme respire, Is **2** 22. L'éternuement manifeste le retour
à la vie.

d) Voir **2** 1.

e) Fruits d'une grande amertume et d'un violent effet purgatif.

Mais à peine eurent-ils goûté le potage qu'ils poussè-
rent un cri : « Homme de Dieu ! Il y a la mort dans la
marmite ! » et ils ne purent pas manger. [41] Alors Élisée
dit : « Eh bien ! apportez de la farine. » Il la jeta dans la
marmite et dit : « Verse aux gens et qu'ils mangent. » —
Il n'y avait plus rien de mauvais dans la marmite.

**La multiplication
des pains.**

[42] Un homme vint de Baal-
Shalisha[a] et apporta à
l'homme de Dieu du pain de
prémices[b], vingt pains d'orge
et du grain frais en épi[c]. Celui-ci ordonna : « Offre aux
gens et qu'ils mangent », [43] mais son serviteur répondit :
« Comment servirai-je cela à cent personnes ? » Il reprit :
« Offre aux gens et qu'ils mangent, car ainsi a parlé
Yahvé : On mangera et on en aura de reste. » [44] Il leur
servit, ils mangèrent et en eurent de reste, selon la parole
de Yahvé.

**La guérison
de Naamân.**

5. [1] Naamân, chef de
l'armée du roi d'Aram[d], était
un homme en grande consi-
dération et faveur auprès de
son maître, car c'était par lui que Yahvé avait accordé la
victoire aux Araméens[e], mais cet homme était lépreux.

---

5 1. *Avant « lépreux », H ajoute « vaillant »; omis par G[L].*

a) Aujourd'hui Kefr Tilt, 25 km. au nord de Lydda.
b) Les premiers pains faits avec la moisson de l'année. Ils devaient être
présentés à Yahvé, d'après Lv **23** 17 s.
c) Traduction conjecturale, qui s'appuie sur le sens de *bṣql* en ugaritique.
On traduit souvent « dans sa besace », par conjecture.
d) Dans ce récit, le roi d'Aram (Damas) et le roi d'Israël restent ano-
nymes. L'ordre du livre des Rois rattache cet épisode au règne de Joram
d'Israël.
e) Yahvé est Dieu universel et préside aux destinées d'Aram comme à
celles d'Israël; l'enseignement de ce ch. rejoint celui de la scène du
Carmel, 1 R **18**.

² Or les Araméens, sortis en razzia, avaient enlevé du territoire d'Israël une petite fille qui était entrée au service de la femme de Naamân. ³ Elle dit à sa maîtresse : « Ah ! si seulement mon maître s'adressait au prophète de Samarie ! Il le délivrerait de sa lèpre. » ⁴ Naamân alla informer son seigneur : « Voilà, dit-il, de quelle et quelle manière a parlé la jeune fille qui vient du pays d'Israël. » ⁵ Le roi d'Aram répondit : « Pars donc, je vais envoyer une lettre au roi d'Israël. » Naamân partit, prenant avec lui dix talents d'argent, six mille sicles d'or*ᵃ* et dix habits de fête. ⁶ Il présenta au roi d'Israël la lettre, ainsi conçue : « En même temps que te parvient cette lettre, je t'envoie mon serviteur Naamân, pour que tu le délivres de sa lèpre. » ⁷ A la lecture de la lettre, le roi d'Israël déchira ses vêtements et dit : « Suis-je un dieu qui puisse donner la mort et la vie, pour que celui-là me mande de délivrer quelqu'un de sa lèpre ? Pour sûr, rendez-vous bien compte qu'il me cherche querelle ! »

⁸ Mais quand Élisée apprit que le roi d'Israël avait déchiré ses vêtements, il fit dire au roi : « Pourquoi as-tu déchiré tes vêtements ? Qu'il vienne donc vers moi, et il saura qu'il y a un prophète en Israël. » ⁹ Naamân arriva avec son attelage et son char et s'arrêta à la porte de la maison d'Élisée, ¹⁰ et Élisée envoya un messager*ᵇ* lui dire : « Va te baigner sept fois dans le Jourdain, ta chair redeviendra nette. » ¹¹ Naamân, irrité, s'en alla en disant : « Je m'étais dit : Sûrement il sortira et se présentera lui-

---

8. *Après « Élisée », H ajoute « l'homme de Dieu »; omis par G*ᴮ.

---

a) Sur le talent et le sicle, voir 1 R **9** 14 et **10** 16. La somme est phénoménale.

b) Élisée ne communique pas directement avec Naamân. Peut-être veut-il souligner le manque d'égards du Syrien, qui n'est pas descendu de son char.

même, puis il invoquera le nom de Yahvé son Dieu, il
agitera la main sur l'endroit malade et délivrera la partie
lépreuse. [12] Est-ce que les fleuves de Damas, l'Abana et le
Parpar[a], ne valent pas mieux que toutes les eaux d'Israël ?
Ne pourrais-je pas m'y baigner pour être purifié ? » Il
tourna bride et partit en colère. [13] Mais ses serviteurs
s'approchèrent et s'adressèrent à lui en ces termes : « Mon
père[b] ! Si le prophète t'avait prescrit quelque chose de
difficile, ne l'aurais-tu pas fait ? Combien plus, lorsqu'il
te dit : Baigne-toi et tu seras purifié. » [14] Il descendit donc
et se plongea sept fois dans le Jourdain, selon la parole
d'Élisée[c] : sa chair redevint nette comme la chair d'un
petit enfant.

[15] Il revint chez Élisée avec toute son escorte, il entra,
se présenta devant lui et dit : « Oui, je sais désormais
qu'il n'y a pas de Dieu par toute la terre sauf en Israël[d] !
Maintenant, accepte, je te prie, un présent de ton serviteur. » [16] Mais Élisée répondit : « Aussi vrai qu'est vivant
Yahvé que je sers, je n'accepterai rien. » Naamân le pressa
d'accepter, mais il refusa. [17] Alors Naamân dit : « Puisque

---

13. « *Si* » *Vers.*; *omis par* H.
14-15. « *Élisée* » G ; « *homme de Dieu* » H.

---

a) L'Abana est actuellement le Barada qui arrose Damas et ses jardins;
le Parpar est probablement le Nahr el-Awadj qui coule au sud de Damas.
b) Pour le titre de « père » donné à un haut fonctionnaire, comparer
Gn 45 8; Is 22 21; il y a aussi des parallèles assyriens.
c) Si l'on préfère la leçon du grec « Élisée », ici et vv. 8, 15, 20, c'est
parce qu'il semble que le récit primitif de ce ch., comme aux ch. 3, 6 et 7,
appelait le prophète par son nom, sans titre. Mais parce que « homme de
Dieu » était le titre d'Élisée dans les récits émanant des « frères prophètes »,
4; 6 1-7, il aurait été substitué (ici et v. 15) ou ajouté (vv. 8 et 20) au nom
propre.
d) Profession explicite de monothéisme : Yahvé seul est vraiment Dieu.
Mais ce Dieu unique a des rapports spéciaux avec le peuple et le pays
d'Israël, et c'est pourquoi Naamân emportera de la terre de Samarie pour
dresser l'autel sur lequel il veut honorer dignement Yahvé à Damas.

c'est non, permets qu'on donne à ton serviteur de quoi charger de terre deux mulets, car ton serviteur n'offrira plus ni holocauste ni sacrifice à d'autres dieux qu'à Yahvé. [18] Seulement, que Yahvé pardonne à ton serviteur : quand mon maître va au temple de Rimmôn[a] pour y adorer, il s'appuie sur mon bras et je me prosterne dans le temple de Rimmôn en même temps qu'il le fait; veuille Yahvé pardonner cette action à son serviteur ! » [19] Élisée lui répondit : « Va en paix[b] » et Naamân s'éloigna un bout de chemin.

[20] Géhazi, le serviteur d'Élisée, se dit : « Mon maître a ménagé Naamân, cet Araméen, en n'acceptant pas de lui ce qu'il avait offert. Aussi vrai que Yahvé est vivant, je cours après lui et j'en obtiendrai quelque chose. » [21] Et Géhazi se lança à la poursuite de Naamân. Lorsque Naamân le vit courir derrière lui, il sauta de son char à sa rencontre et demanda : « Cela va-t-il bien ? » [22] Il répondit : « Bien. Mon maître m'a envoyé te dire : A l'instant m'arrivent deux jeunes gens de la montagne d'Éphraïm, des frères prophètes. Donne pour eux, je te prie, un talent d'argent. » [23] Naamân dit : « Veuille accepter deux talents » et il insista; il lia les deux talents d'argent dans deux sacs

---

18. « *Seulement... pardonne* » w<sup>e</sup>yislaḥ *G primitif ;* « *Pour cette affaire... pardonne* » laddâbâr hazzèh yislaḥ *H, variante de la fin du v.* — « *en même temps qu'il le fait (qu'il se prosterne)* » *G Vulg ;* « *quand je me prosterne dans le temple de Rimmôn* » *H doublet.*

20. *Après* « *Élisée* », *H ajoute* « *l'homme de Dieu* »; *omis par G.*

22-23. *Aux* « *deux talents d'argent* » *le texte ajoute* « *et deux habits de fête* », *probablement une addition ancienne inspirée du v.* 5.

---

*a*) Autre nom de Hadad, dieu de l'orage, qui était la divinité principale de Damas; cf. Hadad-Rimmôn dans Za **12** 11 et le nom propre Tabrimmôn dans 1 R **15** 18.

*b*) Élisée ne voit pas d'inconvénient à cette marque tout extérieure d'idolâtrie. Tertullien excusera de la même manière les esclaves ou les fonctionnaires qui accompagnent leurs maîtres à des cérémonies païennes.

et les remit à deux de ses serviteurs qui les portèrent
devant Géhazi. ²⁴ Quand il arriva à l'Ophel*ᵃ*, il les prit de
leurs mains et les déposa dans la maison; puis il congédia
les hommes, qui s'en allèrent.

²⁵ Quant à lui, il vint se tenir près de son maître. Élisée
lui demanda : « D'où viens-tu, Géhazi ? » Il répondit :
« Ton serviteur n'est allé nulle part. » ²⁶ Mais Élisée lui
dit : « Mon cœur n'était-il pas présent lorsque quelqu'un
a quitté son char à ta rencontre ? Maintenant tu as reçu
l'argent, et tu peux acheter avec cela jardins, oliviers et
vignes, petit et gros bétail, serviteurs et servantes. ²⁷ Mais
la lèpre de Naamân s'attachera à toi et à ta postérité pour
toujours*ᵇ*. » Et Géhazi s'éloigna de lui blanc de lèpre
comme la neige*ᶜ*.

**La hache perdue
et retrouvée.**

**6.** ¹ Les frères prophètes
dirent à Élisée : « Voici que
l'endroit où nous habitons
près de toi est trop étroit
pour nous. ² Allons donc jusqu'au Jourdain; nous y prendrons chacun une poutre et nous nous ferons là une
demeure*ᵈ*. » Il répondit : « Allez. » ³ L'un d'eux dit :

---

26. « *Mon cœur n'était-il pas présent* » Vers.; « *Mon cœur n'était pas présent* » H. — *La suite du texte est incertaine et rétablie ici d'après* G Gᴸ *Vulg;*
« *est-ce le moment de recevoir de l'argent et de recevoir des* **vêtements**, *des
oliviers, des vignes...* » H.

---

*a)* Il y avait aussi un Ophel à Jérusalem, 2 Ch **27** 3; **33** 14, etc., et à
Dibôn d'après la stèle de Mésha. D'après le sens de la racine, le mot paraît
désigner une « excroissance » du relief de la ville (une colline), ou du plan
urbain (un quartier qui déborde le tracé normal de l'enceinte).

*b)* Ce châtiment sévère punit moins l'esprit de lucre de Géhazi que le
mépris de la volonté du prophète et l'abus de son nom.

*c)* La « lèpre » de Géhazi ne l'empêchera pas d'avoir des relations
sociales, 2 R **8** 4, pas plus que celle de Naamân n'avait interrompu ses
fonctions officielles. Comme on le voit par d'autres passages de la Bible,
le terme s'applique à diverses maladies de la peau.

*d)* Le point de départ de la migration est probablement Gilgal, où

« Consens à accompagner tes serviteurs », et il répondit :
« J'irai »; [4] il partit avec eux. Arrivés au Jourdain, ils
coupèrent le bois. [5] Or, comme l'un d'eux abattait sa
poutre, le fer tomba dans l'eau, et il s'écria : « Hélas,
Monseigneur ! Et encore il était emprunté ! » [6] Mais
l'homme de Dieu lui demanda : « Où est-il tombé ? » et
l'autre lui montra la place. Alors il cassa un bout de bois,
le jeta à cet endroit et fit flotter le fer. [7] Il dit : « Retire-le »,
et l'homme étendit la main et le prit.

## IV. GUERRES ARAMÉENNES

**Élisée capture
tout un détachement
araméen.**

[8] Le roi d'Aram était en
guerre avec Israël. Il tint
conseil avec ses officiers et
dit : « Vous ferez une descente contre telle place. »
[9] Mais Élisée envoya dire au roi d'Israël : « Sois sur tes
gardes pour cette place[a], car les Araméens y descendent »,
[10] et le roi d'Israël envoya des hommes à la place qu'Élisée
lui avait dite. Il l'avertissait et le roi se tenait sur ses
gardes, et cela pas rien qu'une ou deux fois.

---

**6** 8. « *Vous ferez une descente* » tinḥătu *conj.*; *H* taḥănoti *intraduisible.*

9. « *pour* » (= *à propos de*) ba'ăbûr *conj.*; «(*garde-toi*) *de passer à* » mé'ăbor *H.*
— « *descendent* » n[e]ḥotîm *conj. cf. v.* 8; *H* n[e]ḥittîm *intraduisible.*

9-10. « *Élisée* » *G*; « *l'homme de Dieu* » *H.*

---

Élisée résidait parfois au milieu des prophètes, 2 R 4 38. Au lieu de s'agran-
dir sur place, on va dans la vallée du Jourdain, où la construction était
plus économique : on y vivait dans des huttes de boue et de roseaux,
soutenues par quelques troncs coupés dans les fourrés qui bordaient le
fleuve.

*a)* Le texte hébreu est en contradiction avec le v. 10. D'où la correction
proposée, cf. note textuelle.

¹¹ Le cœur du roi d'Aram fut troublé par cette affaire, il convoqua ses officiers et leur demanda : « Ne m'apprendrez-vous pas qui nous trahit auprès du roi d'Israël ? » ¹² L'un de ses officiers répondit : « Non, Monseigneur le roi; c'est Élisée, le prophète d'Israël, qui révèle au roi d'Israël les paroles que tu prononces dans ta chambre à coucher. » ¹³ Il dit : « Allez, voyez où il est, et j'enverrai le saisir. » On lui fit ce rapport : « Voici qu'il est à Dotân[a]. » ¹⁴ Alors le roi envoya là-bas des chevaux, des chars et une forte troupe, qui arrivèrent de nuit et cernèrent la ville.

¹⁵ Le lendemain, Élisée se leva de bon matin et sortit. Et voilà qu'une troupe entourait la ville avec des chevaux et des chars ! Son serviteur lui dit : « Ah ! Monseigneur, comment allons-nous faire ? » ¹⁶ Mais il répondit : « N'aie pas peur, car il y en a plus avec nous qu'avec eux. » ¹⁷ Et Élisée fit cette prière : « Yahvé, daigne ouvrir ses yeux pour qu'il voie[b] ! » Yahvé ouvrit les yeux du serviteur et il vit : voilà que la montagne était couverte de chevaux et de chars de feu autour d'Élisée !

¹⁸ Comme les Araméens descendaient[c] vers lui, Élisée pria ainsi Yahvé : « Daigne frapper ces gens de berlue », et il les frappa de berlue[d], selon la parole d'Élisée. ¹⁹ Alors

---

11. « *nous trahit* » mašliménu G *SyrHex* ; « *parmi les nôtres (est)* » ? miššéllânû H.

15. « *Le lendemain* » mimmoḥŏrât *conj.*; « *Le serviteur* » mᵉšârét H, *mais cf.* na'ar *dans le même v.* — « *Élisée* » G ; « *l'homme de Dieu* » H.

---

*a*) Aujourd'hui Tell Dotân, 15 km. au nord de Samarie.

*b*) Les prophètes voient des choses qui ne sont découvertes aux profanes que par une disposition particulière de Dieu, voir 2 R **2** 10-12.

*c*) Ils étaient postés sur les hauteurs qui entourent la petite plaine où s'élevait Dotân.

*d*) D'après la suite, ce n'est pas la cécité complète mais une aberration de la vue. Noter le contraste : Dieu, qui a manifesté au serviteur ce qui est caché aux yeux humains, v. 17, empêche les Araméens de voir comme tout le monde.

Élisée leur dit : « Ce n'est pas le chemin, et ce n'est pas la ville. Suivez-moi, je vous conduirai vers l'homme que vous cherchez. » Mais il les conduisit à Samarie. [20] A leur entrée dans Samarie, Élisée dit : « Yahvé, ouvre les yeux de ces gens et qu'ils voient. » Yahvé ouvrit leurs yeux et ils virent : voilà qu'ils étaient au milieu de Samarie !

[21] Le roi d'Israël, en les voyant, dit à Élisée : « Faut-il les tuer, mon père[a] ? » [22] Mais il répondit : « Ne les tue pas. Ceux même que ton épée et ton arc ont fait captifs, les mets-tu à mort[b] ? Offre-leur du pain et de l'eau pour qu'ils mangent et qu'ils boivent, et qu'ils aillent chez leur maître. » [23] Le roi leur servit un grand festin; après qu'ils eurent mangé et bu, il les congédia et ils partirent chez leur maître. Les bandes araméennes ne revinrent plus sur le territoire d'Israël.

**La famine
dans Samarie assiégée.**

[24] Il advint, après cela, que Ben-Hadad, roi d'Aram[e], rassembla toute son armée et vint mettre le siège devant Samarie. [25] Il y eut une grande famine à Samarie et le siège fut si dur que la tête d'âne valait quatre-vingts sicles d'argent et le quarteron d'oignons sauvages[d] cinq sicles d'argent.

---

*a*) Le titre marque la vénération du roi pour le prophète; Joas l'appellera aussi son père, 2 R **13** 14, et Ben-Hadad se dira son fils, 2 R **8** 9.

*b*) Il ne faut pas faire dire le contraire au texte, à la suite de certaines versions. En dehors de l'anathème prononcé par Yahvé, ou de cas particuliers, ce n'était pas la coutume en Israël de massacrer tous les prisonniers de guerre; les Syriens eux-mêmes attestent cette clémence, 1 R **20** 31.

*c*) Le groupement des récits des ch. **3** à **7** sous le règne de Joram paraît artificiel et l'on ne peut décider s'il s'agit de Ben-Hadad II, comme à 1 R **20**, ou déjà de Ben-Hadad III, sous le règne duquel se place la plus dure oppression d'Israël et aussi sa libération, **13** 3-5, 22-25.

*d*) Difficulté célèbre : l'hébreu est interprété par toutes les versions et par la tradition juive « fiente de pigeons », *ḥary-yônîm,* et on l'explique comme une nourriture de misère ou comme un combustible, deux solu-

²⁶ Comme le roi passait sur le rempart, une femme lui cria : « Au secours, Monseigneur le roi[a] ! » ²⁷ Il répondit : « Que Yahvé ne te secoure pas[b] ! D'où pourrais-je te secourir ? Serait-ce de l'aire ou du pressoir ? » ²⁸ Puis le roi lui dit : « Qu'as-tu ? » Elle reprit : « Cette femme m'a dit : ʿ Donne ton fils, que nous le mangions aujourd'hui, et nous mangerons mon fils demain. ʾ ²⁹ Nous avons fait cuire mon fils et nous l'avons mangé; le jour d'après, je lui ai dit : ʿ Donne ton fils, que nous le mangions ʾ, mais elle a caché son fils. » ³⁰ Quand le roi entendit les paroles de cette femme, il déchira ses vêtements; le roi passait sur le rempart, et le peuple vit qu'en dessous, il portait le sac à même le corps[c]. ³¹ Il dit : « Que Dieu me fasse tel mal et y ajoute tel autre, si la tête d'Élisée fils de Shaphat lui reste aujourd'hui sur les épaules[d] ! »

---

tions impossibles. En arabe, « fiente de passereau » désigne une variété de la plante à soude et on en a tiré arbitrairement le sens de « pois chiches » pour notre texte. Le nom de « fiente de pigeon » a été plus récemment relevé en assyrien comme celui d'une plante non précisée. Mais une légère correction, en lisant *ḥarṣônîm,* donne le nom, attesté en syriaque, de l'ornithogale, plante commune en Palestine et dont le bulbe est comestible : ce sont les « scilles » dont se contentaient certains moines du Désert de Juda. Quant à la « tête d'âne », il ne faut ni corriger ni chercher un autre nom de plante. Plutarque fournit un excellent parallèle dans sa Vie d'Artaxerxès : l'armée manque de vivres, on mange les bêtes de somme « en sorte qu'on pouvait à peine se procurer une tête d'âne pour soixante drachmes ».

*a*) C'est la formule de l'appel au roi, comme dans 2 S **14** 4.

*b*) Les interprétations reçues : « Si Yahvé ne te secourt pas » ou « Non ! mais que Yahvé te secoure » font violence au texte qu'il faut prendre comme il est : c'est une malédiction qui échappe au roi exaspéré par son impuissance. L'aire et le pressoir résument toutes les ressources, cf. Dt **15** 14; **16** 13, et il n'y a plus rien. Toute cette première partie du récit veut donner l'impression que les habitants, affolés par la faim et l'angoisse, ne contrôlent plus leurs paroles ni leurs actes; le calme d'Élisée en ressortira davantage.

*c*) Voir 1 R **20** 31 et **21** 27 s.

*d*) Élisée avait sans doute encouragé la résistance en prédisant le secours de Yahvé; le roi l'a écouté et s'est mortifié en conséquence, v. 30; maintenant il désespère, v. 33 : Élisée les a trompés ! — Sur la formule de serment, voir 1 R **2** 23.

**Élisée annonce
la fin imminente
de l'épreuve.**

[32] Élisée était assis dans sa maison et les anciens étaient assis avec lui, et le roi se fit précéder par un messager. Mais avant que celui-ci n'arrivât jusqu'à lui, Élisée dit aux anciens : « Avez-vous vu que ce fils d'assassin[a] a donné l'ordre qu'on m'ôte la tête ! Voyez : quand arrivera le messager, fermez la porte et repoussez-le avec la porte. Est-ce que le bruit des pas de son maître ne le suit point ? » [33] Il leur parlait encore que le roi descendit chez lui et dit : « Voici que tout ce mal vient de Yahvé ! Pourquoi garderais-je confiance en Yahvé ? » **7.** [1] Élisée dit : « Écoute la parole de Yahvé ! Ainsi parle Yahvé : Demain à pareille heure, on aura un boisseau de gruau pour un sicle et deux boisseaux d'orge pour un sicle[b] à la porte de Samarie. » [2] L'écuyer sur le bras de qui s'appuyait le roi répondit à Élisée : « A supposer même que Yahvé fasse des fenêtres dans le ciel[c], cette parole se réaliserait-elle ? » Élisée dit : « Tu le verras de tes yeux, mais tu n'en mangeras pas. »

---

33. « *le roi* » mèlèk *conj.*; « *le messager* » mal'âk *H, mais c'est évidemment le roi qui parle ensuite.*
**7** 1. « *Écoute* » *G* ; « *Écoutez* » *H.*

---

*a*) C'est-à-dire simplement « assassin »; l'expression ne fait que souligner la profondeur du vice : il est congénital.
*b*) Le boisseau est le *s*e*ah,* dont la valeur exacte à cette époque est inconnue, cf. 1 R **18** 32. Mais le sicle est certainement le sicle d'argent et, de toute manière, ces prix sont encore chers et n'indiquent qu'un retour progressif aux conditions normales. La porte de la ville est le lieu où se tient le marché.
*c*) Ce sont les « fenêtres » ouvertes au début du déluge, Gn **7** 11, fermées à la fin, Gn **8** 2, qui se rouvriront aux derniers temps, Is **24** 18, pour répandre la bénédiction de la pluie fécondant le sol, Ml **3** 10. D'après d'autres : « fenêtres » d'où le grain tomberait du ciel, comme la manne au désert.

**On découvre
le camp araméen
abandonné.**

³ Or quatre hommes se trouvaient — car ils étaient lépreux[a] — à l'entrée de la porte et ils se disaient entre eux : « Pourquoi restons-nous ici à attendre la mort ? ⁴ Si nous décidons d'entrer en ville, il y a la famine dans la ville et nous y mourrons; si nous restons ici, nous mourrons de même. Venez ! Désertons et passons au camp des Araméens : s'ils nous laissent la vie, nous vivrons, et s'ils nous tuent, eh bien ! nous mourrons ! » ⁵ Au crépuscule, ils se levèrent pour aller au camp des Araméens; ils arrivèrent à la limite du camp, et voilà qu'il n'y avait personne ! ⁶ Car Yahvé avait fait entendre dans le camp des Araméens un bruit de chars et de chevaux, le bruit d'une grande armée, et ils s'étaient dit entre eux : « Le roi d'Israël a pris à solde contre nous les rois des Hittites et les rois d'Égypte[b], pour qu'ils marchent contre nous. » ⁷ Ils se levèrent et s'enfuirent au crépuscule : abandonnant leurs tentes, leurs chevaux et leurs ânes, bref le camp comme il était, ils s'enfuirent pour sauver leur vie. ⁸ Ces lépreux donc arrivèrent à la limite du camp et pénétrèrent dans une tente; ayant mangé et bu, ils emportèrent de là argent, or et vêtements qu'ils allèrent cacher. Puis ils revinrent, pénétrèrent dans une autre tente, et en emportèrent du butin qu'ils allèrent cacher.

---

*a*) Les lépreux vivaient en dehors de la ville, voir Lv **13** 46.
*b*) On traduirait mieux, et sans correction nécessaire : « les rois des Hittites *ou* les rois d'Égypte ». Les premiers sont les princes de la Syrie du Nord et ce pluriel a amené celui des « rois d'Égypte ». En tout cas, il n'y a pas lieu de corriger ce dernier nom et de penser aux incertains Musrites d'Asie Mineure auxquels le rédacteur ne pensait certainement pas.

**Fin du siège
et de la famine.**

⁹ Alors, ils se dirent entre eux : « Nous faisons là quelque chose d'injuste. Ce jour-ci est un jour de bonne nouvelle, et nous nous taisons ! Si nous attendons que le matin se lève, un châtiment nous frappera. Maintenant, venez ! Allons porter la nouvelle au palais. » ¹⁰ Ils vinrent, appelèrent les gardes de la ville et leur annoncèrent : « Nous sommes allés au camp des Araméens. Il n'y a là personne, aucun bruit humain, seulement les chevaux à l'entrave, les ânes à l'entrave, et leurs tentes telles quelles. » ¹¹ Les gardes de la porte crièrent, et on porta la nouvelle à l'intérieur du palais.

¹² Le roi se leva de nuit et dit à ses officiers : « Je vais vous expliquer ce que les Araméens nous ont fait. Comme ils savent que nous sommes affamés, ils ont quitté le camp pour se cacher dans la campagne en se disant : ils sortiront de la ville, nous les prendrons vivants et nous entrerons dans la ville. » ¹³ L'un de ses officiers répondit : « Qu'on prenne donc cinq des chevaux survivants, qui restent ici — il leur en arrivera comme à l'ensemble qui a péri*ᵃ* —; nous les enverrons et nous verrons. » ¹⁴ On prit deux attelages, que le roi envoya derrière les Araméens*ᵇ* en disant : « Allez et voyez. » ¹⁵ Ils les poursuivirent jusqu'au Jour-

---

10. « *les gardes* » *litt.* « *les portiers* » *Syr Targ ;* « *le garde* » (*le portier* ) *H.* — « *leurs tentes* » *G ;* « *des tentes* » *H.*

11. « *crièrent* » *Vers.*; « *cria* » *H.*

13. *Texte confus. H a* « *il leur arrivera comme à l'ensemble d'Israël* », *puis toute la phrase est répétée.*

14. « *les Araméens* » *G*ᴸ*;* « *le camp des Araméens* » *H.*

---

*a*) On peut sacrifier pour cette reconnaissance quelques chevaux, qui vont mourir de faim comme les autres.

*b*) Malgré le texte plus court du grec, il vaudrait mieux garder l'hébreu en donnant à *maḥănéh* « camp » le sens d' « armée » qu'il peut avoir aussi.

dain; la route était jonchée de vêtements et de matériel que les Araméens avaient abandonnés dans leur panique; les messagers revinrent et informèrent le roi.

<sup>16</sup> Le peuple sortit et pilla le camp des Araméens : le boisseau de gruau fut à un sicle et les deux boisseaux d'orge à un sicle, selon la parole de Yahvé. <sup>17</sup> Le roi avait mis de surveillance à la porte l'écuyer sur le bras duquel il s'appuyait; le peuple le foula aux pieds, à la porte, et il mourut, selon ce qu'avait dit l'homme de Dieu, (ce qu'il avait dit lorsque le roi était descendu chez lui. <sup>18</sup> Il arriva ce qu'Élisée avait dit au roi : « On aura deux boisseaux d'orge pour un sicle et un boisseau de gruau pour un sicle, demain à pareille heure, à la porte de Samarie. » <sup>19</sup> L'écuyer répondit à Élisée : « A supposer même que Yahvé fasse des fenêtres dans le ciel, cette parole se réaliserait-elle ? » Élisée dit : « Tu le verras de tes yeux, mais tu n'en mangeras pas. » <sup>20</sup> C'est ce qui lui arriva : le peuple le foula aux pieds à la porte, et il mourut<sup>a</sup>.)

**Épilogue à l'histoire de la Shunamite** <sup>b</sup>.

**8.** <sup>1</sup> Élisée avait dit à la femme dont il avait ressuscité le fils : « Lève-toi, va-t'en avec ta famille et séjourne où tu pourras à l'étranger, car Yahvé a appelé la famine, déjà elle vient sur le pays, pour sept ans. » <sup>2</sup> La femme se leva et fit ce qu'avait dit l'homme de Dieu : elle partit, elle et sa famille, et séjourna sept ans au pays des Philistins. <sup>3</sup> Au bout de sept années, cette femme revint

---

a) La fin du v. 17 est une glose, développée ensuite par les vv. 18-20 qui reprennent les vv. 1, 2 et 17<sup>a</sup>.

b) Suite naturelle de 4 37. Mais pour meubler les sept années de famine, v. 1, l'auteur a inséré les récits de 4 38 à 7 20, qui commencent par une famine et s'achèvent par la disette de Samarie, merveilleusement conjurée.

du pays des Philistins et elle alla faire appel au roi pour sa maison et pour son champ[a].

[4] Or le roi s'entretenait avec Géhazi, le serviteur de l'homme de Dieu : « Raconte-moi, disait-il, toutes les grandes choses qu'Élisée a faites[b]. » [5] Il racontait justement au roi la résurrection de l'enfant mort quand la femme dont Élisée avait ressuscité le fils en appela au roi pour sa maison et pour son champ, et Géhazi dit : « Monseigneur le roi, voici cette femme, et voilà son fils qu'Élisée a ressuscité. » [6] Le roi interrogea la femme et elle lui fit le récit. Alors le roi la confia à un eunuque, auquel il commanda : « Qu'on lui restitue tout ce qui est à elle et tous les revenus du champ depuis le jour où elle a quitté le pays jusqu'à maintenant. »

**Élisée et Hazaël de Damas.**

[7] Élisée vint à Damas. Le roi d'Aram, Ben-Hadad[c], était malade et on lui annonça : « L'homme de Dieu est venu jusque chez nous. » [8] Alors le roi dit à Hazaël[d] : « Prends avec toi un présent, va au-devant de l'homme de Dieu et consulte par lui Yahvé pour savoir si je guérirai de ce mal que j'ai[e]. »

---

*a*) Usurpés en son absence par les voisins. Ou peut-être le domaine royal s'attribuait-il les biens laissés vacants; le v. 6 s'expliquerait bien ainsi.

*b*) On dirait qu'Élisée n'est plus vivant, mais sa mort ne sera racontée qu'au ch. **13**. L'arrangement littéraire du cycle d'Élisée ne suit pas l'ordre chronologique.

*c*) Il s'agit de Ben-Hadad II, comme à 1 R **20** 1.

*d*) Hazaël n'est pas présenté. Avant son usurpation, v. 15, il apparaît comme un officier de Ben-Hadad. Les textes assyriens l'appellent un « fils de personne » : il est d'humble condition.

*e*) La renommée d'Élisée s'était répandue à Damas depuis la guérison de Naamân, ch. **5**. Ben-Hadad consulte Yahvé, Dieu d'Israël, comme Ochozias d'Israël avait consulté le dieu d'Éqrôn dans une circonstance analogue, **1** 2.

⁹ Hazaël alla au-devant d'Élisée et emporta en présent tout ce qu'il y avait de meilleur à Damas, la charge de quarante chameaux. Il vint et, se tenant devant lui : « Ton fils*ᵃ* Ben-Hadad, dit-il, m'a envoyé te demander : Guérirai-je de mon mal présent ? » ¹⁰ Élisée lui répondit : « Va lui dire : ' Sûrement tu guériras ', mais Yahvé m'a fait voir que sûrement il mourra*ᵇ*. » ¹¹ Puis ses traits se figèrent, son regard devint fixe à l'extrême*ᶜ*, et l'homme de Dieu pleura. ¹² Hazaël dit : « Pourquoi Monseigneur pleure-t-il ? » Élisée répondit : « C'est que je sais tout le mal que tu feras aux Israélites : tu mettras le feu à leurs places fortes, tu tueras par l'épée l'élite de leurs guerriers, tu écraseras leurs petits enfants, tu éventreras leurs femmes enceintes. » ¹³ Hazaël dit : « Mais qu'est ton serviteur ? Comment ce chien*ᵈ* pourrait-il accomplir cette

---

**8** 9. « *tout* » G^L *Syr Éth;* « *et tout* » H.

   10. « *Va lui dire... guériras* » lô *Vers.*; « *Va dire : Tu ne guériras pas* » lo' H.

   11. « *son regard devint fixe* » wayyiššom *conj. cf. Vulg ;* « *il plaça* » wayyâsèm H.

---

*a*) Voir 6 21.

*b*) Il paraît insuffisant de dire qu'Élisée veut ménager un malade qu'il sait condamné. En réalité, Ben-Hadad importe peu : qu'on lui dise ce qu'il souhaite d'entendre, mais la révélation que reçoit Élisée concerne d'abord Hazaël, qui supplantera Ben-Hadad, v. 13. L'épisode ne signifie pas qu'Élisée incite Hazaël au meurtre, mais seulement qu'on n'empêche pas la réalisation des desseins de Dieu, qui se prépare en Hazaël un justicier de son peuple coupable. Comparer 1 R **19** 15, qui se réalise d'une manière imprévue.

*c*) Signes physiques de l'extase dans laquelle Élisée apprend les maux que Hazaël infligera à Israël.

*d*) Simple terme d'humilité et de dépendance, comme à 1 S **24** 15; 2 S **9** 8; **16** 9, avec la formule développée « un chien mort » que le grec introduit également ici. Mais l'expression simple « un chien » se retrouve avec le même sens dans les ostraca de Lakish et dans les lettres d'Amarna. Hazaël ne proteste pas qu'il ne ferait jamais de telles choses; au contraire, il s'étonne, étant donnée sa condition, qu'on lui prédise la glorieuse destinée de vaincre les Israélites.

grande chose ? » Élisée répondit : « Dans une vision de Yahvé, je t'ai vu roi d'Aram. »

¹⁴ Hazaël quitta Élisée et alla chez son maître, qui lui demanda : « Que t'a dit Élisée ? » Il répondit : « Il m'a dit que sûrement tu guériras. » ¹⁵ Le lendemain, il prit une couverture, qu'il trempa dans l'eau et étendit sur sa figure*a*. Ben-Hadad mourut et Hazaël régna après lui.

**Règne de Joram en Juda** (848-841).

¹⁶ La cinquième année de Joram fils d'Achab, roi d'Israël, Joram fils de Josaphat devint roi de Juda. ¹⁷ Il avait ‖ 2 Ch 21 5-7 trente-deux ans à son avènement et régna huit ans à Jérusalem. ¹⁸ Il imita la conduite des rois d'Israël, comme avait fait la famille d'Achab, car c'était de la famille d'Achab qu'il avait pris une épouse*b*, et il fit ce qui déplaît à Yahvé. ¹⁹ Cependant Yahvé ne voulut pas détruire Juda, à cause de son serviteur David, selon la promesse qu'il lui avait faite de lui laisser toujours une lampe*c* en sa présence.

²⁰ De son temps, Édom s'affranchit de la domination ‖ 2 Ch 21 8-10

---

16. « *Israël* » G Syr VetLat ; « *Israël, Josaphat étant roi de Juda* » H.
18. « *de la famille* » mibbêt *conj.*; « *la fille* » bat H.
19. « *en sa présence* » lepânayw *conj. cf.* 1 R **11** 36; « *à ses fils* » lebânayw H.

---

*a*) Le sujet de la phrase n'étant pas exprimé, certains pensent que Ben-Hadad s'est donné lui-même la mort dans un accès de fièvre chaude. Mais le contexte indique plutôt que Hazaël fut le meurtrier. Une inscription de Salmanasar III d'Assyrie dit que Hadadézèr de Damas périt (de mort non naturelle, d'après l'expression employée) et que Hazaël, un « fils de personne », prit le trône. Hadadézèr est le même personnage que Ben-Hadad II, cf. 1 R **20** 1.

*b*) C'est Athalie, cf. ch. **11**. Elle est appelée « fille d'Achab » ici dans le texte hébreu et dans le parallèle de 2 Ch **21** 6, mais elle est fille d'Omri (et sœur d'Achab) d'après le v. 26 et le parallèle de 2 Ch **22** 2. La chronologie favorise cette seconde opinion : Athalie est la jeune sœur d'Achab et n'est pas, malgré Racine, la fille de Jézabel. La solution est confirmée par le syriaque qui traduit 2 R **8** 18 et 2 Ch **21** 6 par « sœur d'Achab ».

*c*) Symbole d'une descendance.

de Juda et se donna un roi[a]. [21] Joram passa à Çaïr[b], et avec lui tous les chars... Il se leva de nuit et força la ligne des Édomites qui l'encerclaient, et les commandants de chars avec lui; le peuple s'enfuit à ses tentes. [22] Ainsi Édom s'affranchit de la domination de Juda, jusqu'à ce jour; Libna[c] aussi se révolta. Dans ce temps-là...[d]

[23] Le reste de l'histoire de Joram, tout ce qu'il a fait, cela n'est-il pas écrit au livre des Annales des rois de Juda ? [24] Joram se coucha avec ses pères et on l'enterra avec ses pères dans la Cité de David. Son fils Ochozias régna à sa place.

|| 2 Ch 21 20

|| 2 Ch 22 1-6

**Règne d'Ochozias en Juda** (841). [25] La douzième année de Joram fils d'Achab, roi d'Israël, Ochozias fils de Joram devint roi de Juda. [26] Ochozias avait vingt-deux ans à son avènement et il régna un an à Jérusalem. Le nom de sa mère était Athalie[e], fille d'Omri, roi d'Israël. [27] Il imita la conduite de la famille d'Achab et fit ce qui déplaît à Yahvé, comme la famille d'Achab, car il lui était allié.

[28] Il alla avec Joram fils d'Achab pour combattre Hazaël, roi d'Aram, à Ramot de Galaad[f]. Mais les Araméens blessèrent Joram. [29] Le roi Joram revint à Yizréel pour faire soigner les blessures reçues à Ramot lorsqu'il combattait

---

*a*) Édom était un royaume vassal de Juda sous Josaphat, 1 R **22** 48, et encore au début du règne de Joram, 2 R **3** 9 et les notes.

*b*) Localité inconnue en Transjordanie. La suite du texte est mutilée : on a cherché à effacer le souvenir d'un grave échec où le roi avait pu s'échapper avec une partie des chars, mais où l'armée s'était débandée et qui s'était soldé par la perte du territoire édomite.

*c*) Probablement Tell Bornât, à l'ouest du royaume judéen. La ville passa alors aux Philistins.

*d*) Le texte est encore mutilé : il relatait sans doute un autre revers de Joram.

*e*) Voir note *b,* page précédente.

*f*) Voir 1 R **22** 3 et ci-dessous, **9** 14.

Hazaël roi d'Aram, et Ochozias fils de Joram, roi de Juda, descendit à Yizréel pour visiter Joram fils d'Achab parce qu'il était souffrant.

## V. Histoire de Jéhu

**Un disciple d'Élisée donne l'onction royale à Jéhu[a].**

**9.** [1] Le prophète Élisée appela l'un des frères prophètes et lui dit : « Ceins tes reins, prends avec toi cette fiole d'huile et va à Ramot de Galaad. [2] Arrivé là, cherche à voir Jéhu fils de Yehoshaphat fils de Nimshi. L'ayant trouvé, fais qu'il se lève d'entre ses compagnons et conduis-le dans une chambre retirée. [3] Tu prendras la fiole d'huile et tu la répandras sur sa tête en disant : ' Ainsi parle Yahvé. Je t'ai oint comme roi d'Israël ', puis ouvre la porte et sauve-toi sans tarder. »

[4] Le jeune homme partit pour Ramot de Galaad. [5] Lorsqu'il arriva, les chefs de l'armée étaient assis ensemble; il dit : « J'ai un mot à te dire, chef. » Jéhu demanda : « Auquel d'entre nous ? » Il répondit : « A toi, chef. » [6] Alors Jéhu se leva et entra dans la maison. Le jeune homme lui versa l'huile sur la tête et lui dit : « Ainsi parle Yahvé, Dieu d'Israël. Je t'ai oint comme roi sur le peuple de Yahvé, sur Israël. [7] Tu frapperas la famille d'Achab, ton maître, et je vengerai le sang de mes serviteurs les

---

9 4. *Après « Le jeune homme » le texte ajoute « le jeune homme, le prophète ».*

*a*) D'après 1 R **19** 16, c'est à Élie que Dieu avait ordonné de sacrer Jéhu. Il y avait — comme à propos de l'accession de Hazaël — deux traditions parallèles, ou bien le transfert à Élisée de cette mission divine était raconté dans une partie perdue du cycle d'Élie.

prophètes*a* et de tous les serviteurs de Yahvé sur Jézabel
8 et sur toute la famille d'Achab. J'exterminerai les mâles
de la famille d'Achab, liés ou libres en Israël. 9 Je traiterai
la famille d'Achab comme celle de Jéroboam fils de Nebat
et celle de Basha fils d'Ahiyya. 10 Quant à Jézabel, les chiens
la dévoreront dans le champ de Yizréel; personne ne
l'enterrera*b*. » Puis il ouvrit la porte et s'enfuit.

**Jéhu est proclamé roi.**
11 Jéhu sortit pour rejoindre les officiers de son
maître. Ils lui demandèrent :
« Tout va-t-il bien ? Pourquoi ce fou*c* est-il venu à toi ? »
Il répondit : « Vous connaissez l'homme et sa chanson ! »
12 Mais ils dirent : « C'est faux ! Explique-nous donc ! »
Il dit : « Il m'a parlé de telle et telle façon et a dit : Ainsi
parle Yahvé : Je t'ai oint comme roi d'Israël. » 13 Aussitôt,
tous prirent leurs manteaux et les étendirent sous lui*d*, à
même les degrés; ils sonnèrent du cor et crièrent : « Jéhu
est roi ! »

---

8. « *et sur* » ûmiyyad *G ;* « *et périra* » we'âbad *H.*
11. « *Ils lui demandèrent* » *Vers.;* « *Il lui demanda* » *H.*

*a)* Voir 1 R **18** 4 et 13; **19** 10. Les mots qui suivent : « et de tous les
serviteurs de Yahvé » (c'est Yahvé qui parle !) sont peut-être une glose,
amenée par le souvenir de Nabot, 1 R **21**, qui reviendra plus bas, v. 26.

*b)* Ces vv. 7-10 reprennent les oracles contre la famille d'Achab, 1 R **21**
21-24, de Jéroboam, 1 R **14** 10-11, et de Basha, 1 R **16** 3-4. Ils ont été
ajoutés ici par l'auteur du livre des Rois : dans le récit primitif, le jeune
homme devait s'enfuir aussitôt après l'onction, suivant l'ordre d'Élisée,
v. 3.

*c)* Le peuple traitait ainsi les prophètes, Jr **29** 26; Os **9** 7, cf. Jn **10** 20,
à cause des manifestations extatiques qui accompagnaient la prophétie.
Le terme n'est pas absolument méprisant, puisque les officiers sont impa-
tients de savoir ce qu'a dit le jeune homme, v. 12, et accepteront ce qu'il a
fait, v. 13, mais il comporte une nuance de moquerie, et Jéhu va répondre
sur le même ton.

*d)* Comme la foule qui rend des honneurs royaux à Jésus, le jour des
Rameaux, Mt **21** 8. La sonnerie de cor et l'acclamation font partie des rites
de couronnement, 1 R **1** 34, 39; 2 R **11** 12, 14.

**Jéhu
prépare l'usurpation
du pouvoir.**

¹⁴ Jéhu fils de Yehosha-
phat fils de Nimshi forma
une conspiration contre Joram. — Joram, avec tout
Israël, défendait alors Ramot
de Galaad*ᵃ* contre Hazaël, roi d'Aram. ¹⁵ Mais Joram
était revenu à Yizréel pour faire soigner les blessures que
les Araméens lui avaient infligées dans les combats qu'il
soutenait contre Hazaël, roi d'Aram. — Jéhu dit : « Si
c'est votre sentiment, que personne ne s'échappe de la
ville et n'aille porter la nouvelle à Yizréel ! » ¹⁶ Jéhu monta
en char et partit pour Yizréel; Joram y était alité et Ochozias, roi de Juda, était descendu le visiter.

¹⁷ Le guetteur, posté sur la tour de Yizréel*ᵇ*, vit la
troupe de Jéhu qui arrivait et annonça : « Je vois une
troupe. » Joram ordonna : « Qu'on prenne un cavalier,
qu'on l'envoie au-devant de ces gens et qu'il demande :
Cela va-t-il bien*ᶜ* ? » ¹⁸ Le cavalier alla au-devant de Jéhu
et demanda : « Ainsi parle le roi : Cela va-t-il bien ? » —
« Que t'importe si cela va bien ? répondit Jéhu. Passe
derrière moi. » Le guetteur annonça : « Le messager les
a rejoints et ne revient pas. » ¹⁹ Le roi envoya un second
cavalier; celui-ci les rejoignit et demanda : « Ainsi parle
le roi : Cela va-t-il bien ? » — « Que t'importe si cela va

---

15. « *Joram* » *G* ; « *Joram le roi* » *H*.

---

*a*) Voir 1 R **22** 3. Depuis cet échec, la ville avait été récupérée par les
Israélites dans des circonstances que nous ignorons, mais les Araméens
cherchaient à la reprendre.

*b*) Yizréel domine vers l'est la trouée du Nahr Djaloud qui descend
vers Beisân et que suit la route de Transjordanie.

*c*) Le roi n'imagine pas d'abord une trahison, son soupçon ne sera même
pas éveillé lorsqu'il saura que Jéhu conduit cette troupe, vv. 20-22. Il a
seulement l'inquiétude grandissante qu'elle ne lui apporte la nouvelle
d'un revers à Ramot de Galaad.

bien ? répondit Jéhu. Passe derrière moi. » [20] Le guetteur
annonça : « Il les a rejoints et ne revient pas. La manière
de conduire est celle de Jéhu fils de Nimshi : il conduit
‖ 2 Ch **22** 7-8 comme un fou ! » [21] Joram dit : « Qu'on attelle ! » et on
attela son char. Joram, roi d'Israël, et Ochozias, roi de
Juda, partirent, chacun sur son char, au-devant de Jéhu.
Ils le rejoignirent dans le champ de Nabot de Yizréel.

[22] Dès que Joram vit Jéhu,
**Meurtre de Joram.** il demanda : « Cela va-t-il
bien, Jéhu ? » Celui-ci répon-
dit : « Quelle question, tant que durent les prostitutions[a]
de ta mère Jézabel et ses nombreux sortilèges ! » [23] Joram
tourna bride et s'enfuit, en disant à Ochozias : « Trahison, Ochozias ! » [24] Jéhu avait bandé son arc; il atteignit
Joram entre les épaules, et la flèche traversa le cœur du
roi, qui s'affaissa sur son char. [25] Jéhu dit à Bidqar son
écuyer : « Enlève-le et jette-le dans le champ de Nabot de
Yizréel. Souviens-toi : lorsque moi et toi nous chevau-
chions tous deux derrière son père Achab, Yahvé a prononcé contre lui cette sentence : [26] ' Je le jure ! J'ai vu
hier le sang de Nabot et le sang de ses fils, oracle de
Yahvé. Je te rendrai la pareille dans ce champ même,
oracle de Yahvé[b]. ' Enlève-le donc et jette-le dans le
champ, selon la parole de Yahvé. »

---

22. « *Quelle question* » litt. « *Qu'est-ce que : Cela va-t-il bien ?* » mah hăšâ-
lôm *Targ* ; « *Qu'est-ce que la paix* » mah haššâlôm *H*.

---

*a)* Au sens imagé de culte des faux dieux, comme dans les Prophètes
postérieurs, Os **4** 12; **5** 4; Jr **3** 6 s, etc., avec peut-être une allusion spéciale
à la prostitution sacrée, tare de la religion phénicienne, dont Jézabel était
la fidèle.

*b)* L'oracle n'est pas tout à fait le même qu'à 1 R **21** 19 : il est censé prononcé le lendemain du meurtre, les fils de Nabot ont été tués avec leur
père, enfin ce « champ » paraît être plus éloigné de la ville, v. 21, que
n'était la « vigne » de 1 R **21** 2. Mais l'accord substantiel de ces deux traditions indépendantes confirme l'historicité du fait et de la prophétie.

**Meurtre d'Ochozias.** [27] Quand Ochozias, roi de Juda, eut vu cela, il prit la fuite sur la route de Bet-hag-Gân[a], mais Jéhu le poursuivit et ordonna : « Lui aussi, frappez-le ! » On le blessa sur son char, à la montée de Gur, qui est près de Yibleam[b], et il se réfugia à Megiddo[c], où il mourut. [28] Ses serviteurs le portèrent en char à Jérusalem et l'ensevelirent dans son tombeau, dans la Cité de David. [29] C'était en la onzième année de Joram fils d'Achab qu'Ochozias était devenu roi sur Juda[d].

|| 2 Ch **22** 8-9

**Meurtre de Jézabel.** [30] Jéhu rentra à Yizréel et Jézabel l'apprit. Elle se farda les yeux, s'orna la tête[e], se mit à la fenêtre[f] [31] et, lorsque Jéhu franchit la porte, elle dit : « Cela va-t-il bien, Zimri, assassin de son maître[g] ? » [32] Jéhu leva la tête vers la fenêtre et dit : « Qui est avec moi, qui ? » et deux ou trois eunuques se penchèrent vers lui. [33] Il dit : « Jetez-la en bas. » Ils la jetèrent en bas, son sang éclaboussa les murs et les chevaux, et Jéhu lui passa sur le corps. [34] Il entra, mangea et but, puis il

---

27. « *On le blessa* » *Syr ; omis par* H.
28. *Après* « *son tombeau* », *H ajoute* « *avec ses pères* »; *omis par* G.

---

*a*) Probablement l'actuelle Djenin, une dizaine de km. au sud de Yizréel, sur la route de Jérusalem.

*b*) Aujourd'hui Tell Bel'ameh, immédiatement au sud de Djenin. La montée de Gur n'est pas identifiée.

*c*) Vingt km. au nord-ouest de Djenin, en direction de Caïffa.

*d*) Le v. est une glose. L'indication est donnée correctement dans l'introduction au règne d'Ochozias, **8** 25 (avec « douzième » année au lieu de « onzième »).

*e*) Jézabel ne cherche pas à séduire Jéhu : elle veut mourir en reine.

*f*) C'est la grande fenêtre ou le balcon du palais, cf. **1** 2, où les souverains se montraient au peuple, selon un usage qu'illustrent les représentations égyptiennes.

*g*) Allusion sarcastique à Zimri, qui ne régna que sept jours après avoir assassiné Éla, roi d'Israël, 1 R **16** 15 s.

ordonna : « Occupez-vous de cette maudite et donnez-lui la sépulture, car elle est fille de roi. » <sup>35</sup> On alla pour l'ensevelir, mais on ne trouva d'elle que le crâne, les pieds et les mains. <sup>36</sup> On revint en informer Jéhu, qui dit : « C'est la parole de Yahvé, qu'il a prononcée par le ministère de son serviteur Élie le Tishbite : ' Dans le champ de Yizréel, les chiens dévoreront la chair de Jézabel; <sup>37</sup> le cadavre de Jézabel sera comme du fumier épandu dans la campagne, en sorte qu'on ne pourra pas dire : C'est Jézabel<sup>a</sup> '. »

**10.**   <sup>1</sup> Il y avait à Samarie soixante-dix fils d'Achab<sup>b</sup>.

**Massacre de la famille royale d'Israël.**

Jéhu écrivit des lettres qu'il envoya à Samarie aux commandants de la ville, aux anciens et aux tuteurs des enfants d'Achab. Il disait : <sup>2</sup> « Maintenant, — quand cette lettre vous parviendra, — vous avez avec vous les fils de votre maître, vous avez les chars et les chevaux, les villes fortes<sup>c</sup> et les armes. <sup>3</sup> Voyez quel est, parmi les fils de votre maître, le meilleur et le plus digne, mettez-le sur le trône de son père, et combattez pour la maison de votre maître. » <sup>4</sup> Ils eurent une très grande peur et dirent : « Voilà que les deux rois

---

37. *Après « campagne » H ajoute « dans le champ de Yizréel », glose qui manque dans* G<sup>L</sup>.

**10** 1. « *de la ville* » G<sup>L</sup> *Vulg ;* « *de Yizréel* » H. — « *des enfants* » G<sup>L</sup>; *omis par* H.

2. « *les villes fortes* » *Vers.;* « *une ville forte* » H.

---

*a*) C'est la forme primitive de l'oracle qui avait été rappelé au v. 10, et déjà 1 R **21** 23.

*b*) « 70 » est un chiffre consacré pour exprimer la totalité d'une descendance, Gn **46** 27; Jg **8** 30; **9** 2; **12** 14. Il s'agit des fils et petits-fils d'Achab, mais en premier lieu des fils de Joram, vv. 2 et 3. Il était habituel en Orient qu'un usurpateur supprimât tous ceux qui avaient des droits au trône; dans la Bible, Jg **9** 5; 1 R **15** 29; **16** 11; 2 R **11** 1.

*c*) Malgré l'autorité des versions, cf. la note textuelle, il vaudrait mieux garder le singulier, avec l'hébreu : il s'agit de Samarie.

n'ont pas tenu devant lui, comment pourrions-nous tenir nous-mêmes ? » ⁵ Le maître du palais, le commandant de la ville*, les anciens et les tuteurs envoyèrent ce message à Jéhu : « Nous sommes tes serviteurs, nous ferons tout ce que tu ordonneras, nous ne proclamerons pas de roi; fais ce qui te paraît bon. »

⁶ Jéhu leur écrivit une seconde lettre, où il disait : « Si donc vous êtes pour moi et si vous voulez m'écouter, prenez les chefs *b* des hommes de la maison de votre maître et venez me trouver demain à cette heure à Yizréel. » (Il y avait soixante-dix fils du roi chez les grands de la ville, qui les élevaient*.) ⁷ Dès que cette lettre leur parvint, ils prirent les fils du roi, les égorgèrent tous les soixante-dix, mirent leurs têtes dans des corbeilles et les lui envoyèrent à Yizréel.

⁸ Le messager vint annoncer à Jéhu : « On a apporté les têtes des fils du roi. » Il dit : « Mettez-les en deux tas à l'entrée de la porte, jusqu'au matin. » ⁹ Le matin, il sortit et, se tenant debout, il dit à tout le peuple : « Soyez sans reproche ! Moi, j'ai conspiré contre mon maître et je l'ai assassiné, mais tous ceux-là, qui les a tués *d* ? ¹⁰ Sachez donc que rien ne tombera à terre de l'oracle que Yahvé a prononcé contre la famille d'Achab : Yahvé a fait ce qu'il

---

6. « *une seconde lettre* » G ; « *une lettre, une seconde fois* » H.

7. « *les égorgèrent* » G Syr ; « *égorgèrent* » H.

*a*) Sur le maître du palais, cf. note à 1 R **4** 2. Chacune des deux capitales avait un commandant ou gouverneur, ici et 1 R **22** 26 pour Samarie, 2 R **23** 8 et 2 Ch **34** 8 pour Jérusalem.

*b*) On essaie de rendre l'ambiguïté de l'hébreu *rôš*, qui signifie « chef » et « tête ». L'équivoque était peut-être voulue par Jéhu et elle a été résolue dans le sens le plus brutal par ses correspondants, v. 7, sur lesquels il rejeta alors la responsabilité, v. 9.

*c*) Apparemment une glose : ces 70 princes, cf. v. 1, ne pouvaient pas être tous en bas âge.

*d*) Le cynique Jéhu innocente le peuple, avoue le meurtre de Joram et rejette sur les gens de Samarie l'odieux du nouveau massacre.

avait dit par le ministère de son serviteur Élie. » ¹¹ Et
Jéhu frappa tous ceux qui restaient de la maison d'Achab
à Yizréel, tous ses grands, ses familiers, ses prêtres; il
n'en laissa échapper aucun.

|| 2 Ch **22** 8

**Massacre
des princes de Juda.**

¹² Jéhu partit et alla à Samarie. Comme il était en
route, à Bet-Éqèd-des-Pas-
teurs[a], ¹³ il y trouva les frères
d'Ochozias, roi de Juda, et demanda : « Qui êtes-vous ? »
Ils répondirent : « Nous sommes les frères d'Ochozias
et nous descendons saluer les fils du roi et les fils de la
reine[b]. » ¹⁴ Il ordonna : « Prenez-les vivants. » On les prit
vivants et il les égorgea à la citerne de Bet-Éqèd, au nombre
de quarante-deux; il n'en épargna pas un seul.

**Jéhu et Yonadab.**

¹⁵ Parti de là, il trouva Yonadab fils de Rékab[c], qui
venait à sa rencontre; il le

---

14. « *il les égorgea* » *conj.*; « *on les égorgea* » H.
15. « *Ton cœur... avec le mien* » lᵉbabka 'et-lᵉbâbi *G* ; 'et-lᵉbabka H *intra-duisible.*

---

*a*) Un lieu-dit que signalait un parc à troupeaux ou un caravansérail;
tel est le sens du nom. Peut-être l'actuel Beit-Qâd, à l'est de Djenin.
*b*) Ces « frères », qui sont quarante-deux, v. 14, doivent être non seulement des frères de sang mais des proches parents d'Ochozias. Les « fils
de la reine », proprement « de la gᵉbîra », la reine mère, cf. 1 R **15** 13, sont
fils de Jézabel, et différents des « fils du roi », les fils de Joram. Il est étrange
que ces visiteurs, qui ont déjà dépassé Samarie et vont à Yizréel, ne sachent
encore rien de la révolution et des massacres des journées précédentes;
l'épisode n'est probablement pas à sa place primitive.
*c*) C'était un Yahviste fervent qui, pour protester contre les conséquences
morales et religieuses de la sédentarisation d'Israël, avait imposé à son
clan les règles de la vie du désert : pas de maisons, pas de vin; pas de
culture. Ses descendants, les Rékabites, y restaient fidèles encore à l'époque
de Jérémie, à qui nous devons ces détails, Jr **35** 1-11. Il est normal que
Yonadab ait soutenu Jéhu, mais cet épisode, comme le précédent, ne doit
pas être à sa vraie place, car la présence de ce Yahviste intransigeant aux
côtés de Jéhu entrant à Samarie aurait fait échouer la ruse que celui-ci
préparait, vv. 18 s.

salua et lui dit : « Ton cœur est-il loyalement avec le mien, comme mon cœur est avec le tien ? » Yonadab répondit : « Oui. » — « Si c'est oui, donne-moi la main*a*. » Yonadab lui donna la main et Jéhu le fit monter près de lui sur le char. 16 Il lui dit : « Viens avec moi, tu admireras mon zèle pour Yahvé », et il l'emmena sur son char. 17 Il entra dans Samarie et frappa tous les survivants de la famille d'Achab à Samarie, il l'extermina, selon la parole que Yahvé avait dite à Élie.

**Massacre des fidèles de Baal et destruction de son temple.**

18 Jéhu rassembla tout le peuple et lui dit : « Achab a vénéré Baal un peu, Jéhu va le vénérer beaucoup. 19 Maintenant, appelez-moi tous les prophètes de Baal et tous ses prêtres, qu'il n'en manque pas un, car j'ai à offrir un grand sacrifice à Baal. Quiconque s'abstiendra perdra la vie. » — Jéhu agissait par ruse, pour anéantir les fidèles de Baal. — 20 Il ordonna*b* : « Convoquez une assemblée sainte pour Baal »; et ils la convoquèrent. 21 Jéhu envoya des messagers dans tout Israël et tous les fidèles de Baal arrivèrent, il n'en resta pas un qui ne vînt. Ils se rendirent au temple de Baal*c*, qui fut rempli d'un mur à l'autre. 22 Jéhu dit au gardien du vestiaire : « Sors des vêtements pour tous les fidèles de Baal*d* » et il sortit pour

---

19. *Après « prophètes de Baal », le texte ajoute « tous ses fidèles », mais ceux-ci ne seront convoqués qu'aux vv.* 20-21.

---

*a*) C'est le geste pour conclure une alliance, cf. le texte hébreu de 1 Ch **29** 24; 2 Ch **30** 8; Esd **10** 10; Ez **17** 18.
*b*) L'ordre s'adresse aux prophètes et aux prêtres de Baal, qui doivent convoquer leurs fidèles.
*c*) Le temple avait été bâti par Achab, 1 R **16** 32.
*d*) Le changement de vêtements est une purification préliminaire à la

eux les vêtements. ²³ Jéhu vint au temple de Baal avec Yonadab fils de Rékab*a* et dit aux fidèles de Baal : « Assurez-vous bien qu'il n'y a pas de serviteurs de Yahvé ici avec vous, mais rien que des fidèles de Baal » ²⁴ et il s'avança pour offrir des sacrifices et des holocaustes.

Or Jéhu avait posté au dehors quatre-vingts de ses gens et avait dit : « Si l'un de vous laisse échapper un des hommes que je vais vous livrer, sa vie paiera pour la vie de l'autre. » ²⁵ Lorsque Jéhu eut achevé d'offrir l'holocauste, il ordonna aux gardes et aux écuyers : « Entrez, frappez-les ! Que pas un ne sorte ! » Les gardes et les écuyers entrèrent, les passèrent au fil de l'épée et arrivèrent jusqu'au sanctuaire du temple de Baal. ²⁶ Ils enlevèrent le pieu sacré du temple de Baal et le brûlèrent. ²⁷ Ils démolirent l'autel de Baal, ils démolirent aussi le temple de Baal et en firent un cloaque, ce qu'il est resté jusqu'à maintenant.

**Règne de Jéhu en Israël** (841-814).

²⁸ Ainsi Jéhu fit que Baal disparut d'Israël. ²⁹ Cependant Jéhu ne se détourna pas des péchés de Jéroboam fils de Nebat, où il avait entraîné Israël, les veaux d'or de

---

24. « *il s'avança* » G ; « *ils s'avancèrent* » H. — « *Si... laisse échapper* » *conj.*; « *Si l'un s'échappe* » H.

25. *La fin du v. est corrompue et la restitution conjecturale* ; H : « *les gardes et les écuyers les passèrent au fil de l'épée et jetèrent et allèrent jusqu'à la ville du temple de Baal* ».

26. « *le pieu sacré* » *conj. cf.* 1 R **16** 33; « *les stèles* » H (*mais on ne brûle pas des stèles de pierre*).

27. « *l'autel* » *conj. cf.* 1 R **16** 32; « *la stèle* » H (*mais on ne* « *démolit* » *pas une stèle*).

---

participation au culte. La coutume est attestée anciennement chez les Phéniciens, comme chez les Arabes païens; dans la Bible, voir Gn **35** 2; Ex **19** 10; 2 R **22** 14.

*a*) La mention de Yonadab doit être additionnelle, voir la note *c*, p. 170.

Béthel et de Dan[a]. [30] Yahvé dit à Jéhu : « Parce que tu as bien exécuté ce qui m'était agréable et que tu as accompli tout ce que j'avais dans le cœur contre la maison d'Achab, tes fils jusqu'à la quatrième génération s'assiéront sur le trône d'Israël[b]. » [31] Mais Jéhu ne suivit pas fidèlement et de tout son cœur la loi de Yahvé, Dieu d'Israël : il ne se détourna pas des péchés de Jéroboam, où il avait entraîné Israël.

[32] En ce temps-là, Yahvé commença à tailler dans Israël et Hazaël battit les Israélites dans tout le territoire [33] à partir du Jourdain vers le soleil levant, tout le pays de Galaad, le pays des Gadites, des Rubénites, des Manassites, depuis Aroër qui est sur la rivière de l'Arnon, Galaad et Bashân[c].

[34] Le reste de l'histoire de Jéhu, tout ce qu'il a fait, tous ses exploits, cela n'est-il pas écrit au livre des Annales des rois d'Israël ? [35] Il se coucha avec ses pères et on l'enterra à Samarie; son fils Joachaz devint roi à sa place. [36] Jéhu avait régné sur Israël pendant vingt-huit ans à Samarie.

---

*a*) Voir 1 R **12** 28-29. C'est le jugement de l'auteur du livre des Rois (voir Introduction, p. 14). L'appréciation sans réticence de la source qu'il suivait dans les récits précédents est reproduite au v. 30. Le Yahvisme de ce soudard brutal, instrument de la vengeance divine, ne fait pas de doute, mais son zèle était surtout politique : ayant supplanté la dynastie d'Achab, il voulait supprimer tous ses appuis, effacer tout ce qui s'y rattachait.

*b*) Cf. **15** 12.

*c*) Les Israélites perdaient ainsi toutes leurs possessions de Transjordanie. Le v. est surchargé : la mention des tribus de Gad, de Ruben et de la demi-tribu de Manassé, la seconde mention de Galaad et celle de Bashân (région au nord de Galaad et perdue depuis longtemps) sont des gloses, qui s'inspirent de Dt **3** 12 s.

## VI. Du règne d'Athalie a la mort d'Élisée

2 Ch **22** 9-
**23** 21

**Histoire d'Athalie**[a]
(841-835).

**11.** ¹ Lorsque la mère d'Ochozias, Athalie, eut appris que son fils était mort, elle extermina toute la descendance royale. ² Mais Yehosheba[b], fille du roi Joram et sœur d'Ochozias, retira furtivement Joas, son neveu, du groupe des fils du roi qu'on massacrait et elle le mit, avec sa nourrice, dans la chambre des lits[c]; elle le déroba ainsi à Athalie et il ne fut pas mis à mort. ³ Il resta six ans avec elle, caché dans le Temple de Yahvé, pendant qu'Athalie régnait sur le pays.

⁴ La septième année, Yehoyada[d] envoya chercher les centeniers des Cariens[e] et des gardes et les fit venir auprès

---

**11** 1. « *elle extermina* » G ; « *elle se leva et elle extermina* » H.

2. « *son neveu* » *litt.* « *le fils de son frère* » G ; « *le fils d'Ochozias* » H. — « *et le mit* » *parallèle de* 2 Ch **22** 11; *omis par* H.

---

*a*) On s'accorde généralement à reconnaître, dans cette histoire, deux récits combinés (voir la double mention de la mort d'Athalie, vv. 16 et 20). Le premier récit, vv. 1-12 et 18[b]-20, est complet et attribue la chute d'Athalie à l'action du sacerdoce, soutenu par la garde royale. Le second récit, vv. 13-18[a], est incomplet et donne plutôt au fait le caractère d'un mouvement populaire. L'unité du récit doit cependant être maintenue. Il n'y a aucune contradiction entre le v. 16 et le v. 20, le v. 16 est seulement plus précis. La participation du « peuple du pays », cf. note sur le v. 14, est indispensable dès le premier acte du sacre, v. 12. Seul le v. 18 pose une question. La révolution est le fait du sacerdoce *et* du peuple, unis pour sauver la dynastie davidique que l'usurpation d'Athalie menace d'extinction.

*b*) D'après 2 Ch **22** 11, elle était femme du prêtre Yehoyada, v. 4, ce qui explique qu'elle puisse garder Joas caché dans le Temple, v. 3.

*c*) Sans doute l'appartement de Yehoyada, dans les dépendances du Temple.

*d*) Appelé « le prêtre » dans la suite du récit, en fait le chef du sacerdoce de Jérusalem, voir **12** 8.

*e*) Peuple d'Asie Mineure, chez qui l'Égypte aussi a recruté des mercenaires. On a supposé que le texte original portait « Kerétiens », autres

de lui, dans le Temple de Yahvé. Il conclut un pacte avec
eux, leur fit prêter serment et leur montra le fils du roi.
[5] Il leur donna cet ordre[a] : « Voici ce que vous allez faire :
le tiers d'entre vous, la garde descendante du jour du sabbat, qui prend la faction au palais royal, ([6])[7] et vos deux
autres sections, toute la garde montante du jour du sabbat,
qui prend la faction au Temple de Yahvé, [8] vous ferez
un cercle autour du roi; chacun aura ses armes à la main
et quiconque voudra forcer vos rangs sera mis à mort.
Vous accompagnerez le roi dans ses allées et venues. »

[9] Les centeniers firent tout ce que leur avait ordonné
le prêtre Yehoyada. Ils prirent chacun leurs hommes, la
garde descendante du jour du sabbat en même temps
que la garde montante du jour du sabbat, et vinrent auprès
du prêtre Yehoyada. [10] Le prêtre donna aux centeniers
les lances et les boucliers du roi David, qui étaient dans
le Temple de Yahvé[b]. [11] Les gardes se rangèrent, leurs
armes à la main, depuis l'angle sud jusqu'à l'angle nord

---

4. *Après « serment », H ajoute « dans le Temple de Yahvé »; omis par G Syr.*
6. *H : « et un tiers à la porte de Sour (?) et un tiers à la porte derrière les gardes
et vous prendrez la faction à la maison de... (un mot inconnu) ». Texte obscur,
peut-être composé de plusieurs gloses corrompues.*
7. *A la fin, le texte ajoute « auprès du roi », glose probable qui anticipe.*
10. *« les lances » Vers.; « la lance » H.*

---

mercenaires étrangers qui faisaient partie de la garde de David, 1 R **1** 38,
mais ceux-ci ne sont plus mentionnés après l'avènement de Salomon.

*a)* L'exégèse des vv. suivants est difficile. Le v. 6 étant écarté (voir note
textuelle), il semble que, les jours ordinaires, un tiers de la garde surveillait
le Temple et les deux tiers le palais, mais que, les jours de sabbat, la pro-
portion était renversée. Yehoyada profite d'un sabbat : les deux tiers
prennent régulièrement leur faction au Temple et il y maintient le tiers
qui devrait les relever au palais.

*b)* Cela est étrange, car les gardes avaient sûrement leurs armes. S'agit-il
d'un équipement d'apparat ? Plutôt, c'est une glose qui provient du récit
parallèle à 2 Ch **23** 9, dans lequel le rôle des gardes est tenu par des
Lévites, qui avaient besoin d'être armés. La mention de David se réfère
à 2 S **8** 7.

du Temple, entourant l'autel et le Temple[a]. ¹² Alors Yehoyada fit sortir le fils du roi, lui imposa le diadème et les bracelets[b] et lui donna l'onction royale. On battit des mains et on cria : « Vive le roi ! »

¹³ Entendant la clameur populaire, Athalie se rendit vers le peuple au Temple de Yahvé. ¹⁴ Quand elle vit le roi debout près de la colonne, selon l'usage[c], les chefs et les trompettes près du roi, tout le peuple du pays[d] exultant de joie et sonnant de la trompette, Athalie déchira ses

---

11. *Derniers mots incertains. H a un ordre différent et ajoute* « auprès du roi » (*qui n'est pas encore là*).

12. « *les bracelets* » haṣṣeˁâdôt *conj.*; « *le témoignage* » hâˁêdût *H.* — « *lui donna* » *G* ; « *ils lui donnèrent* » *H.*

13. *Après* « *clameur* », *H insère* « *des gardes* » (*forme araméenne*), *glose.*

---

a) Leur cordon se déploie d'un angle à l'autre de la façade du Temple, cernant l'autel des holocaustes, qui se trouvait devant l'entrée. La traduction a supprimé ˁal-hamèlèk de l'hébreu; si on veut garder ces mots, il faut les traduire : « pour protéger le roi », ce qui est possible.

b) La traduction a tenu compte d'une correction ordinairement admise et qui a un bon appui dans 1 S 1 10. Cependant il faut peut-être garder l'hébreu. En effet, ˁédût se parfois synonyme de $b^e$rît « alliance » et de ḥôq « décret ». Or $b^e$rit est en parallèle avec le diadème dans Ps **89** 40, ḥôq est mis en rapport avec le sacre dans Ps **2** 6-7. Il est possible que les rois de Juda aient reçu, au moment de leur sacre, un tel « témoignage », qui rappelait l'alliance conclue entre Yahvé et la race de David, le décret rendu en leur faveur. On a comparé le « protocole » rédigé pour les Pharaons au moment de leur couronnement. Sur les rites d'intronisation, cf. la note sur 1 R **1** 35.

c) Comp. Josias dans 2 R **23** 3. Il y avait donc, comme dans les temples égyptiens, une place réservée au roi. Le parallèle de 2 Ch **23** 13 précise que cet emplacement se trouvait « près de l'entrée » et on en rapprochera l'estrade (d'après le grec) et l'entrée du roi dont il est question dans 2 R **16** 18, et le socle de bronze sur lequel Salomon priait d'après 2 Ch **6** 13. Il semble que ˁammûd, qui signifie ordinairement « colonne », ait ici et à **23** 3 ; 2 Ch **23** 13, le sens d'estrade et qu'il faille traduire « sur l'estrade » au lieu de « près de la colonne ». Une stèle de Râs Shamra représente le roi debout sur un socle devant une image divine.

d) Le « peuple du pays » ˁam hâˀârèṣ, ne représente pas une classe de la société ou les paysans opposés aux citadins, cf. note sur le v. 20, mais l'ensemble des hommes libres du pays, ayant des droits civiques. Ils interviennent dans les affaires publiques mais pas comme un pouvoir constitué, cf. les cas analogues de **21** 14; **23** 20.

vêtements et cria : « Trahison ! Trahison ! » [15] Alors le prêtre Yehoyada donna un ordre aux commandants de la troupe : « Faites-la sortir hors des parvis, leur dit-il, et si quelqu'un la suit, qu'on le passe au fil de l'épée » ; car le prêtre s'était dit : « Il ne faut pas qu'elle soit tuée dans le Temple de Yahvé. » [16] Ils mirent la main sur elle et, quand elle arriva au palais royal par l'Entrée des Chevaux[a], là elle fut mise à mort.

[17] Yehoyada conclut entre Yahvé, le roi et le peuple l'alliance par laquelle celui-ci s'obligeait à être le peuple de Yahvé ; de même entre le roi et le peuple[b]. [18] Tout le peuple du pays se rendit ensuite au temple de Baal et le démolit ; on brisa de belle façon ses autels et ses images et on tua Mattân, prêtre de Baal, devant les autels[c].

---

15. « *commandants* » p<sup>e</sup>qidê *G ;* « *recensés* » p<sup>e</sup>qudê *H qui, avant le mot, ajoute* « *les centeniers* », *glose probable.* — « *hors des parvis* » miḥûṣ laḥăṣérôt *conj.* ; « *vers l'intérieur des rangs* » mibbêt laśś<sup>e</sup>dérôt *H.*

*a*) C'est la porte des Chevaux de Jr **31** 40 et Ne **3** 28, l'accès aux écuries du palais, en dehors de l'enceinte du Temple et près de son angle sud-est.

*b*) Le v. est difficile. Comme la phrase « de même entre le roi et le peuple » manque dans une partie des témoins grecs et dans le parallèle de 2 Ch **23** 16, on la considère généralement comme une simple dittographie de ce qui précède. Il est cependant possible qu'elle représente le texte primitif et qu'au contraire la mention de Yahvé et du peuple de Yahvé soit un développement secondaire (peut-être sous l'influence de **23** 3, mais antérieur à Ch et à la traduction grecque). A l'occasion d'un couronnement royal, le peuple n'a pas à s'engager à être le « peuple de Yahvé ». Par contre, dans ce coup d'État qui remet sur le trône un descendant de David, il est normal que la fidélité du peuple et les devoirs du roi soient assurés par un pacte. Sans doute, il y avait aussi, comme à chaque couronnement, une alliance entre Yahvé et le roi, mais cette alliance est conclue par la cérémonie du sacre et la tradition du *'édût,* cf. la note sur le v. 12.

*c*) Il ne faut pas mettre en doute l'historicité de ce renseignement, bien que ce temple de Baal à Jérusalem ne soit mentionné nulle part ailleurs ; le nom de Mattân est bien attesté en Phénicie. La révolution de Jérusalem est parallèle à celle de Jéhu dans le Nord, **10** 18 s. Mais cette information authentique n'est pas à sa place chronologique dans le récit : le peuple n'a pas eu le temps de détruire le temple de Baal entre le sacre de Joas au Temple, v. 12, et son intronisation au palais, v. 19, deux actes successifs des rites de couronnement, cf. 1 R **1** 34-35.

Le prêtre établit des postes de surveillance pour le Temple de Yahvé, [19] puis il prit les centeniers, les Cariens et les gardes, et tout le peuple du pays. Ils firent descendre le roi du Temple de Yahvé et entrèrent au palais par la porte des Gardes[a]. Joas s'assit sur le trône des rois. [20] Tout le peuple du pays était en liesse et la ville ne bougea pas[b]. Quant à Athalie, on la fit périr par l'épée dans le palais royal.

|| 2 Ch **24**
1-16

**12.** [1] **Règne de Joas en Juda** (835-796).

**12.** [1c] Joas avait sept ans à son avènement. [2] En la septième année de Jéhu, Joas devint roi et il régna quarante ans à Jérusalem; sa mère s'appelait Çibya et était de Bersabée. [3] Joas fit ce qui est agréable à Yahvé, pendant toute sa vie, car le prêtre Yehoyada l'avait instruit[d]. [4] Seulement, les hauts lieux ne disparurent pas et le peuple continuait d'offrir sacrifices et encens sur les hauts lieux.

[5] Joas dit aux prêtres : « Tout l'argent des redevances

---

**12** 5. « *l'argent des taxes personnelles* » kèsèp 'érèk 'îš *d'après G* ; « *l'argent courant, chacun* » kèsèp 'ôbér 'îš *H. — H ajoute ensuite* « *l'argent des personnes qu'il* (*le prêtre ?*) *a estimées* », *glose explicative, peut-être corrompue elle-même.*

---

*a*) Communication directe entre le Temple et le palais, comparer 1 R **14** 27-28.

*b*) Cette opposition ne signifie pas, comme on l'a dit, que le « peuple du pays » représente une noblesse terrienne ou les paysans. Jr **25** 2 distingue de même entre le peuple de Juda et les habitants de Jérusalem. L'opposition est ici entre le peuple de Juda fidèle à la tradition davidique, cf. **14** 21, et la « ville », c'est-à-dire la capitale, où séjournent la cour, les fonctionnaires, l'entourage étranger d'Athalie, tous les soutiens du régime renversé.

*c*) Ce v. est rattaché au ch. **11** par la Vulgate et les autres versions anciennes, qui sont ainsi en retard d'un v. sur l'hébreu dans tout le ch. **12**.

*d*) La traduction habituelle « pendant tout le temps que le prêtre Yehoyada lui donna des instructions » fait violence au texte, pour le concilier avec la tradition de 2 Ch **24** 2 et 17 s. Le récit des Rois ignore l'apostasie de Joas.

sacrées qu'on apporte au Temple de Yahvé, l'argent des
taxes personnelles[a] et tout l'argent offert volontairement
5 au Temple, [6] les prêtres le recevront des gens de leur
connaissance[b] et ils feront au Temple toutes les répara-
6 tions qu'il y a à faire[c]. » [7] Or, en la vingt-troisième année
du roi Joas, les prêtres n'avaient pas réparé le Temple;
7 [8] alors le roi Joas appela le prêtre Yehoyada et les prêtres
et il leur dit : « Pourquoi ne réparez-vous pas le Temple ?
Il ne faut plus que vous receviez l'argent des gens de votre
connaissance, vous le donnerez pour le dommage du
8 Temple. » [9] Les prêtres consentirent à ne pas accepter
d'argent du peuple et à n'être plus chargés de réparer le
Temple.

9 [10] Le prêtre Yehoyada prit un coffre, perça un trou dans
son couvercle et le plaça à côté de la stèle, à droite quand

---

10. « *la stèle* » hammaṣṣébah *cf. G ;* « *l'autel* » hammizbéaḥ *H.*

---

*a*) Litt., avec la correction adoptée, « l'argent de l'estimation de
chacun », la taxe fixée par la Loi pour le rachat des premiers-nés et des
vœux personnels et l'impôt dû au Temple, cf. Ex **30** 11 s; Lv **27** 2-8;
Nb **18** 15-16, tous textes d'ailleurs tardifs. A quoi s'ajoutent les offrandes
volontaires, cf. la n[e]*dâbah,* Ex **35** 29; **36** 3; Esd **1** 4.

*b*) Litt. « chacun des gens de sa connaissance ». Cette traduction reçue,
ici et v. 8, d'un mot qui ne se retrouve pas ailleurs, *makkâr* (rattaché à la
rac. *nkr*), suppose une bizarre organisation du culte, fondée sur les relations
personnelles. Comme *mkr* désigne en ugaritique une classe du personnel
des temples, on a proposé de lire *môker* (rac. *mkr* « vendre ») et de comprendre « vendeur », celui qui était chargé de vendre aux fidèles les victimes
et les services du culte. On pourrait peut-être aussi, sans correction, comprendre : la « vente » par chaque prêtre de ses services religieux, nous
dirions son « casuel ».

*c*) Une première ordonnance royale : toutes les taxes et les dons en
argent reçus par les prêtres serviront aux réparations du Temple. Les
prêtres ayant négligé ce devoir, le roi prend une nouvelle ordonnance,
vv. 8-9 : les prêtres ne percevront plus cet argent mais ils ne seront plus
responsables des réparations à faire. Cette ordonnance sera rappelée à
**22** 3-8. En effet, c'est en l'exécutant que le secrétaire de Josias apprendra
la découverte du livre de la Loi. Cette découverte a une telle importance
pour l'auteur des Rois, cf. Introduction p. 14, qu'il rapporte en détail les
circonstances dans lesquelles l'ordonnance de Joas fut promulguée.

on entre dans le Temple de Yahvé, et les prêtres gardiens du seuil y déposaient tout l'argent livré au Temple de
10 Yahvé[a]. [11] Quand ils voyaient qu'il y avait beaucoup d'argent dans le coffre, le secrétaire royal montait, on fondait et on comptait l'argent qui se trouvait dans
11 le Temple de Yahvé[b]. [12] Une fois l'argent éprouvé, on le remettait aux maîtres d'œuvres attachés au Temple de Yahvé et ceux-ci le dépensaient pour les charpentiers et les ouvriers du bâtiment qui travaillaient au Temple
12 de Yahvé, [13] pour les maçons et les tailleurs de pierres, et pour acheter le bois et les pierres de taille, destinés à la réparation du Temple de Yahvé, bref pour tous les frais
13 de réparation du Temple. [14] Mais on ne faisait dans le Temple de Yahvé ni bassins d'argent, ni couteaux, ni bols à aspersion, ni trompettes, ni aucun objet d'or ou
14 d'argent avec l'argent[c] qui y était livré, [15] on le donnait aux artisans qui l'employaient à réparer le Temple de
15 Yahvé. [16] On ne tenait pas de comptes avec les gens aux

---

11. *Après* « *le secrétaire royal* » *le texte porte* « *et le grand prêtre* », *addition probable d'après* **22** 4. — « *on fondait* » wayyiṣṣᵉrû *conj.*; « *on attachait* » wayyâṣurû *H.*

---

*a*) Exécution de la seconde ordonnance. L'hébreu situe ce précurseur de nos troncs d'églises près de l'« autel ». Mais c'est probablement une correction pieuse de « stèle », leçon attestée par de bons témoins grecs et par la Syro-hexaplaire, qui n'ont certainement pas inventé ce texte. Cette stèle, peut-être simplement commémorative, cf. Gn **35** 20; 2 S **18** 18, a choqué parce qu'elle rappelait trop les stèles cultuelles des sanctuaires païens. Les prêtres gardiens du seuil ont un rang élevé dans le clergé, cf. **23** 4; **25** 18.

*b*) La monnaie n'existant pas, les versements se faisaient en objets de métal, qu'on fondait ensuite. La présence d'une fonderie dans le Temple est supposée par le v. 14. Cette procédure a des parallèles très proches dans l'administration des temples mésopotamiens; ainsi des lettres adressées à leur clergé disent : « Fondez tout l'argent qui est dans le coffre » ou : « Fonds l'argent de la contribution recueilli à la porte du temple. »

*c*) Comme en français, « argent » a en hébreu le double sens de métal blanc et de moyen de paiement. 2 Ch **24** 14 dit au contraire qu'on fabrique ces objets avec l'argent qui restait. Sur ces objets, cf. 1 R **7** 50.

mains desquels on remettait l'argent pour le donner aux
16 artisans, car ils agissaient avec probité[a]. [17] Quant à l'argent
versé pour la satisfaction d'un délit ou d'un péché[b], il
n'était pas livré au Temple de Yahvé, il était pour les
prêtres.

17    [18] Alors Hazaël, roi d'Aram, partit en guerre contre  ‖ 2 Ch **24** 23-
Gat et la prit[c], puis il se disposa à monter contre Jérusa-  ²⁷
18 lem. [19] Joas, roi de Juda, prit tout ce qu'avaient consacré
les rois de Juda, ses pères, Josaphat, Joram et Ochozias,
ce qu'il avait consacré lui-même et tout l'or qu'on trouva
dans les trésors du Temple de Yahvé et du palais royal[d];
il envoya le tout à Hazaël, roi d'Aram, et celui-ci s'éloigna
de Jérusalem.

19    [20] Le reste de l'histoire de Joas et tout ce qu'il a fait,
cela n'est-il pas écrit au livre des Annales des rois de Juda ?
20  [21] Ses officiers se soulevèrent et ourdirent un complot;
21 ils frappèrent Joas au Bet-Millo[e]... [22] Ce furent Yozakar
fils de Shiméat et Yehozabad fils de Shomer qui le frap-

---

17. « *d'un péché* » G ; « *de péchés* » H.
21. *A la fin, deux mots corrompus* « *qui descend à Silla* » ( ?).

*a*) Pointe contre le sacerdoce : la probité de ces laïcs s'oppose à la négli-
gence des prêtres qu'ils ont remplacés, v. 7.
*b*) « Délit », '*âsâm*, et « péché », *haṭṭ'at*, distinguent les deux sortes de
transgressions pour lesquelles des sacrifices expiatoires sont prescrits par
la Loi, Lv **4** et **5**. Ici, on ne sait pas s'il s'agit d'amendes imposées pour des
fautes analogues, ou de taxes qui accompagnaient les sacrifices, ou de
versements qui en dispensaient.
*c*) Sur Hazaël, voir **8** 7 s. Gat, ville philistine (voir 1 R **2** 39), peut-être
aujourd'hui Araq el-Menshiyeh.
*d*) Comme le montre le récit précédent, le roi gouverne l'administration
du Temple et il n'y a qu'une distinction théorique entre le trésor sacré et
le trésor royal. Le roi dépose au Temple le butin pris sur l'ennemi et ses
dons personnels, cf. 1 R **7** 51; **15** 15, mais, pour satisfaire des exigences
pressantes, il puise à la fois dans le trésor du Temple et dans celui du palais,
cf. les cas analogues de 1 R **15** 18; 2 R **16** 8; **18** 15.
*e*) Sur le Millo, voir 1 R **9** 15. Sichem aussi avait un Bet-Millo, Jg **9** 6,
20. Le sens est probablement le même que le simple Millo.

pèrent, et il mourut. On l'enterra avec ses pères dans la Cité de David et son fils Amasias régna à sa place.

**Règne de Joachaz en Israël** (814-798).

**13.** ¹ En la vingt-troisième année de Joas fils d'Ochozias, roi de Juda, Joachaz fils de Jéhu devint roi sur Israël à Samarie. Il régna dix-sept ans. ² Il fit ce qui déplaît à Yahvé et imita le péché de Jéroboam, où celui-ci avait entraîné Israël; il ne s'en détourna pas.

³ Alors la colère de Yahvé s'enflamma contre les Israélites et il les livra à Hazaël, roi d'Aram, et à Ben-Hadad[a], fils de Hazaël, tout le temps. ⁴ Mais Joachaz chercha à apaiser Yahvé, et Yahvé l'exauça, car il avait vu l'oppression que le roi d'Aram faisait subir à Israël. ⁵ Yahvé donna à Israël un libérateur[b] qui l'affranchit de l'emprise d'Aram, et les Israélites habitèrent leurs tentes comme auparavant. ⁶ Seulement, ils ne se détournèrent pas du péché de Jéroboam, où celui-ci avait entraîné Israël : ils y persistèrent, et même le pieu sacré[c] était dressé à Samarie. ⁷ Yahvé[d] ne

---

**13** 2. « *le péché* » *au pluriel dans* H, *mais le pronom qui s'y rapporte est au singulier.*

5. « *qui l'affranchit* » G[L]; « *et ils s'affranchirent* » H.

6. « *du péché* » *cf.* v. 2. — *Avant* « *Jéroboam* », H *insère* « *la maison de* »; *omis par Targ Syr.*

---

*a*) Ben-Hadad III, qui sera l'adversaire de Joas d'Israël v. 25. Il est mentionné, sous le nom de Bar-Hadad fils de Hazaël, comme le chef d'une coalition syrienne, dans l'inscription araméenne de Zakar, roi de Hamat.

*b*) Ce libérateur n'est pas Joachaz, ni son fils Joas, malgré le v. 25, mais Jéroboam II, voir **14** 27, dont s'inspire le rédacteur qui a ajouté les vv. 4-5 comme une anticipation. Il reprend le schéma traditionnel du livre des Juges : infidélité, oppression, repentir, libération. Le v. 6, qui décalque le v. 2, est également additionnel.

*c*) La'*ăšērah*, voir 1 R **14** 23. Peut-être allusion au pieu sacré qu'avait installé Achab, 1 R **16** 33.

*d*) Le v. se rattache au v. 3 par-dessus l'addition des vv. 4-6. Le sujet du verbe est donc Yahvé, qui est explicité dans la traduction.

laissa comme troupes à Joachaz que cinquante cavaliers, dix chars[a] et dix mille hommes de pied; le roi d'Aram les avait exterminés et rendus comme poussière qu'on foule aux pieds.

[8] Le reste de l'histoire de Joachaz, tout ce qu'il a fait et ses exploits, cela n'est-il pas écrit au livre des Annales des rois d'Israël ? [9] Joachaz se coucha avec ses pères, on l'enterra à Samarie et son fils Joas régna à sa place.

**Règne de Joas en Israël** (798-783).

[10] En la trente-septième année de Joas, roi de Juda, Joas fils de Joachaz devint roi sur Israël à Samarie; il régna seize ans. [11] Il fit ce qui déplaît à Yahvé, il ne se détourna pas du péché de Jéroboam fils de Nebat, où celui-ci avait entraîné Israël, il y persista.

[12] Le reste de l'histoire de Joas, tout ce qu'il a fait et ses exploits, comment il fit la guerre à Amasias, roi de Juda[b], cela n'est-il pas écrit au livre des Annales des rois d'Israël ? [13] Joas se coucha avec ses pères et Jéroboam monta sur son trône. Joas fut enterré à Samarie avec les rois d'Israël[c].

= **14** 15-16

**Mort d'Élisée.**

[14] Quand Élisée fut frappé de la maladie dont il devait mourir, Joas, le roi d'Israël, descendit vers lui, pleura sur son visage[d] et dit : « Mon

---

11. « *du péché* » G ; « *de tous les péchés* » H, cf. v. 2.

---

*a*) D'après les sources assyriennes, Achab avait aligné 2.000 chars contre Salmanasar III en 853. On mesure la déchéance.

*b*) Voir **14** 8 s.

*c*) La conclusion au règne de Joas, vv. 12-13, a été ajoutée ici : elle vient avant que ne soit achevé le récit du règne et elle n'emploie pas les formules ordinaires (au v. 13). Elle reviendra en meilleure place à **14** 15-16.

*d*) Comme Joseph pleurant sur le visage de Jacob mourant, Gn **50** 1.

père ! Mon père ! Char d'Israël et son attelage[a] ! » 15 Élisée lui dit : « Va chercher un arc et des flèches », et il alla chercher un arc et des flèches. 16 Élisée dit au roi : « Bande l'arc », et il le banda. Élisée mit ses mains sur les mains du roi, 17 puis il dit : « Ouvre la fenêtre vers l'orient », et il l'ouvrit. Alors Élisée dit : « Tire ! » et il tira. Élisée dit : « Flèche de victoire pour Yahvé ! Flèche de victoire contre Aram ! Tu battras Aram à Apheq, complètement[b]. »

18 Élisée dit : « Prends les flèches », et il les prit. Élisée dit au roi : « Frappe contre terre », il frappa trois coups et il s'arrêta. 19 Alors l'homme de Dieu s'irrita contre lui : « Il fallait frapper cinq ou six coups ! Alors tu aurais battu Aram complètement ; maintenant, tu ne le battras que trois fois[c] ! »

20 Élisée mourut et on l'enterra. Des bandes de Moabites faisaient incursion dans le pays chaque année. 21 Il arriva que des gens qui portaient un homme en terre virent la bande; ils jetèrent l'homme dans la tombe d'Élisée et partirent. L'homme toucha les ossements d'Élisée : il reprit vie et se dressa sur ses pieds.

---

16. « *au roi* » *G ;* « *au roi d'Israël* » *H.*
18. « *au roi* » *G ;* « *au roi d'Israël* » *H.*
20. « *chaque année* » šânah bᵉšânah *conj.;* bâ' šânah *H corrompu.*
21. « *et partirent* » *cf. G*ᴸ*;* « *et partir* » *H.*

---

a) Voir **2** 12.
b) En mettant ses mains sur celles du roi, Élisée communique la force divine. La flèche tirée vers l'orient est dirigée contre les Araméens; sur la situation d'Apheq, voir 1 R **20** 26. L'action prophétique préfigure l'événement et ainsi procure sa réalisation.
c) Voir la note précédente. L'efficacité de l'action prophétique est encore plus clairement indiquée ici. En hébreu, « frapper » la terre et « battre » Aram s'expriment par le même verbe.

**Victoire
sur les Araméens.**

²² Hazaël, roi d'Aram, avait opprimé les Israélites pendant toute la vie de Joachaz. ²³ Mais Yahvé leur fit grâce et les prit en pitié. Il se tourna vers eux à cause de l'alliance qu'il avait conclue avec Abraham, Isaac et Jacob; il ne voulut pas les anéantir et ne les rejeta pas loin de sa face. ²⁴ Hazaël, roi d'Aram, mourut et son fils Ben-Hadad régna à sa place. ²⁵ Alors Joas, fils de Joachaz, reprit des mains de Ben-Hadad, fils de Hazaël, les villes que Hazaël avait enlevées par les armes à son père Joachaz. Joas le battit trois fois et recouvra les villes d'Israël[a].

# VII

## LES DEUX ROYAUMES
## JUSQU'A LA PRISE DE SAMARIE

**Règne d'Amasias
en Juda** (796-781).

**14.** ¹ En la deuxième année de Joas fils de Joachaz, roi d'Israël, Amasias fils de Joas devint roi de Juda. ² Il avait vingt-cinq ans à son avènement et régna vingt-neuf ans[b] à Jérusalem; sa mère s'appelait Yehoaddân et était

‖2 Ch **25** 1-4, 11-12, 17-28

---

23. *A la fin, H ajoute « pas encore », glose qui manque dans G ancien.*

*a)* La dernière phrase est probablement une addition, qui souligne que ces victoires réalisent la prophétie d'Élisée, v. 19.

*b)* Ce chiffre correspond à celui qu'on obtient en combinant les synchronismes des vv. 1 et 17 avec l'indication sur la durée du règne de Joas d'Israël, **13** 10, mais il ne s'accorde pas aux synchronismes de **13** 10 et **15** 1. Il est certainement trop élevé et appartient à un système chronologique artificiel (voir Introduction, p. 9).

de Jérusalem. ³ Il fit ce qui est agréable à Yahvé, non pas
pourtant comme son ancêtre David; il imita en tout Joas,
son père. ⁴ Seulement, les hauts lieux ne disparurent pas
et le peuple continuait d'offrir sacrifices et encens sur les
hauts lieux.

⁵ Lorsque le pouvoir royal fut affermi entre ses mains, il
tua ceux de ses officiers qui avaient tué le roi son père*a*.
⁶ Mais il ne mit pas à mort les fils des meurtriers*b*, selon
ce qui est écrit dans le livre de la Loi de Moïse, où Yahvé
a ordonné : « Les pères ne seront pas mis à mort pour les
fils, ni les fils pour les pères, mais chacun sera mis à mort
pour son propre crime. »

⁷ C'est lui qui battit les Édomites dans la vallée du Sel*c*,
au nombre de dix mille hommes, et qui prit de haute lutte
la Roche*d*; il lui donna le nom de Yoqtéel, qu'elle porte
jusqu'à ce jour.

⁸ Alors Amasias envoya des messagers à Joas fils de
Joachaz fils de Jéhu, roi d'Israël, pour lui dire : « Viens
et mesurons-nous ! » ⁹ Joas, roi d'Israël, retourna ce message à Amasias, roi de Juda : « Le chardon du Liban
manda ceci au cèdre du Liban : ' Donne ta fille pour femme
à mon fils ', mais les bêtes sauvages du Liban passèrent
et foulèrent le chardon*e*. ¹⁰ Tu as remporté une victoire

*a*) Voir **12** 21-22.
*b*) D'après la coutume ancienne, la famille était solidaire des fautes de
son chef, voir Jos **7** 24; 2 S **21** 5. La modération d'Amasias était une nouveauté digne d'être signalée. Le principe de la responsabilité individuelle
est codifié dans Dt **24** 16, auquel renvoie l'auteur du livre des Rois, mais
Ézéchiel, ch. **18**, devra encore le rappeler.
*c*) Voir déjà 2 S **8** 13. Vraisemblablement la Araba, la vallée qui pro-
longe au sud la mer Morte, appelée mer du Sel dans Gn **14** 3.
*d*) En hébreu *Séla'*, forteresse édomite, qui deviendra Pétra, la capitale
des Nabatéens. Le nom de Yoqtéel, que lui imposa Amasias, n'apparaît
pas ailleurs.
*e*) Joas répond en citant une fable populaire dans le genre de celle de
Jg **9** 8-15.

sur Édom et tu te montes la tête ! Sois glorieux et reste chez toi. Pourquoi provoquer le malheur et amener ta chute et celle de Juda avec toi ? »

¹¹ Mais Amasias n'écouta pas, et Joas, roi d'Israël, se mit en campagne. Ils se mesurèrent, lui et Amasias, roi de Juda, à Bet-Shémesh[a] qui appartient à Juda[b]. ¹² Juda fut battu devant Israël et chacun s'enfuit à sa tente. ¹³ Quant au roi de Juda, Amasias fils de Joas fils d'Ochozias, le roi d'Israël Joas le fit prisonnier à Bet-Shémesh et l'emmena à Jérusalem. Il fit une brèche au rempart de Jérusalem, depuis la porte d'Éphraïm jusqu'à la porte de l'Angle, sur quatre cents coudées[c]. ¹⁴ Il prit tout l'or et l'argent et tout le mobilier qui se trouvaient dans le Temple de Yahvé et dans le trésor du palais royal, en plus des otages, et retourna à Samarie.

¹⁵ Le reste de l'histoire de Joas, tout ce qu'il a fait et ses    = **13** 12-13
exploits, et comment il fit la guerre à Amasias, roi de Juda, cela n'est-il pas écrit au livre des Annales des rois d'Israël ? ¹⁶ Joas se coucha avec ses pères et on l'enterra à Samarie auprès des rois d'Israël : Jéroboam, son fils, régna à sa place[d].

¹⁷ Amasias, fils de Joas, roi de Juda, vécut encore quinze ans après la mort de Joas, fils de Joachaz, roi d'Israël.

---

**14** 13. « *et l'emmena* » way⁰bi'êhû G[L] *Vulg* 2 *Ch* **25** 23 ; « *et il vint* » wayyâbo' *Qer* ou « *et ils vinrent* » wayyâbo'û *Ket*. — « *depuis la porte* » *Vers.* 2 *Ch* **25** 23 ; « *à la porte* » H.

*a*) Environ 25 km. à l'ouest de Jérusalem.
*b*) Le récit des vv. 8-14 vient d'une source israélite, d'où cette remarque.
*c*) Environ 200 m. La porte d'Éphraïm se trouvait au milieu du rempart nord de Jérusalem, la porte de l'Angle, au nord-ouest.
*d*) Voir **13** 12-13. D'après l'arrangement ordinaire du livre (Introduction, p. 8), la notice aurait dû venir après **13** 25, mais l'auteur l'a mise ici à cause de la guerre de Joas contre Juda, qu'il racontait dans le cadre du règne d'Amasias.

¹⁸ Le reste de l'histoire d'Amasias, cela n'est-il pas écrit au livre des Annales des rois de Juda ? ¹⁹ On trama un complot contre lui à Jérusalem, il s'enfuit vers Lakish*ᵃ*, mais on le fit suivre à Lakish et mettre à mort là-bas. ²⁰ On le transporta avec des chevaux et on l'enterra à Jérusalem auprès de ses pères, dans la Cité de David. ²¹ Tout le peuple de Juda choisit Ozias*ᵇ*, qui avait seize ans, et le fit roi à la place de son père Amasias. ²² C'est lui qui rebâtit Élat*ᶜ* et la rendit à Juda, après que le roi se fut couché avec ses pères.

|| 2 Ch **26** 1-2

**Règne de Jéroboam II
en Israël** (783-743).

²³ En la quinzième année d'Amasias fils de Joas, roi de Juda, Jéroboam fils de Joas devint roi d'Israël à Samarie; il régna quarante et un ans. ²⁴ Il fit ce qui déplaît à Yahvé, il ne se détourna pas de tous les péchés de Jéroboam fils de Nebat, où celui-ci avait entraîné Israël.

²⁵ C'est lui qui recouvra le territoire d'Israël, depuis l'Entrée de Hamat*ᵈ* jusqu'à la mer de la Araba*ᵉ*, selon ce que Yahvé, Dieu d'Israël, avait dit par le ministère de son serviteur, le prophète Jonas*ᶠ* fils d'Amittaï qui était de

---

*a*) Place forte judéenne, aujourd'hui Tell ed-Duweir, 25 km. à l'ouest d'Hébron; cf. **18** 14; Jr **34** 7.

*b*) Ce roi est appelé tantôt Azarias et tantôt Ozias dans 2 R **14** 21-**15** 34. Il est appelé Azarias dans la généalogie de 1 Ch **3** 12, mais toujours Ozias dans les Prophètes et dans 2 Ch **26**. Il est vraisemblable qu'Azarias est son nom de naissance et Ozias son nom de couronnement.

*c*) Voir la note sur 1 R **9** 28. La région avait été perdue sous Joram, 2 R **8** 20 s, et le sera définitivement sous Achaz, **16** 6.

*d*) Un point indéterminé au sud de Hama (en Syrie); limite septentrionale du pays de Canaan, Nb **13** 21, et du royaume de David et de Salomon, 1 R **8** 65.

*e*) La mer Morte.

*f*) C'est à lui qu'est attribué, par pseudonymie, le livre de Jonas, contenu dans le recueil des Douze Petits Prophètes. On localise Gat-Hépher près du village actuel de Meshhed, une vingtaine de km. à l'ouest de Tibériade.

Gat-Hépher. ²⁶ Car Yahvé avait vu la très amère détresse d'Israël, plus de liés ni de libres*ᵃ* et personne pour secourir Israël. ²⁷ Yahvé n'avait pas décidé d'effacer le nom d'Israël de dessous le ciel et il le sauva par les mains de Jéroboam fils de Joas.

²⁸ Le reste de l'histoire de Jéroboam, tout ce qu'il a fait et ses exploits, comment il guerroya et comment il..., cela n'est-il pas écrit au livre des Annales des rois d'Israël ? ²⁹ Jéroboam se coucha avec ses pères. On l'enterra à Samarie auprès des rois d'Israël et son fils Zacharie régna à sa place.

**Règne d'Ozias en Juda**ᵇ
**(781-740).**

**15.** ¹ En la vingt-sep-tième année de Jéroboam, roi d'Israël, Ozias*ᶜ* fils d'Amasias devint roi de Juda. ² Il avait seize ans à son avènement et régna cinquante-deux ans*ᵈ* à Jérusalem; sa mère s'appelait Yekolyahu et était de Jérusalem. ³ Il fit ce qui est agréable à Yahvé, comme tout ce qu'avait fait son père Amasias. ⁴ Seulement, les hauts lieux ne disparurent pas et le peuple continuait d'offrir sacrifices et encens sur les hauts lieux.

‖ 2 Ch **26** 3-4
21-23

---

26. « *amère* » hammar *G Vulg ;* « *rebelle* » morèh *H.*

28. « *et comment il...* » *texte corrompu, litt.* « *et comment il recouvra Damas et Hamat pour Juda en Israël* ». *On propose de corriger :* « *et comment il combattit contre Damas et détourna d'Israël la colère* (hǎmat) *de Yahvé* ».

29. « *On l'enterra à Samarie* » *G*ᴸ*; omis par H.*

---

*a*) Voir 1 R **14** 10. A lier avec la suite : il n'y a absolument plus personne.

*b*) Le livre des Rois ne consacre à Ozias, en dehors des formules rédactionnelles, qu'une courte note sur sa maladie, v. 5. Cependant son long règne, contemporain de celui de Jéroboam II dans le Nord, fut une période de prospérité et de puissance pour Juda, et les renseignements de 2 Ch **26** 6-15 sont puisés à bonne source.

*c*) Sur le nom, voir **14** 21.

*d*) Cette durée est trop longue d'une dizaine d'années, d'après la chronologie probable de cette époque.

⁵ Mais Yahvé frappa le roi et il fut affligé de la lèpre jusqu'au jour de sa mort. Il demeura confiné à la chambre*a*; Yotam, son fils, était maître du palais*b* et administrait le peuple.

⁶ Le reste de l'histoire d'Ozias, et tout ce qu'il a fait, cela n'est-il pas écrit au livre des Annales des rois de Juda ? ⁷ Ozias se coucha avec ses pères, on l'enterra dans la Cité de David et son fils Yotam devint roi à sa place.

**Règne de Zacharie en Israël** (743).

⁸ En la trente-huitième année d'Ozias, roi de Juda, Zacharie fils de Jéroboam devint roi sur Israël à Samarie, pour six mois. ⁹ Il fit ce qui déplaît à Yahvé, comme avaient fait ses pères, il ne se détourna pas des péchés de Jéroboam fils de Nebat, où celui-ci avait entraîné Israël.

¹⁰ Shallum fils de Yabesh fit une conspiration contre lui, il le frappa à mort à Yibleam*c* et devint roi à sa place.

¹¹ Le reste de l'histoire de Zacharie est écrit au livre des Annales des rois d'Israël. ¹² C'était ce que Yahvé avait dit à Jéhu : « Tes fils jusqu'à la quatrième génération s'assiéront sur le trône d'Israël »; et il en fut ainsi.

---

**15** 5. « *le peuple* » *SyrHex* ; « *le peuple du pays* » *H.*
    7. « *on l'enterra* » *G* ; *H ajoute* « *avec ses pères* ».
    10. « *à Yibleam* » *G*ᴸ; *H corrompu.*

---

*a*) Litt. « dans la maison de confinement ». Mais cette interprétation de l'expression unique *bêt haḥopšît* est incertaine. Il vaudrait peut-être mieux lire *leˌbêtoh ḥopšît* et comprendre « dans la maison, vivant exempté » de ses obligations royales. On tire peu de lumière du rapprochement avec une expression extérieurement semblable des poèmes de Râs Shamra, dont le sens est incertain.

*b*) Voir note sur 1 R **4** 2; en fait Yotam était régent du royaume. Il « administrait », litt. « jugeait », ce qui est une fonction royale par excellence, cf. 1 R **3** 9.

*c*) Voir **9** 27.

**Règne de Shallum
en Israël** (743).

¹³ Shallum fils de Yabesh devint roi en la trente-neuvième année d'Ozias, roi de Juda, et régna un mois à Samarie.

¹⁴ Menahem fils de Gadi monta de Tirça[a], entra à Samarie, y frappa à mort Shallum fils de Yabesh et devint roi à sa place.

¹⁵ Le reste de l'histoire de Shallum et le complot qu'il trama, cela est écrit au livre des Annales des rois d'Israël. ¹⁶ C'est alors que Menahem châtia Tappuah[b] — tuant tous ceux qui y étaient — et son territoire à partir de Tirça, parce qu'on ne lui avait pas ouvert les portes; il châtia la ville et éventra toutes les femmes enceintes.

**Règne de Menahem
en Israël** (743-738).

¹⁷ En la trente-neuvième année d'Ozias, roi de Juda, Menahem fils de Gadi devint roi sur Israël; il régna dix ans à Samarie. ¹⁸ Il fit ce qui déplaît à Yahvé, il ne se détourna pas des péchés de Jéroboam fils de Nebat, où celui-ci avait entraîné Israël.

De son temps, ¹⁹ Pul[c], roi d'Assyrie, envahit le pays.

---

16. « *Tappuah* » G^L; « *Tipsah* » (*ville sur l'Euphrate !*) H. — « *on ne lui avait pas ouvert* » G Syr ; « *il n'avait pas ouvert* » H.

18. « *De son temps* » G ; « *pendant tout son temps* » H, *rattaché à la phrase précédente.*

*a*) Localisée à Tell el-Fâr'ah près de Naplouse, cf. 1 R **14** 17. Les fouilles ont montré que la ville, déchue de son rang de capitale lors de la fondation de Samarie, était redevenue ensuite une importante cité provinciale et Menahem en était peut-être le gouverneur.

*b*) Localisation disputée, peut-être l'actuel Sheikh Abu-Zarad, environ 15 km. au sud de Naplouse. Mais tout le texte du v. est incertain. En particulier, la mention de Tirça pourrait être une dittographie du v. 14.

*c*) D'après les documents assyro-babyloniens, *Pûlu* est le nom de couronnement que Téglat-Phalasar III, roi d'Assyrie de 745 à 727, cf. le v. 29, prit comme roi de Babylone lorsqu'il y établit son pouvoir en 729.

Menahem donna à Pul mille talents d'argent pour qu'il le soutînt et qu'il affermît le pouvoir royal entre ses mains. 20 Menahem préleva cette somme sur Israël, sur tous les notables, pour la donner au roi d'Assyrie, à raison de cinquante sicles d'argent par tête[a]. Alors le roi d'Assyrie s'en retourna et ne resta pas là, dans le pays.

21 Le reste de l'histoire de Menahem, et tout ce qu'il a fait, cela n'est-il pas écrit au livre des Annales des rois d'Israël ? 22 Menahem se coucha avec ses pères et Peqahya, son fils, devint roi à sa place.

**Règne de Peqahya en Israël** (738-737).

23 En la cinquantième année d'Ozias, roi de Juda, Peqahya fils de Menahem devint roi sur Israël à Samarie, pour deux ans. 24 Il fit ce qui déplaît à Yahvé, il ne se détourna pas des péchés de Jéroboam fils de Nebat, où celui-ci avait entraîné Israël.

25 Son écuyer Péqah fils de Remalyahu complota contre lui et le frappa à Samarie, dans le donjon du palais royal... Il y avait avec lui cinquante hommes de Galaad. Il fit mourir le roi et régna à sa place.

26 Le reste de l'histoire de Peqahya, et tout ce qu'il a fait, cela est écrit au livre des Annales des rois d'Israël.

---

25. « ... » *texte incertain ; litt. « Argob (région de Transjordanie) et le lion (ou : et Arieh ?) » »; on propose de corriger « Argob et les bourgs de Yaïr » et d'y voir une glose mal insérée, qui était destinée à expliquer « Galaad » au v. 29.*

---

a) Le talent comptait alors 3.000 sicles (voir 1 R **10** 15); la contribution était donc répartie sur 60.000 « notables », proprement les citoyens astreints au service armé et possédant une certaine aisance, les *gibbôrê ḥayl*. Ce tribut israélite est mentionné dans les textes assyriens en connexion avec la campagne de Téglat-Phalasar en Syrie en 738.

**Règne de Péqah
en Israël** (737-732).

²⁷ En la cinquante-deuxiè-
me année d'Ozias, roi de
Juda, Péqah fils de Rema-
lyahu devint roi sur Israël à
Samarie; il régna vingt ans[a]. ²⁸ Il fit ce qui déplaît à Yahvé,
il ne se détourna pas des péchés de Jéroboam fils de Nebat,
où celui-ci avait entraîné Israël.

²⁹ Au temps de Péqah, roi d'Israël, Téglat-Phalasar,
roi d'Assyrie, vint s'emparer de Iyyôn, d'Abel-Bet-Maaka,
de Yanoah, de Qédesh, de Haçor, de Galaad, de la Galilée,
tout le pays de Nephtali[b], et il déporta les habitants en
Assyrie[c]. ³⁰ Osée fils d'Éla ourdit un complot contre
Péqah fils de Remalyahu, il le frappa à mort et devint roi
à sa place[d].

³¹ Le reste de l'histoire de Péqah, et tout ce qu'il a fait,
cela est écrit au livre des Annales des rois d'Israël.

---

30. *A la fin, H ajoute « dans la vingtième année de Yotam fils d'Ozias », glose
qui manque dans G^L et qui contredit le v. 33.*

---

*a*) Péqah ne peut avoir régné plus de 4 ou 5 ans, car il succède à Peqahya
qui a régné 2 ans (c'est-à-dire plus d'un an) et les documents assyriens
nous assurent que Menahem régnait encore en 738 (date où il paye le tribut
à Téglat-Phalasar) et qu'Osée a commencé de régner en 732 (date où il
est reconnu par le même souverain).

*b*) Sur Iyyôn et Abel-Bet-Maaka, voir 1 R **15** 20; la situation de Yanoah
est inconnue; Qédesh est Qédesh de Nephtali, au nord-ouest du lac
Huleh; Haçor est à l'ouest du même lac. L'apposition finale « tout Nephtali » se rapporte à ces villes, qui furent conquises au passage par Téglat-
Phalasar dans sa campagne contre la Philistie en 734. La mention de
Galaad et de la Galilée bloque avec ces conquêtes celles de la campagne
de 733-732, dirigée principalement contre Damas.

*c*) Première déportation israélite.

*d*) D'après les annales de Téglat-Phalasar, l'usurpation d'Osée eut
l'appui de l'Assyrie : « Ils renversèrent leur roi Péqah (*Pa-qa-ḫa*) et
je mis Osée (*A-ú-si-'*) comme roi sur eux. Je reçus d'eux 10 talents
d'or, 1.000 (?) talents d'argent comme leur tribut et je l'emportai en
Assyrie. »

‖ 2 Ch **27** 1-4,
7-9

### Règne de Yotam
### en Juda (740-736).

[32] En la deuxième année de
Péqah fils de Remalyahu, roi
d'Israël, Yotam fils d'Ozias
devint roi de Juda. [33] Il avait
vingt-cinq ans à son avènement et il régna seize ans[a]
à Jérusalem; sa mère s'appelait Yerusha, fille de Sadoq.
[34] Il fit ce qui est agréable à Yahvé, imitant en tout la
conduite de son père Ozias. [35] Seulement, les hauts lieux
ne disparurent pas, le peuple continuait d'offrir sacrifices
et encens sur les hauts lieux.

C'est lui qui construisit la Porte Supérieure du Temple
de Yahvé[b].

[36] Le reste de l'histoire de Yotam, et tout ce qu'il a fait,
cela n'est-il pas écrit au livre des Annales des rois de Juda ?
[37] En ces jours-là, Yahvé commença d'envoyer contre
Juda Raçôn[c], roi d'Aram, et Péqah, fils de Remalyahu.
[38] Yotam se coucha avec ses pères, on l'enterra dans la
Cité de David, son ancêtre, et son fils Achaz devint roi à
sa place.

### Règne d'Achaz
### en Juda (736-716).

**16.** [1] En la dix-septième
année de Péqah fils de Remalyahu, Achaz fils de Yotam devint roi de Juda.

‖ 2 Ch **28** 1-4 [2] Achaz avait vingt ans à son avènement et il régna seize
ans à Jérusalem. Il ne fit pas ce qui est agréable à Yahvé,

---

38. *Après « on l'enterra », H ajoute « avec ses pères », voir le v.* 7.

*a*) Si le chiffre est exact, il comprend les années de régence de Yotam
pendant la maladie de son père, v. 5.
*b*) Vraisemblablement « la Porte de Benjamin, la plus haute », Jr **20** 2,
au nord du parvis; cf. Ez **9** 2.
*c*) Cette forme du nom, soutenue par le grec et les documents assyriens,
est préférable à celle de Reçîn, que donne l'hébreu. Raçôn est le dernier
roi de Damas avant la prise de la ville par les Assyriens, **16** 9. C'est la
préparation de la guerre qui se développera sous Achaz, **16** 5-9.

son Dieu, comme avait fait David son père. ³ Il imita la conduite des rois d'Israël, et même il fit passer son fils par le feu*ᵃ*, selon les coutumes abominables des nations que Yahvé avait chassées devant les Israélites. ⁴ Il offrit des sacrifices et de l'encens sur les hauts lieux, sur les collines et sous tout arbre verdoyant*ᵇ*.

⁵ C'est alors que Raçôn*ᶜ*, roi d'Aram, et Péqah fils de Remalyahu, roi d'Israël, partirent en guerre contre Jérusalem, ils l'assiégèrent mais ils ne purent pas la réduire*ᵈ*. ⁶ (En ce temps-là, le roi d'Édom recouvra Élat pour Édom; il expulsa les Judéens d'Élat, les Édomites y entrèrent et ils y sont restés jusqu'à ce jour*ᵉ*.) ⁷ Alors Achaz envoya des messagers à Téglat-Phalasar, roi d'Assyrie, pour lui dire : « Je suis ton serviteur et ton fils*ᶠ* !

‖ 2 Ch **28** 17

‖ 2 Ch **28** 16

---

**16** 5. « *ils l'assiégèrent* » *Syr, cf.* Is **7** 1 ; « *ils assiégèrent Achaz* » *H.*
6. « *le roi d'Édom* » *conj.*; « *Raçôn roi d'Aram* » *H.* — « *pour Édom* » *conj.*; « *pour Aram* » *H.* — « *les Édomites* » *Ket ;* « *les Araméens* » *Qer.*

---

*a*) C'est-à-dire « il fit brûler ». Ces sacrifices d'enfants sont condamnés dans la Bible comme un rite païen, Dt **12** 31; **18** 10-12 (à quoi se réfère la phrase suivante); ils s'étaient introduits chez les Israélites, 2 R **17** 17; **21** 6; **23** 10; Jr **7** 31; **19** 5; **32** 35; Ez **16** 21; **20** 31, et sont sévèrement condamnés par la Loi, Lv **18** 21; **20** 2 s. D'après plusieurs de ces textes, ils étaient offerts au dieu « Molek », c'est-à-dire Mélek le dieu Roi, mais cette traduction est contestée et certains auteurs comprennent « en sacrifice votif », *lᵉmolk*, d'après quelques inscriptions puniques. Mais, quel qu'ait été le sens en dehors d'Israël, certains des textes cités prouvent que les Israélites considéraient ces sacrifices comme offerts à une divinité étrangère.
*b*) Expression stéréotypée du culte en plein air de la religion naturiste de Canaan, 1 R **14** 23; 2 R **17** 10; Dt **12** 2; Jr **2** 20, etc.
*c*) Voir la note à **15** 37.
*d*) Cette guerre, à l'occasion de laquelle ont été prononcées les prophéties d'Is **7** et **8**, avait pour fin d'entraîner Juda dans une coalition contre l'Assyrie.
*e*) Les Édomites profitent des difficultés d'Achaz avec ses ennemis du Nord pour reprendre Élat, voir **14** 22. Cet épisode, inséré dans la trame de la guerre contre Aram et Israël, n'a pas été compris par les copistes qui ont corrompu « Édom » en « Aram » et ont ajouté le nom de Raçôn (voir note textuelle).
*f*) Achaz se déclare vassal de Téglat-Phalasar, cf. 1 R **20** 32. L'événe-

Viens me délivrer des mains du roi d'Aram et du roi
d'Israël, qui se sont levés contre moi. » ⁸ Achaz prit
l'argent et l'or qu'on trouva dans le Temple de Yahvé et
dans les trésors du palais royal et envoya le tout en présent
au roi d'Assyrie*ᵃ*. ⁹ Le roi d'Assyrie l'exauça, il monta
contre Damas et s'en empara; il déporta les habitants à
Qir et fit mourir Raçôn*ᵇ*.

‖ 2 Ch **28** 21 (left margin, at line "d'Israël…")

¹⁰ Le roi Achaz alla à Damas pour rencontrer Téglat-
Phalasar, roi d'Assyrie, et il vit l'autel qui était à Damas*ᶜ*.
Alors le roi Achaz envoya au prêtre Uriyya les mesures
de l'autel et son modèle, avec le détail de sa structure.
¹¹ Le prêtre Uriyya construisit l'autel; toutes les instructions que le roi Achaz avait envoyées de Damas, le prêtre
Uriyya les exécuta avant que le roi Achaz revînt de Damas.
¹² Lorsque le roi Achaz arriva de Damas, il vit l'autel, il
s'en approcha et il y monta. ¹³ Il fit fumer sur l'autel son
holocauste et ses oblations, versa sa libation et répandit
le sang de ses sacrifices de communion*ᵈ*. ¹⁴ Quant à l'autel

‖ 2 Ch **28** 23 (left margin, at line "s'en approcha…")

---

10. « *les mesures* » middôt Gᴸ; « *l'image* » dᵉmût H.
14. *Après* « *l'autel* », H *ajoute, en liaison grammaticalement incorrecte*, « *de
bronze* », *glose d'après le v.* 15.

---

ment eut lieu en 734, où un document assyrien mentionne en effet Achaz
parmi les tributaires de l'Assyrie. Mais, en achetant ainsi la protection de
l'étranger, Achaz prépare la ruine de son propre royaume, voir Is **8** 5 s.

*a*) Voir la note à **12** 19.

*b*) Campagne de Téglat-Phalasar contre Damas, 733-732. La situation
de Qir est incertaine, peut-être du côté de l'Élam, cf. Is **22** 6; d'après
Am **1** 5 et **9** 7, c'est le lieu d'origine des Araméens, où ils doivent retourner
comme captifs.

*c*) Il s'agit du grand autel du temple de Damas, **5** 18, et non pas d'un
autel assyrien dressé par l'armée d'occupation.

*d*) Sur les deux sortes de sacrifices et les oblations, voir 1 R **8** 64. C'est
le roi qui consacre l'autel en y accomplissant lui-même les fonctions sacer-
dotales. Il se réservait ce rôle de prêtre en certaines circonstances (voir
1 R **8** 64; **9** 25; pour la pratique ordinaire, voir le v. 15, ci-dessous) et
personne alors ne s'en offusquait. Le roi est aussi, d'après ce passage,
l'administrateur du Temple et l'ordonnateur du culte (voir déjà **12** 5-17),
et Uriyyah n'apparaît que comme un fonctionnaire royal.

qui était devant Yahvé[a], il le déplaça de devant le Temple, où il était entre le nouvel autel et le Temple de Yahvé, et le mit à côté du nouvel autel, vers le nord. [15] Le roi Achaz fit ce commandement au prêtre Uriyya : « C'est sur le grand autel que tu feras fumer l'holocauste du matin et l'oblation du soir[b], l'holocauste du roi et son oblation, l'holocauste, l'oblation et les libations de tout le peuple ; tu répandras sur lui tout le sang des holocaustes et des sacrifices. Pour ce qui concerne l'autel de bronze, je vais m'en occuper[c]. » [16] Le prêtre Uriyya fit tout ce que lui avait ordonné le roi Achaz.

[17] Le roi Achaz démonta les bases roulantes, il en détacha les traverses et les bassins, il descendit la Mer de bronze de dessus les bœufs qui la supportaient et la posa sur le pavé de pierres[d]. [18] En considération du roi d'Assyrie, il supprima du Temple de Yahvé l'estrade du trône,

‖ 2 Ch **28** 24

---

15. « *tout le peuple* » G ; « *tout le peuple du pays* » H.

16. « *lui avait ordonné* » G ; « *avait ordonné* » H.

17. *Texte troublé en H, où* « *les traverses* » *viennent devant* « *les bases roulantes* » *sans liaison grammaticale*.

18. « *il supprima du Temple* » hésîr mibbêt *conj.* ; « *il modifia dans le Temple* » héséb bêt H. — « *l'estrade du trône* » mûsad haššèbèt G ; « *la partie couverte du Sabbat* » ( ?) mêsak (*ou* mûsak) haššabât H.

---

*a*) C'est l'autel de bronze (comme l'indique une glose exacte, voir note textuelle), installé par Salomon, 1 R **8** 64 ; **9** 25, devant l'entrée du Temple. C'était un bâti de métal, qu'on pouvait déplacer et qui était plus petit (v. 15) que l'autel maçonné qui le remplace.

*b*) Voir note sur 1 R **18** 29.

*c*) Traduction incertaine. On a proposé aussi de traduire : « il sera pour moi pour rendre des oracles », en donnant à *biqqér* le sens rituel, non attesté autrement, d' « examiner » les entrailles des victimes ; ce serait un trait d'influence assyrienne, cf. Ez **21** 26. L'hypothèse est peu assurée. En fait, il ne sera plus jamais question de cet autel, dont le métal a probablement été utilisé pour d'autres fins.

*d*) Sur les bases roulantes, voir 1 R **7** 27 s ; sur la Mer de bronze, 1 R **7** 23 s. On ne sait pas si ces changements répondent à une intention cultuelle, ou s'ils doivent simplement procurer au roi le bronze dont il a besoin pour payer son tribut au roi d'Assyrie.

qu'on y avait construite, et l'entrée extérieure du roi[a].

|| 2 Ch **28** 26-27 **19** Le reste de l'histoire d'Achaz, et tout ce qu'il a fait, cela n'est-il pas écrit au livre des Annales des rois de Juda ? **20** Achaz se coucha avec ses pères, on l'enterra dans la Cité de David et son fils Ézéchias régna à sa place.

**Règne d'Osée en Israël**
**(732-724).**

**17.** **1** En la douzième année d'Achaz, roi de Juda, Osée fils d'Éla devint roi sur Israël à Samarie ; il régna neuf ans. **2** Il fit ce qui déplaît à Yahvé, non pas pourtant comme les rois d'Israël ses prédécesseurs.

**3** Salmanasar[b], roi d'Assyrie, monta contre Osée, qui se soumit à lui et lui paya tribut. **4** Mais le roi d'Assyrie découvrit qu'Osée le trahissait : celui-ci avait envoyé des messagers à So[c], roi d'Égypte, et il n'avait pas livré le tribut au roi d'Assyrie, comme chaque année. Alors le roi d'Assyrie le fit mettre en prison, chargé de chaînes[d].

---

19. « *et tout* » *Vers.*; *omis par H.*

---

a) D'après l'interprétation la plus vraisemblable de ce passage discuté, l'estrade (voir note textuelle et la note sur **11** 14) et l'entrée du roi (sans doute la porte du Roi de 1 Ch **9** 18; cf. Ez **46** 1-3, située à l'orient du parvis et appelée « extérieure » pour la distinguer de la porte qui faisait communiquer directement le palais et le Temple) seraient des marques de souveraineté, dont Téglat-Phalasar exige la suppression par son nouveau vassal.

b) Salmanasar V (727-722), successeur de Téglat-Phalasar III. Sa première campagne contre Osée, mentionnée dans la suite du v., n'est pas confirmée par les textes assyriens; elle fut probablement en rapport avec le siège de Tyr, qu'il fit vers 725, au témoignage de Josèphe.

c) Identification incertaine, car le Pharaon qui régnait alors était probablement Tefnakht. Ce « So », roi d'Égypte, est vraisemblablement un général égyptien, le même que les textes assyriens appellent Sibe, et qui était peut-être un prince du Delta ou un prétendant au trône dans cette période troublée.

d) Cet emprisonnement d'Osée, qui avait marché à la rencontre de Salmanasar ou qui s'était enfui de Samarie, coïncida avec le début du siège de la ville et marque la fin du règne (neuvième année).

<sup>5</sup> Le roi d'Assyrie envahit  = **18** 9-11

**Prise de Samarie** (721).    tout le pays et vint assiéger
Samarie, pendant trois ans.
<sup>6</sup> En la neuvième année d'Osée, le roi d'Assyrie prit
Samarie<sup>a</sup> et déporta les Israélites en Assyrie. Il les établit à
Halah<sup>b</sup>, sur le Habor, fleuve de Gozân<sup>c</sup>, et dans les villes
des Mèdes<sup>d</sup>.

<sup>7</sup> Cela arriva parce que les

**Réflexions sur la ruine**    Israélites avaient péché contre
**du royaume d'Israël**<sup>e</sup>.    Yahvé leur Dieu, qui les
avait fait monter du pays
d'Égypte, les soustrayant à l'emprise de Pharaon, roi
d'Égypte. Ils adorèrent d'autres dieux, <sup>8</sup> ils suivirent les
coutumes des nations que Yahvé avait chassées devant

---

**17** 8. *A la fin, H ajoute quelques mots qui peuvent se traduire :* « *et* (*les coutumes*)
*des rois d'Israël qu'ils se firent* » *ou* « *et* (*les coutumes*) *que les rois d'Israël avaient
établies* ». *Plus probablement, glose destinée au début du v. 9, où on la transfère ici.*

*a*) Le siège avait été mis en 724. Salmanasar n'en vit pas la fin et les
Annales assyriennes placent la prise de la ville au début du règne de son
frère et successeur, Sargon. Ce dernier étant monté sur le trône en décembre 722, la chute de Samarie se produisit vraisemblablement dans les premiers mois de 721. La date de la neuvième année d'Osée, donnée par le
texte, se rapporte en réalité au début du siège (voir la note précédente et
la note sur **18** 9).
*b*) Non loin de Harran, à l'extrême nord de la Mésopotamie.
*c*) Le Habor est un affluent de l'Euphrate en Mésopotamie du Nord;
Gozân est le district de Guzâna des textes assyriens. Ceux-ci nous gardent
les noms de quelques Israélites établis dans cette contrée, et à Gozân
même, l'actuel Tell Halaf.
*d*) A l'est de la Mésopotamie. Les colons israélites y remplaçaient les
indigènes que Téglat-Phalasar en avait déportés; l'action du livre de Tobie
se situe dans ce cadre.
*e*) Ces réflexions ne sont pas d'une seule venue. Pour l'auteur principal
du livre, la grande faute d'Israël est le schisme religieux et le culte des
veaux d'or (1 R **12** 26-33); ce « péché originel » motivait la condamnation
portée contre chaque roi d'Israël et est stigmatisé ici aux vv. 7<sup>a</sup> et 21-23.
On y a ajouté un développement, plein de réminiscences du Deutéronome
et des Prophètes (surtout Jérémie), sur le syncrétisme religieux et les sanctuaires locaux, vv. 7<sup>b</sup>-18. Une autre addition englobe Juda dans cette
réprobation (vv. 19-20).

eux. [9] Les Israélites, et les rois qu'ils se firent, machinèrent[a] de mauvais desseins contre Yahvé leur Dieu, ils se construisirent des hauts lieux, partout où ils habitaient depuis les tours de garde jusqu'aux villes fortes[b]. [10] Ils se dressèrent des stèles et des pieux sacrés sur toute colline élevée et sous tout arbre verdoyant[c]. [11] Ils y sacrifièrent à la manière des nations que Yahvé avait expulsées devant eux et ils y commirent de mauvaises actions, provoquant la colère de Yahvé. [12] Ils rendirent un culte aux idoles, alors que Yahvé leur avait dit : « Vous ne ferez pas cette chose-là. »

[13] Pourtant, Yahvé avait fait cette injonction à Israël et à Juda, par le ministère de tous les prophètes et de tous les voyants : « Convertissez-vous de votre mauvaise conduite, avait-il dit, et observez mes commandements et mes lois, selon toute la Loi que j'ai prescrite à vos pères et que je leur ai communiquée par le ministère de mes serviteurs les prophètes. » [14] Mais ils n'obéirent pas et raidirent leur nuque plus que n'avaient fait leurs pères, qui n'avaient pas cru en Yahvé leur Dieu. [15] Ils méprisèrent ses lois, ainsi que l'alliance qu'il avait conclue avec leurs pères et les ordres formels qu'il leur avait intimés.

---

9. « *et les rois qu'ils se firent* », *voir sur le v.* 8. *Glose probable d'après le v.* 21.

11. *Après* « *Ils y sacrifièrent* », *le texte ajoute* « *sur tous les hauts lieux* », *glose.*

13. « *de tous les prophètes et de tous les voyants* » *Targ Vulg ; H est grammaticalement incorrect.*

14. « *plus que n'avaient fait* » *G ;* « *comme avaient fait* » *H.*

---

*a*) On corrige parfois en *wayᵉḥappᵉšû*, mais, sans correction, le verbe *ḥp'* peut signifier « dissimuler, agir en secret » d'après le sens de la forme voisine *ḥph*. Ou bien il signifie « proférer » d'après l'akkadien *ḥapū* ; on traduirait, alors : « ils proférèrent des paroles inconvenantes », peut-être le nom de Baal appliqué à Yahvé, cf. Os **2** 18-19.

*b*) Voir **18** 8, d'où l'expression a, sans doute, été tirée.

*c*) Voir **16** 4.

Ils coururent après la vanité et devinrent eux-mêmes
vanité[a], à l'imitation des nations d'alentour, bien que
Yahvé leur eût commandé de ne pas faire comme elles.
[16] Ils rejetèrent tous les commandements de Yahvé leur
Dieu, et se firent des idoles fondues, les deux veaux[b],
ils se firent des pieux sacrés, ils se prosternèrent devant
toute l'armée du ciel[c] et rendirent un culte à Baal. [17] Ils
firent passer leurs fils et leurs filles par le feu[d], ils prati-
quèrent la divination et la sorcellerie[e], ils se vendirent
pour faire le mal au regard de Yahvé, provoquant sa
colère. [18] Alors Yahvé fut profondément irrité contre
Israël et l'écarta de devant sa face. Il ne resta que la seule
tribu de Juda[f].

[19] Juda aussi n'observa pas les commandements de
Yahvé son Dieu, et suivit les coutumes qu'Israël avait
établies. [20] Et Yahvé repoussa toute la race d'Israël, il
l'humilia et la livra aux pillards, tant qu'enfin il la rejeta
loin de sa face. [21] Il avait, en effet, détaché Israël de la
maison de David, et Israël avait proclamé roi Jéroboam
fils de Nebat; Jéroboam avait détourné Israël de Yahvé
et l'avait entraîné dans un grand péché[g]. [22] Les Israélites
imitèrent le péché que Jéroboam avait commis, ils ne s'en
détournèrent pas, [23] tant qu'enfin Yahvé écarta Israël de
sa face, comme il l'avait annoncé par le ministère de ses
serviteurs, les prophètes; il déporta les Israélites loin de
leur pays en Assyrie, où ils sont encore aujourd'hui.

---

22. « *le péché* » G ; « *tous les péchés* » H.

---

*a*) Imité de Jr **2** 5.
*b*) Les veaux d'or de Dan et de Béthel, 1 R **12** 28. Glose probable.
*c*) Condamnation des cultes astraux, Dt **4** 19; **17** 3.
*d*) Voir la note sur **16** 3.
*e*) Pour tout le v., voir Dt **18** 10.
*f*) Cf. 1 R **12** 20.
*g*) Voir la note *e*, p. 199.

**Origine
des Samaritains**[a].

²⁴ Le roi d'Assyrie fit venir des gens de Babylone, de Kuta[b], de Avva[c], de Hamat[d] et de Sepharvayim[e] et les établit dans les villes de la Samarie à la place des Israélites; ils prirent possession de la Samarie et demeurèrent dans ses villes.

²⁵ Au début de leur installation dans le pays, ils ne révéraient pas Yahvé et celui-ci envoya contre eux des lions, qui en firent un massacre. ²⁶ Ils dirent au roi d'Assyrie : « Les peuples que tu as déportés pour les établir dans les villes de la Samarie ne connaissent pas le rite du dieu du pays, et il a envoyé contre eux des lions. Ceux-ci les font mourir parce qu'ils ne connaissent pas le rite du dieu du pays. » ²⁷ Alors le roi d'Assyrie donna cet ordre : « Qu'on fasse partir là-bas l'un des prêtres que j'en ai déportés, qu'il aille s'y établir et qu'il leur enseigne le rite du dieu du pays. » ²⁸ Alors vint l'un des prêtres qu'on avait

---

27. « *j'en ai déportés* » Targ ; « *vous en avez déportés* » H. — « *qu'il aille* » Vers.; « *qu'ils aillent* » H.

---

*a*) Cette section reflète l'opinion des Judéens sur le repeuplement de l'ancien royaume rival, vv. 24-28 et 41. C'est une vue simplifiée, qui suppose que le pays avait été vidé de ses habitants israélites (la déportation n'avait atteint qu'une minorité d'entre eux) et qui bloque plusieurs colonisations successives; le maintien du culte yahviste, dans ce milieu supposé d'abord exclusivement païen, est expliqué par l'histoire des vv. 25-28. Pendant l'Exil on a ajouté les détails des vv. 29-34ᵃ. Le développement des vv. 34-ᵇ40 revient sur les fautes qui ont motivé la ruine d'Israël et serait mieux à sa place dans la première partie du ch.

*b*) Aujourd'hui Tell Ibrahim, au nord de Babylone et à l'est de l'Euphrate.

*c*) Appelée Ivva à **18** 34 et **19** 13, probablement une marche orientale de la Mésopotamie, du côté de l'Élam.

*d*) Hama de Syrie, sur l'Oronte.

*e*) Probablement identique à Sibrayim, qu'Ez **47** 16 cite avec Hamat et qui devait se trouver dans la même région.

déportés de Samarie et il s'installa à Béthel; il leur enseignait comment ils devaient révérer Yahvé.

²⁹ Chaque peuple se fit des idoles de ses dieux et les mit dans les temples des hauts lieux, qu'avaient faits les Samaritains; chaque peuple agit ainsi dans les villes qu'il habitait. ³⁰ Les gens de Babylone avaient fait un Sukkot-Benot*ᵃ*, les gens de Kuta un Nergal*ᵇ*, les gens de Hamat un Ashima*ᶜ*, ³¹ les Avvites un Nibhaz et un Tartaq*ᵈ*, et les Sepharvites brûlaient leurs enfants au feu en l'honneur d'Adrammélek et d'Anammélek*ᵉ*, dieux de Sepharvayim. ³² Ils révéraient aussi Yahvé et ils se firent, en les prenant parmi eux, des prêtres des hauts lieux*ᶠ*, qui officiaient pour eux dans les temples des hauts lieux. ³³ Ils révéraient Yahvé et ils servaient leurs dieux, selon le rite des nations d'où ils avaient été déportés. ³⁴ Encore aujourd'hui, ils suivent leurs anciens rites.

Ils ne révéraient pas Yahvé*ᵍ* et ils ne se conformaient pas à ses règles et à ses rites, à la loi et aux commandements

---

34. « *ses règles... ses rites* » *conj.*; « *leurs règles... leurs rites* » H (*influencé par le début du v.*).

---

*a*) Incertain; on y peut reconnaître *Sakkut,* nom babylonien de la planète Saturne (voir Am **5** 26) et *Banîtu,* épithète de la déesse Isthar.

*b*) Dieu des Enfers, vénéré à Kuta.

*c*) Identification contestée. Cf. Am **8** 14 et Ashim-Béthel dans les papyrus d'Éléphantine.

*d*) Peut-être les deux divinités élamites (cf. la localisation de Avva, p. 202, n. *c*) Ibnaḫaza et Dagdadra.

*e*) Adrammélek équivaut certainement à Adadmélek, « le Roi Adad (ou Hadad) », nom divin qui est attesté dans la formation de certains noms propres assyriens de Gozân (cf. p. 199, n. *c*). ˙Anammélek représente « Anat du Roi », la déesse parèdre de Hadad. Sur les sacrifices d'enfants, voir **16** 3.

*f*) Comparer 1 R **12** 31.

*g*) Il ne s'agit plus de païens, comme dans les vv. précédents, mais des Israélites infidèles, comme aux vv. 14 s. Les vv. 34ᵇ-39 sont une addition.

que Yahvé avait prescrits aux enfants de Jacob, à qui il avait imposé le nom d'Israël. [35] Yahvé avait conclu avec eux une alliance et il leur avait fait cette prescription : « Vous ne révérerez pas les dieux étrangers, vous ne vous prosternerez pas devant eux, vous ne leur rendrez pas de culte et vous ne leur offrirez pas de sacrifices. [36] C'est seulement à Yahvé, qui vous a fait monter du pays d'Égypte par la grande puissance de son bras étendu, qu'iront votre révérence, votre adoration et vos sacrifices. [37] Vous observerez les règles et les rites, la loi et les commandements qu'il vous a donnés par écrit pour vous y conformer toujours, et vous ne révérerez pas de dieux étrangers. [38] N'oubliez pas l'alliance que j'ai conclue avec vous et ne révérez pas de dieux étrangers, [39] révérez seulement Yahvé, votre Dieu, et il vous délivrera de la main de tous vos ennemis. » [40] Mais ils n'obéirent pas, et ils continuent de suivre leur ancien rite[a].

[41] Donc ces peuples révéraient Yahvé et rendaient un culte à leurs idoles; leurs enfants et les enfants de leurs enfants continuent de faire aujourd'hui comme avaient fait leurs pères.

---

a) Raccord avec le v. 34[a], après l'addition des vv. 34[b]-39, voir la note a, p. 202.

# VIII

## LES DERNIERS TEMPS
## DU ROYAUME DE JUDA

### I. Ézéchias, le prophète Isaïe et l'Assyrie

**Introduction
au règne d'Ézéchias
(716-687).**

**18.** ¹ En la troisième année d'Osée*a* fils d'Éla, roi d'Israël, Ézéchias fils d'Achaz devint roi de Juda. ² Il avait vingt-cinq ans à son avènement et il régna vingt-neuf ans à Jérusalem; sa mère s'appelait Abiyya, fille de Zacharie. ³ Il fit ce qui est agréable à Yahvé, imitant tout ce qu'avait fait David, son ancêtre. ⁴ C'est lui qui supprima les hauts lieux, brisa les stèles, coupa les pieux sacrés*b* et mit en pièces le serpent d'airain que Moïse avait fabriqué. Jusqu'à ce temps-là, en effet, les Israélites lui offraient des sacrifices; on l'appelait Nehushtân*c*.

‖ 2 Ch **29** 1-2

‖ 2 Ch **31** 1

---

**18** 2. « *Abiyya* » *d'après* 2 *Ch* **29** 1; *H donne ici une forme abrégée* « *Abi* ».
4. « *les pieux sacrés* » *Vers.*; « *le pieu sacré* » *H*.

*a*) Ce synchronisme avec Osée se poursuit aux vv. 9 et 10, mais il ne s'accorde pas avec l'indication du v. 13, qu'on retient ici pour fixer les dates absolues du règne d'Ézéchias. Cette chronologie est incertaine.

*b*) Sur les hauts lieux, voir 1 R **3** 2, sur les stèles et les pieux sacrés, 1 R **14** 23. Par cette centralisation du culte et cette lutte contre l'idolâtrie, Ézéchias prélude à la réforme deutéronomiste de Josias, ch. **23**, et mérite l'éloge sans réticence des vv. 3 et 5-6. Historiquement, cette réforme doit être mise en relation avec la révolte contre l'Assyrie, v. 7.

*c*) Le nom propre fait allusion à la matière de l'objet, le « bronze » *neḥošèt*, et à sa forme de « serpent » *nâḥâš*. L'image passait pour être celle que Moïse avait faite au désert, Nb **21** 8-9, cf. Sg **16** 9; Jn **3** 14, et recevait un culte idolâtrique.

⁵ C'est en Yahvé, Dieu d'Israël, qu'il mit sa confiance.
Après lui, aucun roi de Juda ne lui fut comparable; et pas
plus avant lui[a]. ⁶ Il resta attaché à Yahvé, sans jamais se
détourner de lui, et il observa les commandements que
Yahvé avait prescrits à Moïse. ⁷ Aussi Yahvé fut-il avec
lui et il réussit dans toutes ses entreprises. Il se révolta
contre le roi d'Assyrie et ne lui fut plus soumis[b]. ⁸ C'est
lui qui battit les Philistins jusqu'à Gaza, dévastant leur
territoire, depuis les tours de garde jusqu'aux villes fortes.

= **17** 3-6

**Rappel de la prise
de Samarie**[c].

⁹ En la quatrième année
d'Ézéchias, qui était la septième année d'Osée fils d'Éla,
roi d'Israël, Salmanasar, roi
d'Assyrie, attaqua Samarie et y mit le siège. ¹⁰ On la prit
au bout de trois ans. Ce fut en la sixième année d'Ézéchias,
qui était la neuvième année d'Osée, roi d'Israël, que
Samarie tomba. ¹¹ Le roi d'Assyrie déporta les Israélites
en Assyrie et les installa à Halah, sur le Habor, fleuve de
Gozân, et dans les villes des Mèdes. ¹² C'était parce qu'ils
n'avaient pas obéi à la parole de Yahvé, leur Dieu, et qu'ils
avaient transgressé son alliance, tout ce qu'avait prescrit

---

8. « *leur territoire* » *conj.*; « *son territoire* » H.
11. « *les installa* » wayyanniḥém *Vers.*; « *les conduisit* » wayyanᵉhém H.

---

*a*) La traduction laisse à ces derniers mots la dure syntaxe qu'ils ont
en hébreu, où ils paraissent être additionnels. Parmi les rois de Juda successeurs de David, seuls Ézéchias et Josias échappent au blâme de l'auteur
parce qu'ils ont détruit les hauts lieux; de même Si 49 4.
*b*) Cette révolte se place peut-être en 711, où se dessine une rébellion
des pays de l'Ouest contre l'Assyrie, plus probablement après la mort de
Sargon en 705.
*c*) Ce passage résume les données du ch. **17**, auquel on renvoie pour les
notes. Seuls les synchronismes entre Ézéchias et Osée sont ajoutés ici, en
dépendance de l'indication du v. 1 et en supposant que la neuvième année
d'Osée coïncide avec la prise de Samarie et non avec le début du siège et
la capture du roi, cf. notes sur **17** 4 et 6.

Moïse, le serviteur de Yahvé. Ils n'avaient rien écouté ni rien pratiqué.

**Invasion de Sennachérib**[a]. ¹³ En la quatorzième année du roi Ézéchias, Sennachérib, roi d'Assyrie, attaqua les villes fortes de Juda et s'en empara[b]. ¹⁴ Alors Ézéchias, roi de Juda, envoya ce message au roi d'Assyrie, à Lakish[c] : « J'ai mal agi ! Détourne de moi tes coups. Je me plierai à ce que tu m'imposeras. » Le roi d'Assyrie exigea d'Ézéchias, roi de Juda, trois cents talents d'argent et trente talents d'or[d], ¹⁵ et Ézéchias livra tout l'argent qui se trouvait dans le Temple de Yahvé et dans les trésors du palais royal. ¹⁶ C'est alors qu'Ézéchias fit sauter le revêtement des bat-

‖ 2 Ch **32** 1
‖ Is **36** 1

---

13. « *les villes fortes* » G ; « *toutes les villes fortes* » H.

---

*a*) Fils et successeur de Sargon, 705-681. Sa campagne en Palestine eut lieu en 701. Le rapport détaillé qu'en donnent ses Annales confirme les indications des vv. 13-16, mais ne contient rien qui corresponde à la suite du récit biblique, **18** 17 à **19** 37. Certains condamnent cette narration comme non historique, d'autres la rattachent à une seconde campagne de Sennachérib, qui aurait lieu une douzaine d'années plus tard mais qui n'est pas attestée directement par les documents assyriens, voir encore la note sur **19** 9. Il reste possible que les Annales soient incomplètes et voilent l'échec final de Sennachérib. La narration biblique contient deux récits parallèles (**18** 17 à **19** 9ᵃ + 36-37 d'une part, **19** 9ᵇ à **19** 35 d'autre part), qui racontent d'une manière un peu différente la même succession de faits : message de Sennachérib, prière d'Ézéchias au Temple, intervention d'Isaïe, départ de l'armée assyrienne. Tout ce long passage a été repris, à quelques variantes près, dans le recueil des prophéties d'Isaïe, ch. **36-37**, cf. Introduction, p. 12.

*b*) Dans les Annales de Sennachérib : « J'assiégeai et je pris 46 de ses villes fortes entourées de murs et les innombrables villages de leur entour. »

*c*) Voir **14** 19. La prise de Lakish par Sennachérib n'est pas expressément mentionnée dans les Annales, mais elle est représentée sur un bas-relief.

*d*) Dans les Annales de Sennachérib : « 30 talents d'or et 800 talents d'argent ». Sur le talent, voir 1 R **9** 14.

tants et des montants[a] de portes du sanctuaire de Yahvé, que..., roi de Juda, avait plaqués de métal, et le livra au roi d'Assyrie.

‖ 2 Ch **32** 9-19
Is **36** 2-22

**Mission
du grand échanson.**

[17] De Lakish, le roi d'Assyrie envoya vers le roi Ézéchias à Jérusalem le grand échanson[b] avec un important corps de troupes. Il monta donc à Jérusalem et, étant arrivé, il se posta près du canal de la piscine supérieure, qui est sur le chemin du champ du Foulon[c]. [18] Il appela le roi. Le maître du palais[d] Élyaqim fils de Hilqiyyahu, le secrétaire Shebna et le héraut Yoah fils d'Asaph sortirent pour le joindre. [19] Le grand échanson leur dit : « Dites à Ézéchias : Ainsi parle le grand roi, le roi d'Assyrie. Quelle est cette confiance sur laquelle tu te reposes ?

---

16. « ... »; *le texte porte le nom d'Ézéchias, qui a remplacé par inadvertance celui d'un roi précédent.*

17. « *le grand échanson... Il monta* » *conj.*; « *le commandant en chef et le grand eunuque et le grand échanson... Ils montèrent* » *H.* — « *Il monta donc à Jérusalem et, étant arrivé* » *conj.*; « *Ils montèrent donc à Jérusalem et ils arrivèrent et ils montèrent et ils arrivèrent* » *H, dittographie.*

18. « *Il appela* » *conj.*; « *Ils appelèrent* » *H.* — « *le joindre* » *G VetLat* ; « *les joindre* » *H.*

---

a) Sens incertain. Sur ces revêtements de métal précieux, voir 1 R **6** 20.

b) Titre de cour de l'un des plus hauts personnages d'Assyrie, qui assumait à l'occasion des fonctions militaires. Avant lui, le texte introduit « le commandant en chef et le grand eunuque ». Mais cela ressemble à une addition savante, car : 1° ces deux officiers ne paraissent pas dans la suite du récit; 2° le grand échanson prend seul la parole, bien que son rang soit inférieur à celui du commandant en chef; 3° le parallèle d'Is **36** 2 mentionne seulement le grand échanson.

c) Le champ du Foulon était près de la source du Foulon, 1 R **1** 9, la piscine supérieure recueillait les eaux de la Fontaine de Gihôn, 1 R **1** 33, le canal irriguait la vallée. Les mêmes données topographiques se retrouvent dans Is **7** 3 pour l'époque d'Achaz et prouvent que ce canal n'est pas le tunnel dans le roc qu'Ézéchias creusera ensuite, cf. **20** 20. Le grand échanson est ainsi au pied du rempart et non loin du palais royal.

d) Sur ce titre et les suivants, cf. 1 R **4** 2. Élyaqim et Shebna reparaissent dans Is **22** 15-25.

²⁰ Tu t'imagines que paroles en l'air valent conseil et vaillance pour faire la guerre. En qui donc mets-tu ta confiance, pour t'être révolté contre moi ? ²¹ Voici que tu te fies au soutien de ce roseau brisé, — l'Égypte*ᵃ*, — qui pénètre et perce la main de qui s'appuie sur lui*ᵇ*. Tel est Pharaon, roi d'Égypte, pour tous ceux qui se fient en lui. ²² Vous me direz peut-être : ' C'est en Yahvé, notre Dieu, que nous avons confiance ', mais n'est-ce pas lui dont Ézéchias a supprimé les hauts lieux et les autels en disant aux gens de Juda et de Jérusalem : ' C'est devant cet autel, à Jérusalem, que vous vous prosternerez '*ᶜ* ? ²³ Eh bien ! fais une gageure avec Monseigneur le roi d'Assyrie : je te donnerai deux mille chevaux si tu peux trouver des cavaliers pour les monter*ᵈ* ! ²⁴ Comment ferais-tu reculer un seul des moindres serviteurs de mon maître ? Mais tu t'es fié à l'Égypte pour avoir chars et cavaliers ! ²⁵ Et puis, est-ce sans la volonté de Yahvé que je suis monté contre ce lieu pour le dévaster ? C'est Yahvé qui m'a dit : Monte contre ce pays et dévaste-le*ᵉ* ! »

²⁶ Élyaqim, Shebna et Yoah dirent au grand échanson : « De grâce, parle à tes serviteurs en araméen*ᶠ*, car nous

---

21. « *Voici* » G*ᴸ Vet*Lat *Syr* ; « *Maintenant voici* » H.

24. « *un seul* » conj.; « *un seul gouverneur* » H (*glose ou dittographie*).

26. « *Élyaqim* » Is **36** 11; « *Élyaqim fils de Hilqiyyahu* » H.

---

*a*) Les tentatives d'alliance avec l'Égypte sont stigmatisées par Is **30** et **31**.

*b*) La même image est développée par Ez **29** 6-7. De fait, les Annales de Sennachérib disent que les troupes égyptiennes intervinrent et furent battues à Elteqé, au nord de Libna, cf. **19** 8; sur une autre intervention possible, cf. **19** 9.

*c*) Voir le v. 4.

*d*) L'Assyrie avait des corps de cavalerie depuis le ıxᵉ siècle. Juda n'en eut jamais.

*e*) Cf. Is **10** 5-6.

*f*) L'araméen commençait à devenir la langue des relations internationales du Proche-Orient; le peuple ne comprenait que le « judéen », l'hébreu tel qu'on le parlait à Jérusalem.

l'entendons, ne nous parle pas en judéen à portée des oreilles du peuple qui est sur le rempart. » [27] Mais le grand échanson leur dit : « Est-ce à ton maître ou à toi que Monseigneur m'a envoyé dire ces choses, n'est-ce pas plutôt aux gens assis sur le rempart et condamnés à manger leurs excréments et à boire leur urine[a] avec vous ? »

[28] Alors le grand échanson se tint debout, il cria d'une voix forte, en langue judéenne, et prononça ces mots : « Écoutez la parole du grand roi, le roi d'Assyrie. [29] Ainsi parle le roi : Qu'Ézéchias ne vous abuse pas, car il ne pourra pas vous délivrer de ma main. [30] Qu'Ézéchias n'entretienne pas votre confiance en Yahvé en disant : ' Sûrement Yahvé vous délivrera, cette ville ne tombera pas entre les mains du roi d'Assyrie. ' [31] N'écoutez pas Ézéchias, car ainsi parle le roi d'Assyrie : Faites la paix avec moi, rendez-vous à moi et chacun de vous mangera le fruit de sa vigne et de son figuier et boira l'eau de sa citerne, [32] jusqu'à ce que je vienne et que je vous emmène vers un pays comme le vôtre, un pays de froment et de moût, un pays de pain et de vignobles, un pays d'huile et de miel, pour que vous viviez et ne mouriez pas. Mais n'écoutez pas Ézéchias, car il vous abuse en disant : ' Yahvé nous délivrera ! ' [33] Les dieux des nations ont-ils vraiment délivré chacun leur pays des mains du roi d'Assyrie ? [34] Où sont les dieux de Hamat et d'Arpad, où sont les dieux de Sepharvayim, de Héna et de Ivva[b], où sont

---

27. « *leurs excréments... leur urine* » Ket ; « *leurs ordures... l'eau de leurs pieds* » Qer.

29. « *de ma main* » Vers. ; « *de sa main* » H.

34. « *où sont les dieux du pays de Samarie* » G[L] VetLat ; omis par H.

---

a) Expression réaliste de la famine à laquelle un siège réduirait la ville.

b) Sur Hamat, Sepharvayim et Ivva, voir **17** 24. Arpad est Tell Erfad au nord d'Alep ; Héna n'est pas identifiée. Ces villes avaient été conquises par les prédécesseurs immédiats de Sennachérib.

les dieux du pays de Samarie ? Ont-ils délivré Samarie de
ma main ? [35] Parmi tous les dieux des pays, lesquels ont
délivré leur pays de ma main, pour que Yahvé puisse
délivrer Jérusalem[a] ? »

[36] Ils gardèrent le silence et ne lui répondirent pas un
mot, car tel était l'ordre du roi : « Vous ne lui répondrez
pas », avait-il dit. [37] Le maître du palais Élyaqim fils de
Hilqiyyahu, le secrétaire Shebna et le héraut Yoah fils
d'Asaph, vinrent auprès d'Ézéchias, les vêtements déchirés,
et ils lui rapportèrent les paroles du grand échanson.

**Recours
au prophète Isaïe.**

**19.** [1] A ce récit, le roi
Ézéchias déchira ses vêtements, se couvrit d'un sac[b]
et se rendit au Temple de
Yahvé. [2] Il envoya le maître du palais Élyaqim, le secrétaire Shebna et les anciens des prêtres, couverts de sacs,
auprès du prophète Isaïe fils d'Amoç[c]. [3] Ceux-ci lui dirent :
« Ainsi parle Ézéchias : Ce jour-ci est un jour d'angoisse, de
châtiment et d'opprobre. Les enfants sont à terme et
la force manque pour enfanter[d]. [4] Puisse Yahvé, ton
Dieu, entendre les paroles du grand échanson, que le roi
d'Assyrie, son maître, a envoyé insulter le Dieu vivant,
et puisse Yahvé, ton Dieu, punir les paroles qu'il a entendues ! Adresse une prière en faveur du reste qui subsiste
encore[e]. »

‖ Is **37** 1-7

---

36. « *Ils* » G *Is* **36** 31 ; « *Le peuple* » H.

---

*a)* Comp. Is **10** 8-11.
*b)* Voir 1 R **21** 27.
*c)* Isaïe, dont le ministère avait commencé pendant le règne d'Ozias,
était alors à la fin de sa carrière.
*d)* Sans doute expression proverbiale d'une situation désespérée.
*e)* Le salut d'un « reste » du peuple élu est un des thèmes de la prédica-
tion d'Isaïe, Is **4** 3 ; **7** 3 ; **10** 20-21 ; **28** 5-6 et ici, vv. 30-31.

⁵ Lorsque les ministres du roi Ézéchias furent arrivés auprès d'Isaïe, ⁶ celui-ci leur dit : « Vous direz à votre maître : Ainsi parle Yahvé. N'aie pas peur des paroles que tu as entendues, des blasphèmes que les valets du roi d'Assyrie ont lancés contre moi. ⁷ Je vais mettre en lui un esprit*a* et, sur une nouvelle qu'il entendra, il retournera dans son pays et, dans son pays, je le ferai tomber sous l'épée. »

|| Is **37** 8-9

**Départ
du grand échanson.**

⁸ Le grand échanson s'en retourna et retrouva le roi d'Assyrie à Libna*b*, qu'il attaquait. Le grand échanson avait appris en effet que le roi avait décampé de Lakish, ⁹ car il avait reçu cette nouvelle au sujet de Tirhaqa*c*, roi de Kush : « Voici qu'il est parti en guerre contre toi. »

|| Is **37** 9-20
|| 2 Ch **32** 17

**Lettre de Sennachérib
à Ézéchias.**

De nouveau*d*, Sennachérib envoya des messagers à Ézéchias pour lui dire : ¹⁰ « Vous parlerez ainsi à Ézéchias, roi de Juda : Que ton Dieu en qui tu te confies, ne t'abuse pas

---

*a*) Ce n'est pas la mission d'un Esprit personnel, mais une inspiration de Dieu, qui gouverne les intelligences et les cœurs.

*b*) Voir **8** 22. Ce déplacement de Lakish à Libna peut être mis en relation avec la bataille que, d'après ses Annales, Sennachérib livra aux Égyptiens à Elteqé, au nord de Libna.

*c*) Pharaon de la XXVᵉ dynastie, d'origine éthiopienne, d'où le titre de « roi de Kush » qui lui est donné ici. Il régna à partir de 690 et naquit vers 710; il ne peut donc pas s'être opposé à Sennachérib en 701. C'est l'argument le plus fort en faveur d'une seconde campagne de Sennachérib en Palestine vers 688, cf. la note sur **18** 13. Mais, si la présence de Sennachérib à Libna est en relation avec la bataille d'Elteqé, cf. note précédente, qui appartient à la campagne de 701 d'après les Annales, il faut admettre que le récit biblique non seulement bloque les deux campagnes (**18** 13-16 + **18** 17-**19** 37) mais les combine. Si l'on refuse cette seconde campagne, il reste à reconnaître que le nom de Tirhaqa a été introduit en raison de la réputation de conquérant qui lui a été faite.

*d*) Suture artificielle entre les deux récits parallèles, voir la note sur **18** 13.

en disant : ' Jérusalem ne sera pas livrée aux mains du roi
d'Assyrie ! ' [11] Tu as appris ce que les rois d'Assyrie ont
fait à tous les pays, les vouant à l'anathème, et toi, tu serais
épargné ! [12] De quels secours furent les dieux des nations
que mes pères ont ruinées, Gozân, Harân, Réçeph, et les
Édénites qui étaient à Tell Basar[a] ? [13] Où sont le roi de
Hamat, le roi d'Arpad, le roi de..., de Sepharvayim, de
Héna et de Ivva[b] ? »

[14] Ézéchias prit la lettre des mains des messagers et la
lut. Puis il monta au Temple de Yahvé et la déplia devant
Yahvé. [15] Et Ézéchias fit cette prière en présence de Yahvé :  ‖ 2 Ch **32** 20
« Yahvé, Dieu d'Israël, qui sièges sur les chérubins[c], c'est
toi qui es seul Dieu de tous les royaumes de la terre, c'est
toi qui as fait le ciel et la terre. [16] Prête l'oreille, Yahvé,
et entends, ouvre les yeux, Yahvé, et vois ! Entends les
paroles de Sennachérib, qui a envoyé dire des insultes
au Dieu vivant. [17] Il est vrai, Yahvé, les rois d'Assyrie
ont exterminé les nations, [18] ils ont jeté au feu leurs dieux,
car ce n'étaient pas des dieux, mais l'ouvrage de mains
d'hommes, du bois et de la pierre, alors ils les ont anéantis.

---

**19** 12. « *Tell Basar* » *conj.*; « *Telassar* » *H.*
13. « ... »; lâ'îr *H, cf. note.*
14. « *la lettre* » *G*[L]; « *les lettres* » *H.*
17. « *les nations* » *G ; H ajoute* « *et leur pays* ».

---

*a*) Sur Gozân et Harân, voir **17** 6; Réçeph, non pas l'actuelle Resâfa
au nord-est de Palmyre, mais l'assyrienne Raṣappa dans le Djébel Sind-
jar. Les Édénites sont les habitants du Bit-Adini assyrien, sur les deux rives
du moyen Euphrate, où se trouvait Til-Basheri (aujourd'hui Tell Basher),
ce qui motive la correction introduite dans le texte.
*b*) Sur ces villes, voir **18** 34. L'hébreu *lâ'îr*, laissé ici non traduit, corrigé
par d'autres ou interprété par « un roi pour la ville de » ou comme une
glose attachée aux trois noms suivants « un roi par ville », peut s'expliquer
maintenant par le nom géographique *l'r* d'un document araméen récemment publié, rapproché de l'assyrien Laḥiru, ville en bordure de l'Élam
(comme Ivva ?). Mais la suite géographique des noms est bizarre.
*c*) Voir 1 R **6** 23.

‖ Is **37** 21-35

[19] Mais maintenant, Yahvé, notre Dieu, délivre-nous de sa main, je t'en supplie, et que tous les royaumes de la terre sachent que toi seul es Dieu, Yahvé ! »

**Intervention d'Isaïe.**

[20] Alors Isaïe, fils d'Amoç, envoya dire à Ézéchias : « Ainsi parle Yahvé, Dieu d'Israël. J'ai entendu la prière que tu m'as adressée au sujet de Sennachérib, roi d'Assyrie. [21] Voici l'oracle que Yahvé a prononcé contre lui :

Elle te méprise, elle te raille,
  la vierge, fille de Sion.
Elle hoche la tête[a] après toi,
  la fille de Jérusalem.
[22] Qui donc as-tu insulté, blasphémé ?
  Contre qui as-tu parlé haut
et levé ton regard altier ?
  Contre le Saint d'Israël !
[23] Par tes messagers, tu as insulté le Seigneur.
  Tu as dit : ' Avec mes nombreux chars,
j'ai gravi le sommet des monts,
  les dernières cimes du Liban.
J'ai coupé sa haute futaie de cèdres
  et ses plus beaux cyprès.
J'ai atteint son ultime retraite,
  son parc forestier.
[24] Moi, j'ai creusé et j'ai bu
  des eaux étrangères,

---

23. « *J'ai coupé... J'ai atteint* » G ; « *Je couperai... J'atteindrai* » H.

---

a) Geste de moquerie, Jb **16** 4; Ps **22** 8; **109** 25; Lm **2** 15.

j'ai asséché sous la plante de mes pieds
    tous les fleuves d'Égypte[a]. '

<sup>25</sup> Entends-tu bien ? De longue date,
    j'ai préparé cela,
aux jours antiques j'en fis le dessein,
    maintenant je le réalise.
Ton destin fut de réduire en tas de ruines
    des villes fortifiées.
<sup>26</sup> Leurs habitants, les mains débiles,
    épouvantés et confondus,
furent comme plantes des champs,
    verdure du gazon,
herbes des toits et guérets
    sous le vent d'orient.
<sup>27</sup> Mais je suis là, si tu te lèves ou t'assieds ;
    tu sors ou tu entres, et je le sais.
<sup>28</sup> Parce que tu t'es emporté contre moi,
    que ton insolence est montée à mes oreilles,
je passerai mon anneau à ta narine
    et mon mors à tes lèvres,
je te ramènerai sur la route
    par laquelle tu es venu.

---

24. « *j'ai asséché* » *G* ; « *j'assécherai* » *H*.
25. « *Ton destin fut* » *G* ; « *Ton destin sera* » *H*.
26. « *et guérets* » ûš<sup>e</sup>démah *Is* **37** 17 ; « *et brûlée* » ? ûš<sup>e</sup>dépah *H*. — « *sous le vent d'orient* » lipnéh qâdîm *conj.* ; « *avant croissance* » ? lipnéh qâmah *H*.
27. « *je suis là, si tu te lèves* » *conj.* ; *omis par H par suite de l'homophonie avec les mots précédents.* — *A la fin, le texte ajoute* « *et que tu t'emportes contre moi* », *doublet du v.* 28 *début.*

---

*a*) En fait le premier roi assyrien qui ait envahi l'Égypte est Asarhaddon, successeur de Sennachérib, ce qui justifierait les verbes au futur du texte hébreu. Le style de ce poème, vv. 21-28, est authentiquement celui d'Isaïe ; tout au plus aurait-il été retouché par un de ses disciples.

²⁹ Ceci te servira de signe[a] :

On mangera cette année du grain tombé,
    et l'an prochain du grain de jachère,
mais, le troisième an, semez et moissonnez,
    plantez des vignes et mangez de leur fruit.
³⁰ Le reste survivant de la maison de Juda produira
    de nouvelles racines en bas et des fruits en haut.
³¹ Car de Jérusalem sortira un reste,
    et des réchappés, du mont Sion.
L'amour jaloux de Yahvé Sabaot[b] fera cela !

³² Voici donc ce que dit Yahvé sur le roi d'Assyrie[c] :

Il n'entrera pas dans cette ville,
    il n'y lancera pas de flèche,
il ne tendra pas de bouclier contre elle,
    il n'y entassera pas de remblai.
³³ Par la route qui l'amena, il s'en retournera,
    il n'entrera pas dans cette ville, oracle de Yahvé.
³⁴ Je protégerai cette ville et la sauverai
    à cause de moi et de mon serviteur David. »

---

30. « *et des fruits* » *conj.*; « *et fera des fruits* » H.
33. « *l'amena* » *Vers. Is* **37** 34; « *l'amènera* » H.

---

a) Isaïe s'adresse à Ézéchias. L'interprétation du « signe » est difficile :
pendant deux ans on ne peut pas semer et on mange d'abord ce que produit le grain tombé lors de la précédente récolte, puis ce que la terre donne spontanément; mais Sennachérib n'est même pas resté un an en Palestine et la délivrance va être immédiate, v. 35. Ou bien l'oracle fut prononcé dans une autre circonstance, ou bien ce « signe » est très général; après les mauvais jours vient la prospérité. Il ne semble pas se référer à la jachère de l'année sabbatique ou de l'année jubilaire, malgré les analogies verbales avec Lv **25** 21-22.
b) Voir 1 R **18** 15.
c) Des trois oracles, celui-ci est le plus précis et se rapporte directement à la situation : il apporte la réponse divine à la prière du roi, vv. 15-19.

**Échec et mort de Sennachérib.**

³⁵ Cette même nuit, l'Ange de Yahvé sortit et frappa dans le camp assyrien cent quatre-vingt-cinq mille hommes. Le matin, au réveil, ce n'étaient plus que des cadavres ᵃ.

‖ 2 Ch **32** 21-22
‖ Is **37** 36-38

³⁶ Sennachérib leva le camp et partit. Il s'en retourna et resta à Ninive. ³⁷ Un jour qu'il était prosterné dans le temple de Nisroq ᵇ, son dieu, ses fils Adrammélek et Saréécer le frappèrent avec l'épée et se sauvèrent au pays d'Ararat ᶜ. Asarhaddon, son fils, devint roi à sa place.

**Maladie et guérison d'Ézéchias ᵈ.**

**20.** ¹ En ces jours-là ᵉ, Ézéchias fut atteint d'une maladie mortelle. Le pro-phète Isaïe, fils d'Amoç, vint

‖ 2 Ch **32** 24
‖ Is **38** 1-8

---

37. « *ses fils* » *Vers. Is* **37** 38; *omis par* H.

---

*a*) L'armée assyrienne (on ne dit pas que ce fut à Jérusalem où s'étaient présentés seulement les ambassadeurs et leur escorte) est décimée par un fléau de Dieu, peut-être une peste (comparer la peste infligée par l'Ange de Yahvé sous David, 2 S **24** 15 s). Hérodote raconte la déroute aux fron-tières de l'Égypte d'une armée de « Sanacharibos », devant une invasion de rats, sans doute propagateurs d'une épidémie.

*b*) Inconnu dans le panthéon assyrien; peut-être, la déformation d'un autre nom divin, Marduk ou Assur, ou une fusion des deux.

*c*) La Bible nomme deux meurtriers : Adrammélek (sur le nom, cf. **17** 31) et Saréécer, peut-être un diminutif de Nergal-shar-uçur. Sennachérib fut en effet assassiné en janvier 680. Les autres sources babyloniennes et grecques ne parlent que d'un seul de ses fils comme meurtrier, mais une inscription de son fils et successeur, Asarhaddon, 680-669, parle au pluriel de « ses frères » qui « conçurent le mal et se révoltèrent » pour l'empê-cher d'accéder au trône mais s'enfuirent quand il arriva avec son armée. L'allu-sion au meurtre est voilée mais elle est certaine et elle confirme le récit biblique, qui est plus précis. Ararat est l'Arménie, Urartu en assyrien.

*d*) Comme les ch. **18** et **19**, ce ch. **20** est repris dans le livre d'Isaïe (ch. **38** et **39**), avec un texte plus court, un ordre parfois différent des vv. et l'addition du Cantique d'Ézéchias, qui est une composition litur-gique tardive.

*e*) L'indication chronologique est vague, car la maladie d'Ézéchias et l'ambassade de Mérodak-Baladan qu'elle occasionna sont certainement antérieures à la campagne de Sennachérib racontée aux ch. **18** et **19**, voir vv. 6 et 12.

lui dire : « Ainsi parle Yahvé. Mets ordre à ta maison, car tu vas mourir, tu ne vivras pas. » [2] Ézéchias se tourna vers le mur et fit cette prière à Yahvé : [3] « Ah ! Yahvé, souviens-toi, de grâce, que je me suis conduit fidèlement et en toute probité de cœur devant toi, et que j'ai fait ce qui était agréable à tes yeux. » Et Ézéchias versa d'abondantes larmes.

[4] Isaïe n'était pas encore sorti de la cour centrale[a] que lui parvint la parole de Yahvé : [5] « Retourne dire à Ézéchias, chef de mon peuple : Ainsi parle Yahvé, Dieu de ton ancêtre David. J'ai entendu ta prière, j'ai vu tes larmes. Je vais te guérir : dans trois jours, tu monteras au Temple de Yahvé. [6] J'ajouterai quinze années à ta vie, je te délivrerai, toi et cette ville, de la main du roi d'Assyrie, je protégerai cette ville à cause de moi et de mon serviteur David. »

[7] Isaïe dit : « Prenez un pain de figues[b] »; on en prit un, on l'appliqua sur l'ulcère et le roi guérit.

[8] Ézéchias dit à Isaïe : « A quel signe connaîtrai-je que Yahvé va me guérir et que, dans trois jours, je monterai au Temple de Yahvé ? » [9] Isaïe répondit : « Voici, de la part de Yahvé, le signe qu'il fera ce qu'il a dit : Veux-tu que l'ombre avance de dix degrés, ou qu'elle recule de dix degrés ? » [10] Ézéchias dit : « C'est peu de chose pour l'ombre de gagner dix degrés ! Non ! Que plutôt l'ombre recule de dix degrés ! » [11] Le prophète Isaïe invoqua

---

**20** 4. « *la cour* » *Qer Vers.*; « *la ville* » *H Ket.*

9. « *Veux-tu que l'ombre avance* » hăyélék *Targ;* « *l'ombre a avancé* » hâlâk *H.*

*a*) Située entre le palais royal et le parvis du Temple, 1 R 7 8 et 12.

*b*) Médication connue des anciens pour calmer l'inflammation. Ce v., qui interrompt le développement et qui mentionne la guérison comme accomplie, serait mieux à sa place en conclusion, après le v. 11. Mais les vv. 8-11 sont peut-être une addition.

Yahvé et celui-ci fit reculer de dix degrés l'ombre sur les degrés d'Achaz[a].

**Ambassade de Mérodak-Baladan.**

[12] En ce temps-là, Mérodak-Baladan[b], fils de Baladan, roi de Babylone, envoya des lettres et un présent à Ézéchias, car il avait appris sa maladie et son rétablissement. [13] Ézéchias s'en réjouit et montra aux messagers sa chambre du trésor, l'argent, l'or, les aromates, l'huile précieuse, ainsi que son arsenal et tout ce qui se trouvait dans ses magasins. Il n'y eut rien qu'Ézéchias ne leur montrât dans son palais et dans tout son domaine.

[14] Alors le prophète Isaïe vint chez le roi Ézéchias et lui demanda : « Qu'ont dit ces gens-là et d'où sont-ils venus chez toi ? » Ézéchias répondit : « Ils sont venus d'un pays lointain, de Babylone. » [15] Isaïe reprit : « Qu'ont-ils vu dans ton palais ? » Ézéchias répondit : « Ils ont vu tout ce qu'il y a dans mon palais; il n'y a, dans mes magasins, rien que je ne leur aie montré. »

‖ Is **39**
‖ 2 Ch **32** 23

---

11. « *sur les degrés d'Achaz* » conj.; « *sur les degrés qu'il* (*le soleil !*) *avait descendus sur les degrés d'Achaz* » H par contamination d'*Is* **38** 8.

12. « *et son rétablissement* » wayyèḥĕzaq *Is* **39** 1; « *Ézéchias* » ḥizqiyyâhû H.

13. « *s'en réjouit* » wayyiśmaḥ *G Syr Is* **39** 2; « *apprit* » wayyišma' H. — « *sa chambre* » *Syr Vulg Is* **39** 2; « *toute sa chambre* » H.

---

*a*) Plutôt qu'à un gnomon ou cadran solaire, comme les Égyptiens en avaient depuis longtemps, on peut penser à un escalier construit par Achaz (en relation avec la « chambre haute d'Achaz » ? cf. l'hébreu de **23** 12). Ézéchias a choisi l'alternative qui lui paraissait naïvement être la plus difficile.

*b*) En assyrien : Marduk-apal-iddina, champion de l'indépendance babylonienne contre l'Assyrie. Il régna effectivement à Babylone de 721 à 710, puis en 703 pendant neuf mois. Sa démarche auprès d'Ézéchias est conforme aux usages des anciennes cours orientales, mais le petit roi de Juda ne l'intéressait que comme un allié éventuel contre les Assyriens. Cette visite se place probablement en 703, de toute manière avant la campagne de Sennachérib en 701.

¹⁶ Alors Isaïe dit à Ézéchias : « Écoute la parole de Yahvé : ¹⁷ Des jours viendront où tout ce qui est dans ton palais, tout ce qu'ont amassé tes pères jusqu'à ce jour, sera emporté à Babylone, rien ne sera laissé, dit Yahvé. ¹⁸ Parmi les fils issus de toi, de ceux que tu as engendrés, on en prendra pour être eunuques dans le palais du roi de Babylone. » ¹⁹ Ézéchias dit à Isaïe : « C'est une parole favorable de Yahvé que tu annonces. » Il pensait en effet : « Pourquoi pas ? S'il y a paix et sûreté pendant ma vie[a] ! »

|| 2 Ch **32** 30

**Conclusion du règne d'Ézéchias.**

²⁰ Le reste de l'histoire d'Ézéchias, tous ses exploits, et comment il a construit la piscine et le canal pour amener l'eau dans la ville[b], cela n'est-il pas écrit au livre des Annales des rois de Juda ? ²¹ Ézéchias se coucha avec ses pères et son fils Manassé régna à sa place.

## II. Deux rois impies

|| 2 Ch **33** 1-10

**Règne de Manassé en Juda** (687-642).

**21.** ¹ Manassé avait douze ans à son avènement et il régna cinquante-cinq ans[c] à Jérusalem ; sa mère s'appelait Hephçi-Bah. ² Il fit ce qui déplaît à Yahvé, imitant les

---

*a*) Isaïe prédit le pillage de Jérusalem et la déportation de sa noblesse, ci-dessous **24** 13 s. Ézéchias en conclut égoïstement que ses jours au moins seront tranquilles : « Après moi, le déluge ! »

*b*) La source de Gihôn, 1 R **1** 33, était hors de la ville et le canal mentionné dans **18** 17 et Is **7** 3 était au flanc du ravin et accessible à un assiégeant. Ézéchias dériva les eaux de la source par un canal creusé en tunnel dans le roc jusqu'à la piscine dite de Siloé, à l'intérieur des murailles. Grand travail que célèbre Si **48** 17 et qui se voit encore aujourd'hui. On y a retrouvé l'inscription qui relatait son percement.

*c*) D'après la chronologie générale adoptée ici, ce chiffre serait trop élevé de dix ans.

abominations des nations que Yahvé avait chassées devant
les Israélites. ³ Il rebâtit les hauts lieux qu'avait détruits
Ézéchias*ᵃ*, son père, il éleva des autels à Baal et fabriqua
un pieu sacré, comme avait fait Achab, roi d'Israël*ᵇ*, il se
prosterna devant toute l'armée du ciel*ᶜ* et lui rendit un
culte. ⁴ Il construisit des autels*ᵈ* dans le Temple de Yahvé,
au sujet duquel Yahvé avait dit : « C'est à Jérusalem que je
ferai résider mon Nom. »

⁵ Il construisit des autels à toute l'armée du ciel dans
les deux cours*ᵉ* du Temple de Yahvé. ⁶ Il fit passer son
fils par le feu*ᶠ*. Il pratiqua les présages et la magie, installa
des nécromants et des devins, il multiplia les actions que
Yahvé regarde comme mauvaises, provoquant ainsi sa
colère. ⁷ Il plaça l'idole d'Ashéra*ᵍ*, qu'il avait faite, dans
le Temple au sujet duquel Yahvé avait dit à David et à
son fils Salomon : « Dans ce Temple et dans Jérusalem,
la ville que j'ai choisie dans toutes les tribus d'Israël, je
ferai résider mon Nom à jamais*ʰ*. ⁸ Je ne ferai plus errer
les pas des Israélites loin de la terre que j'ai donnée à leurs
pères, pourvu qu'ils veillent à pratiquer tout ce que je
leur ai commandé, selon toute la Loi qu'a édictée pour

---

**21** 6. « *sa colère* » G *Syr Targ* ; « *la colère* » H.
   8. « *selon toute la Loi* » G ; « *et selon toute la Loi* » H.

*a*) Voir **18** 4.
*b*) Voir 1 R **16** 32-33.
*c*) Les astres, dont le culte s'était introduit en conséquence des relations
de vassalité avec l'Assyrie. Voir **17** 16.
*d*) A ces divinités païennes. On a même proposé de lire *hammizbᵉḥot*,
« ces autels », en référence explicite au v. précédent.
*e*) Probablement la cour du Temple lui-même et la grande cour extérieure qui englobait aussi le palais, voir 1 R **7** 12. Sur ces autels, cf. encore
**23** 12.
*f*) Voir **16** 3.
*g*) La déesse cananéenne à laquelle étaient consacrés les pieux sacrés
qui portent son nom, voir 1 R **14** 23, mais le texte parle ici d'une image.
*h*) Voir 1 R **8** 16, et ici le v. 4.

eux mon serviteur Moïse[a]. » [9] Mais ils n'obéirent pas,
Manassé les égara, au point qu'ils agirent plus mal que
les nations que Yahvé avait exterminées devant les
Israélites.

[10] Alors Yahvé parla ainsi, par le ministère de ses serviteurs les prophètes : [11] « Parce que Manassé, roi de Juda,
a commis ces abominations, qu'il a agi plus mal que tout
ce qu'avaient fait avant lui les Amorites[b] et qu'il a entraîné
Juda lui aussi à pécher avec ses idoles, [12] ainsi parle Yahvé,
Dieu d'Israël : Voici que je fais venir sur Jérusalem et sur
Juda un malheur tel que les deux oreilles en tinteront[c] à
quiconque l'apprendra. [13] Je passerai sur Jérusalem le
même cordeau que sur Samarie, le même niveau que pour
la maison d'Achab[d], j'écurerai Jérusalem comme on écure
un plat, qu'on retourne à l'envers après l'avoir écuré.
[14] Je rejetterai les restants de mon héritage[e], je les livrerai
entre les mains de leurs ennemis, ils serviront de proie et
de butin à tous leurs ennemis, [15] parce qu'ils ont fait ce
qui me déplaît et qu'ils ont provoqué ma colère, depuis
le jour où leurs pères sont sortis d'Égypte jusqu'à ce
jour-ci. »

[16] Manassé répandit aussi le sang innocent en si grande

---

13. « *qu'on retourne... écuré* » mâḥoh wehâpok (*inf. absolus*) *conj.*; « *il a
écuré... et retourné* » mâḥâh wehâpak *H.*

---

*a*) Allusion au Deutéronome, auquel tout ce passage se réfère; comparer Dt **17** 3; **18** 9-14; **12** 5 et 29 s.

*b*) Voir 1 R **21** 26.

*c*) Cf. 1 S **3** 11; Jr **19** 3.

*d*) La destruction de Jérusalem sera radicale et accomplie avec le soin
qu'on met à une construction nouvelle, comparer Is **34** 11; Am **7** 7;
Lm **2** 8.

*e*) Depuis la ruine du royaume du Nord, les Judéens sont le reste du
peuple élu, héritage de Yahvé, sa possession imprescriptible, Dt **4** 20, etc.

quantité qu'il inonda Jérusalem d'un bout à l'autre[a], en plus des péchés qu'il avait fait commettre à Juda en agissant mal au regard de Yahvé.

[17] Le reste de l'histoire de Manassé et tout ce qu'il a fait, les péchés qu'il a commis, cela n'est-il pas écrit au livre des Annales des rois de Juda ? [18] Manassé se coucha avec ses pères et on l'enterra dans le jardin de son palais, le jardin d'Uzza[b]; son fils Amon régna à sa place.

|| 2 Ch **33** 18-20

**Règne d'Amon en Juda** (642-640).

[19] Amon avait vingt-deux ans à son avènement et il régna deux ans à Jérusalem; sa mère s'appelait Meshullémèt, fille de Haruç, et était de Yotba[c]. [20] Il fit ce qui déplaît à Yahvé, comme avait fait son père Manassé. [21] Il suivit en tout la conduite de son père, rendit un culte aux idoles qu'il avait servies et se prosterna devant elles. [22] Il abandonna Yahvé, Dieu de ses ancêtres, et ne suivit pas la voie de Yahvé.

|| 2 Ch **33** 21 25

[23] Les officiers d'Amon complotèrent contre lui et ils tuèrent le roi dans son palais. [24] Mais le peuple du pays[d] frappa tous ceux qui avaient conspiré contre le roi Amon et proclama roi à sa place son fils Josias.

[25] Le reste de l'histoire d'Amon et tout ce qu'il a fait,

---

*a*) La tradition juive considère qu'Isaïe fut l'une des victimes de cette persécution.

*b*) Rien n'indique, malgré une opinion commune, que le nom d'Uzza soit une autre forme de celui du roi Ozias. Il désigne l'ancien propriétaire d'un jardin incorporé au domaine princier et utilisé comme lieu de sépulture lorsque fut devenue trop étroite la nécropole royale, creusée dans la colline rocheuse de Sion.

*c*) Yotapa de l'époque romaine, aujourd'hui Khirbet Djefât au nord de Sepphoris en Galilée. De même, Josias épousera une Galiléenne de Ruma, **23** 36. Ces alliances des derniers rois de Juda avec des femmes israélites du Nord sont très intéressantes.

*d*) Voir la note sur **11** 14; même fidélité à la lignée davidique à **14** 21.

cela n'est-il pas écrit au livre des Annales des rois de Juda ?
²⁶ On l'enterra dans le sépulcre de son père, dans le jardin
d'Uzza, et son fils Josias régna à sa place.

### III. Josias et la réforme religieuse

‖ 2 Ch **34** 1-2

**Introduction
au règne de Josias**
(640-609).

**22.** ¹ Josias avait huit ans
à son avènement et il régna
trente et un ans à Jérusalem;
sa mère s'appelait Yedida,
fille de Adaya, et était de
Boçqat*a*. ² Il fit ce qui est agréable à Yahvé et imita en
tout la conduite de son ancêtre David, sans en dévier ni
à droite ni à gauche.

‖ 2 Ch **34** 8-18

**Découverte du livre
de la Loi.**

³ En la dix-huitième année
du roi Josias*b*, celui-ci envoya le secrétaire Shaphân,
fils d'Açalyahu fils de Mesh-
ullam, au Temple de Yahvé : ⁴ « Monte, lui dit-il, chez
le grand prêtre Hilqiyyahu pour qu'il fonde l'argent qui
a été apporté au Temple de Yahvé et que les gardiens du

---

26. « *le sépulcre de son père* » G^L; « *son sépulcre* » H.
**22** 4. « *qu'il fonde* » w^eyatték *Targ. cf.* G^L *Vulg et v.* 9; « *qu'il fasse complet* »
w^eyattem H.

---

*a*) Localisation incertaine aux environs de Lakish, voir **14** 19.
*b*) En 622, suivant la chronologie acceptée ici, mais l'erreur ne peut
être que de un ou deux ans. D'après le récit de 2 Ch **34** 3 s, la réforme religieuse commença avant la découverte de la Loi en la huitième année de
Josias, en 632. Quoi qu'il en soit, il est certain que cette réforme fut liée
à un mouvement de restauration nationale, qui profita de l'affaiblissement
de l'Assyrie dans les années qui précédèrent et qui suivirent la mort
d'Assurbanipal (date incertaine, vers 627).

seuil ont recueilli du peuple[a]. [5] Qu'il le remette aux maîtres d'œuvre attachés au Temple de Yahvé et que ceux-ci le dépensent pour les ouvriers qui travaillent aux réparations dans le Temple de Yahvé, [6] pour les charpentiers, les ouvriers du bâtiment et les maçons, pour acheter le bois et les pierres de taille destinés à la réparation du Temple. [7] Mais qu'on ne leur demande pas compte de l'argent qui leur est remis, car ils agissent avec probité. »

[8] Le grand prêtre Hilqiyyahu dit au secrétaire Shaphân : « J'ai trouvé le livre de la Loi dans le Temple de Yahvé[b]. » Et Hilqiyyahu donna le livre à Shaphân, qui le lut. [9] Le secrétaire Shaphân vint chez le roi et lui rapporta ceci : « Tes serviteurs, dit-il, ont fondu l'argent qui se trouvait dans le Temple et l'ont remis aux maîtres d'œuvre attachés au Temple de Yahvé. » [10] Puis le secrétaire Shaphân annonça au roi : « Le prêtre Hilqiyyahu m'a donné un livre » et Shaphân le lut devant le roi.

**Consultation de la prophétesse Hulda.**

[11] En entendant les paroles contenues dans le livre de la Loi, le roi déchira ses vêtements[c]. [12] Il donna cet ordre au prêtre Hilqiyyahu, à Ahiqam fils de Shaphân, à Akbor fils de Mikaya, au secrétaire

|| 2 Ch **34** 19-28

---

*a*) En application de l'ordonnance de Joas, **12** 11-16, dont le texte est rappelé ici.

*b*) Ce « livre de la Loi » est certainement le Deutéronome, plus exactement la partie législative de ce livre, dont les prescriptions commanderont la réforme qui va suivre. Cette découverte ne peut pas être une fraude des prêtres de Jérusalem. Contenant les clauses de l'alliance avec Yahvé, cf. **23** 2-3, le livre avait été déposé dans le Temple, comme les traités orientaux d'alliance étaient placés devant les dieux dans un sanctuaire, comme le Décalogue, instrument de l'alliance du Sinaï, avait été mis dans l'arche de « l'alliance », comme l'alliance de Sichem avait été « écrite dans un « livre de la Loi », Jos **24** 26, sur des pierres du sanctuaire, Jos **8** 32. Cette loi, qui avait peut-être inspiré la réforme d'Ézéchias, **18** 4, fut cachée, perdue ou oubliée sous le règne impie de Manassé.

*c*) Peut-être après qu'on lui eut lu les malédictions de Dt **28**.

Shaphân et à Asaya, ministre du roi : [13] « Allez consulter
Yahvé pour moi et pour le peuple, à propos des paroles
de ce livre qui vient d'être trouvé. Grande doit être la
colère de Yahvé, qui s'est enflammée contre nous parce
que nos pères n'ont pas obéi aux paroles de ce livre, en
pratiquant tout ce qui y est écrit. »

[14] Le prêtre Hilqiyyahu, Ahiqam, Akbor, Shaphân et
Asaya se rendirent auprès de la prophétesse Hulda[a],
femme de Shallum fils de Tiqva fils de Harhas le gardien
des vêtements[b]; elle habitait à Jérusalem dans la ville
neuve. Ils lui exposèrent la chose [15] et elle leur répondit :
« Ainsi parle Yahvé, Dieu d'Israël. Dites à l'homme qui
vous a envoyés vers moi : [16] ' Ainsi parle Yahvé. Je vais
amener le malheur sur ce lieu et sur ses habitants, accomplir tout ce que dit le livre qu'a lu le roi de Juda, [17] parce
qu'ils m'ont abandonné et qu'ils ont sacrifié à d'autres
dieux, pour m'irriter par leurs actions. Ma colère s'est
enflammée contre ce lieu, elle ne s'éteindra pas. ' [18] Et
vous direz au roi de Juda qui vous a envoyés pour consulter Yahvé : ' Ainsi parle Yahvé, Dieu d'Israël : Les paroles
que tu as entendues...[c] [19] Mais parce que ton cœur a été
touché et que tu t'es humilié devant Yahvé en entendant

---

13. *Après* « *pour le peuple* », *le texte ajoute* « *et pour tout Juda* », *glose.* —
« *qui y est écrit* » G[L]; « *qui est écrit contre nous* » H.

16. « *sur ce lieu* » 2 Ch **34** 24; « *vers ce lieu* » H.

17. « *par leurs actions* » G Syr VetLat ; « *par toutes leurs actions* » H.

---

*a*) Cette prophétesse n'est pas autrement connue. Jérémie et Sophonie
avaient commencé leur carrière avant la réforme de Josias, mais les oracles
menaçants qu'ils avaient prononcés (Jr **2-6**; So **1**) n'encourageaient pas
à les consulter. Hulda habitait la ville neuve, la « seconde » ville, cf. Ne **11** 9;
So **1** 10, un quartier récent qui s'était construit au nord de la première
enceinte, cf. la carte, p. 20.

*b*) Voir **10** 22.

*c*) La phrase est interrompue; on peut suppléer : « s'accompliront ».

ce que j'ai prononcé contre ce lieu et ses habitants qui deviendront un objet d'épouvante et de malédiction, parce que tu as déchiré tes vêtements et pleuré devant moi, moi aussi, j'ai entendu, oracle de Yahvé. [20] C'est pourquoi je te réunirai à tes pères, tu seras recueilli en paix dans ton sépulcre[a], tes yeux ne verront pas tous les malheurs que je fais venir sur ce lieu '. » Ils portèrent la réponse au roi.

**23.** [1] Alors le roi fit convoquer auprès de lui tous les anciens de Juda et de Jérusalem [2] et le roi monta au Temple de Yahvé avec tous les gens de Juda et tous les habitants de Jérusalem, les prêtres et les prophètes et tout le peuple, du plus petit au plus grand. Il lut devant eux tout le contenu du livre de l'alliance[b] trouvé dans le Temple de Yahvé. [3] Le roi était debout près de la colonne[c] et il conclut devant Yahvé l'alliance qui l'obligeait à suivre Yahvé et à garder ses commandements, ses instructions et ses lois, de tout son cœur et de toute son âme, pour rendre effectives les clauses de l'alliance écrite dans ce livre. Tout le peuple adhéra à l'alliance[d].

**Lecture solennelle de la Loi.**

‖ 2 Ch **34** 29-31

---

20. « *ton sépulcre* » *Vers.*; « *tes sépulcres* » *H.*

---

*a)* Cela ne s'accorde pas avec la fin tragique de Josias, **23** 29-30. Ou bien l'auteur a reproduit sans retouche une source ancienne, ou bien c'est un indice d'une rédaction du livre avant la mort de Josias, cf. Introduction, p. 16.

*b)* Le « livre de la Loi », **22** 8, est appelé ici « livre de l'alliance », de même au v. 21. Le Deutéronome se présente lui-même comme le code de l'alliance avec Yahvé, Dt **5** 3; **28** 69, et cf. la note sur **22** 8.

*c)* Voir la note sur **11** 14, où l'on propose de traduire « sur l'estrade ».

*d)* Le peuple adhère à cette rénovation de l'alliance avec Yahvé, comme au Sinaï, Ex **24** 7-8, et à Sichem, Jos **24** 25-27. Il n'y a qu'une ressemblance secondaire avec l'intronisation de Joas, où il s'agissait d'un pacte entre le roi et le peuple, cf. la note sur **11** 17.

‖ 2 Ch **34** 3-5

**Réforme religieuse
en Juda.**

⁴ Le roi ordonna à Hil-
qiyyahu, au prêtre en second
et aux gardiens du seuil*ᵃ* de
retirer du sanctuaire de Yahvé
tous les objets de culte qui avaient été faits pour Baal,
pour Ashéra et pour toute l'armée du ciel*ᵇ*; il les brûla
en dehors de Jérusalem, dans les champs du Cédron*ᶜ*, et
porta leur cendre à Béthel. ⁵ Il supprima les faux prêtres
que les rois de Juda avaient installés et qui sacrifiaient
dans les hauts lieux, dans les villes de Juda et les environs
de Jérusalem, et ceux qui sacrifiaient à Baal, au soleil, à
la lune, aux constellations et à toute l'armée du ciel*ᵈ*. ⁶ Il
transporta du Temple de Yahvé en dehors de Jérusalem,
à la vallée du Cédron, le pieu sacré*ᵉ* et le brûla dans la
vallée du Cédron; il le réduisit en cendres et jeta ses cendres
à la fosse commune. ⁷ Il démolit la demeure des prostitués
sacrés*ᶠ*, qui était dans le Temple de Yahvé et où les femmes
tissaient des voiles pour Ashéra.

⁸ Il fit venir des villes de Juda tous les prêtres et il pro-

---

**23** 4. *Après « Hilqiyyahu », H ajoute « le grand prêtre »; omis par l'ancienne
forme de G. — « au prêtre » Targ ; « aux prêtres » H.*

5. *« et qui sacrifiaient » G Targ ; « et il sacrifia » H.*

7. *« la demeure » G ; « les maisons » H. — « des voiles » baddîm conj.; « des
maisons » bâttîm H.*

*a*) Hilqiyyahu est évidemment le chef du sacerdoce, mais le titre de
« grand prêtre » qui lui est donné dans l'hébreu ne semble pas avoir été
employé avant l'Exil, cf. encore l'addition à **12** 11; son titre semble avoir
été alors « prêtre en chef », **25** 18. Après lui vient le prêtre en second. Les
gardiens du seuil, déjà mentionnés à **12** 10 et **22** 4, occupaient aussi un
rang élevé dans le sacerdoce. Les trois grades reparaissent à **25** 18.

*b*) Voir **21** 3 s.

*c*) La vallée qui borde Jérusalem à l'est.

*d*) Voir Dt **17** 3. La fin du v. 4 et le v. 5, qui mêlent à la réforme dans
Jérusalem celle de Juda et de l'ancien royaume du Nord, doivent être une
addition.

*e*) Voir 1 R **14** 23; Dt **16** 21.

*f*) Voir 1 R **14** 24; Dt **23** 18-19.

fana les hauts lieux où ces prêtres avaient sacrifié, depuis
Géba jusqu'à Bersabée[a]. Il démolit le sanctuaire des boucs[b],
qui était à la porte de Josué, gouverneur de la ville, à
gauche quand on franchit la porte de la ville[c]. [9] Toutefois
les prêtres des hauts lieux ne pouvaient pas monter à
l'autel de Yahvé à Jérusalem, mais ils mangeaient des pains
sans levain au milieu de leurs frères[d]. [10] Il profana le brûloir de la vallée de Ben-Hinnom[e], pour que personne ne
fît plus passer son fils ou sa fille par le feu en l'honneur
de Molek. [11] Il fit disparaître les chevaux que les rois de
Juda avaient dédiés au soleil[f] à l'entrée du Temple de

----

8. « *le sanctuaire* » bâmat *G ;* « *les hauts lieux* » bâmôt *H.* — « *des boucs* »
haśśe'irîm *conj.*; « *des portes* » haśśe'ârîm *H.* — « *quand on franchit la porte* »
*G*[L] *Targ ;* « *dans la porte* » *H.*

11. « *à l'entrée du Temple* » *Vers.*; « *pour ne pas entrer au Temple* » *H.* —
« *le char* » *G ;* « *les chars* » *H.*

----

*a*) Par la force, Josias centralise à Jérusalem le culte de tout le territoire
de Juda, dont les frontières sont marquées au nord par Géba (voir 1 R **15**
22), au sud par Bersabée (voir 1 R **19** 3). L'unité de sanctuaire est une
prescription fondamentale du Deutéronome, ch. **12**. Ces « hauts lieux »
(1 R **3** 2) sont des sanctuaires de Yahvé, condamnés seulement parce qu'ils
contreviennent à la loi de l'unité du sanctuaire.

*b*) En acceptant la correction, des démons représentés sous la forme
de boucs, des manières de satyres, voir Lv **17** 7; 2 Ch **11** 15; Is **13** 21;
**34** 14.

*c*) Précisions inutiles pour nous, qui ignorons qui était ce Josué et
de quelle porte de la ville il s'agit, mais elles certifient la valeur historique
du renseignement.

*d*) Ce v. se rattache au début du v. 8. La Loi prévoyait, Dt **18** 6-8, que
les prêtres de province venant à Jérusalem jouiraient des mêmes droits
que les prêtres de la ville. L'opposition du clergé de la capitale empêcha
sans doute l'application de cette disposition et les « prêtres des hauts
lieux », concentrés à Jérusalem, y furent réduits à un rang subalterne.
Leurs « frères » sont les prêtres de Jérusalem; les pains sans levain sont la
nourriture prescrite pour la semaine de la Pâque, Ex **12** 15; Dt **16** 3-4, qui
coïncida avec la réforme, vv. 21-22.

*e*) Le « brûloir », en hébreu *topèt,* mot d'étymologie incertaine, qui désignait l'endroit où l'on sacrifiait les enfants par le feu, Jr **7** 31-32; **19** 1-13,
voir note sur 2 R **16** 3. La vallée de Ben-Hinnom ou de Hinnom enserrait
Jérusalem au sud et débouchait dans le Cédron.

*f*) Mention isolée et difficile à expliquer. Ces chevaux (vivants ?) sem-

Yahvé, près de la chambre de l'eunuque Netân-Mélek, dans les dépendances[a], et il brûla au feu le char du soleil. [12] Les autels qui étaient sur la terrasse[b] et qu'avaient bâtis les rois de Juda, et ceux qu'avait bâtis Manassé dans les deux cours du Temple de Yahvé[c], le roi les démolit, les brisa là, les enleva de là et jeta leur poussière dans la vallée du Cédron. [13] Les hauts lieux qui étaient en face de Jérusalem, au sud du mont des Oliviers, et que Salomon roi d'Israël avait bâtis pour Astarté, l'horreur des Sidoniens, pour Kemosh, l'horreur des Moabites, et pour Milkom, l'abomination des Ammonites[d], le roi les profana. [14] Il brisa aussi les stèles, coupa les pieux sacrés[e] et combla leur emplacement avec des ossements humains[f].

---

12. *Après « sur la terrasse », H ajoute « la chambre haute d'Achaz », glose qui d'ailleurs doit être exacte.* — « *les brisa là* » wayᵉruṣṣém šâm (*rac.* rṣṣ) *conj.*; « *il courut de là* » wayyâraṣ miššâm *H.*

13. « *mont des Oliviers* » *litt.* « *de l'Huile* » mišḥah *Targ ;* « *mont de la Perdition* » mašḥît *H.*

---

blent destinés à être attelés au char du soleil dont il est parlé ensuite. Les textes et les monuments ne certifient clairement, pour cette époque et pour ce milieu, aucune coutume analogue. On peut cependant citer une lettre adressée à un prince héritier d'Assyrie (Assurbanipal ?) à propos d'une fête de Nabu et disant : « Le cocher des dieux viendra de l'écurie des dieux, il amènera le dieu et le conduira à la procession, puis il le ramènera. »

a) Traduction incertaine d'un mot probablement d'origine persane, *parwârîm,* utilisé sous une forme un peu différente dans 1 Ch **26** 18, qui assure à peu près son sens et précise l'emplacement de ce bâtiment à l'ouest du Temple. Dans les Rois, si c'est bien ce mot persan il ne peut être qu'une glose.

b) Petits autels dédiés aux divinités astrales, Jr **19** 13; So **1** 5.

c) Voir **21** 5.

d) Voir 1 R **11** 5-7.

e) Voir 1 R **14** 23; Dt **16** 21-22.

f) Pour profaner définitivement ces lieux, voir les vv. 16 et 20. Toutes les mesures de Josias sont dirigées d'une part contre les sanctuaires locaux où se perpétuait un culte, plus ou moins adultéré, de Yahvé, d'autre part contre des coutumes franchement païennes : dieux et rites cananéens, emprunts à l'Assyrie (char du soleil, développement des cultes astraux). Cela donne, de la situation religieuse en Juda, une triste impression, qui est confirmée par Jérémie, Sophonie et Ézéchiel. La vague de paganisme

**La réforme s'étend à l'ancien royaume du Nord**[a].

¹⁵ De même, pour l'autel qui était à Béthel, le haut lieu bâti par Jéroboam[b] fils de Nebat qui avait entraîné Israël dans le péché, il démolit aussi cet autel et ce haut lieu, il en brisa les pierres et les réduisit en poussière; il brûla le pieu sacré.

¹⁶ Josias se retourna et vit les tombeaux qui étaient là, dans la montagne; il envoya prendre les ossements de ces tombeaux et les brûla sur l'autel. Ainsi il le profana, accomplissant la parole de Yahvé qu'avait annoncée l'homme de Dieu lorsque Jéroboam se tenait à l'autel pendant la fête. En se retournant, Josias leva les yeux sur le tombeau de l'homme de Dieu qui avait annoncé ces choses ¹⁷ et il demanda : « Quel est le monument que je vois ? » Les hommes de la ville lui répondirent : « C'est le tombeau de l'homme de Dieu qui est venu de Juda et qui a annoncé ces choses que tu as accomplies contre l'autel. » — ¹⁸ « Laissez-le en paix, dit le roi, et que personne ne dérange ses ossements. » On laissa donc ses

---

15. « *il en brisa les pierres* » G ; « *il brûla le haut lieu* » H.
16. « *lorsque Jéroboam... l'homme de Dieu* » G ; *omis dans H par homéotéleuton.*
17. *A la fin, le texte ajoute* « *Béthel* », *glose.*

---

du règne de Manassé en est sans doute gravement responsable, **21** 2-9 et comp. Jr **15** 4, mais le mal remontait plus haut et on doit reconnaître que la réforme d'Ézéchias n'avait pas été aussi complète que semble le dire **18** 4.

*a*) Il est certain que Josias, profitant de la décadence de l'Assyrie, avait non seulement rendu l'indépendance à Juda, mais étendu son autorité sur une partie de l'ancien territoire israélite. Il est donc normal qu'il ait appliqué sa réforme à Béthel, v. 15, mais l'histoire des vv. 16-20 est brodée sur le récit de 1 R **13**. Sur les rapports littéraires entre les deux passages, voir note sur 1 R **13** 32.

*b*) Voir 1 R **12** 31-32.

ossements intacts, avec les ossements du prophète qui était de Samarie[a].

‖ 2 Ch **34** 6-7

<sup>19</sup> Josias fit également disparaître tous les temples des hauts lieux que les rois d'Israël avaient bâtis dans les villes de la Samarie, pour l'irritation de Yahvé, et il agit à leur endroit exactement comme il avait agi à Béthel. <sup>20</sup> Tous les prêtres des hauts lieux qui étaient là furent immolés par lui sur les autels et il y brûla des ossements humains. Puis il revint à Jérusalem.

‖ 2 Ch **35** 1,
18-19

**Célébration
de la Pâque.**

<sup>21</sup> Le roi donna cet ordre à tout le peuple : « Célébrez une Pâque en l'honneur de Yahvé votre Dieu, de la manière qui est écrite dans ce livre de l'alliance[b]. » <sup>22</sup> On n'avait pas célébré une Pâque comme celle-là depuis les jours des Juges qui avaient régi Israël et pendant tout le temps des rois d'Israël et des rois de Juda. <sup>23</sup> C'est seulement en la dix-huitième année du roi Josias qu'une telle Pâque fut célébrée en l'honneur de Yahvé à Jérusalem.

---

18. « *de Samarie* » *conj.*; « *venu de Samarie* » H.
19. « *pour l'irritation de Yahvé* » *Vers.*; « *pour l'irritation* » H.

---

*a*) Voir 1 R **13** 31. Ce prophète était de Béthel, cf. 1 R **13** 11; Samarie désigne ici l'ancien territoire du royaume du Nord, comme à **17** 26, et déjà à 1 R **13** 32, sous l'influence de notre texte, v. 19.

*b*) C'est-à-dire conformément à Dt **16** 1-8. Les vv. suivants qui insistent sur le fait qu'une Pâque comme celle-là n'avait jamais été célébrée pendant toute la période monarchique, ne s'expliquent pas assez par une célébration exceptionnellement solennelle. Cela suppose une « nouveauté » dans le rituel du Deutéronome, appliqué pour la première fois. Cette nouveauté peut être la simple interdiction de célébrer la Pâque ailleurs qu'à Jérusalem, Dt **16** 2, 5-6. Elle peut être un changement plus profond, cultuel : la liaison entre le sacrifice pascal, Dt **16** 1-2 et 5-7, et les azymes, Dt **16** 3-4 et 8, deux rites et deux fêtes anciennement distincts.

**Conclusion
sur la réforme
religieuse.**

²⁴ De plus, les nécromants et les devins[a], les dieux pénates[b] et les idoles, et toutes les horreurs qu'on pouvait voir dans le pays de Juda et à Jérusalem, tout cela fut éliminé par Josias, en exécution des paroles de la Loi inscrites au livre qu'avait trouvé le prêtre Hilqiyyahu dans le Temple de Yahvé. ²⁵ Il n'y eut avant lui aucun roi qui se fût comme lui tourné vers Yahvé de tout son cœur, de toute son âme et de toute sa force, en toute fidélité à la Loi de Moïse, et après lui il ne s'en leva pas qui lui fût comparable.

²⁶ Pourtant, Yahvé ne revint pas de l'ardeur de sa grande colère, qui s'était enflammée contre Juda pour les déplaisirs que Manassé lui avait causés. ²⁷ Yahvé décida : « J'écarterai Juda aussi de devant moi, comme j'ai écarté Israël, je rejetterai cette ville que j'avais élue, Jérusalem, et le Temple dont j'avais dit : Là sera mon Nom. »

**Fin du règne de Josias.**

²⁸ Le reste de l'histoire de Josias, et tout ce qu'il a fait, cela n'est-il pas écrit au livre des Annales des rois de Juda ?

|| 2 Ch **35** 26-27

²⁹ De son temps, le Pharaon Néko[c], roi d'Égypte, monta vers le roi d'Assyrie, sur le fleuve de l'Euphrate. Le roi Josias se porta au-devant de lui mais Néko le fit périr à Megiddo, à la première rencontre[d]. ³⁰ Ses servi-

|| 2 Ch **35** 20-24

---

*a*) Voir **21** 6; Dt **18** 11.

*b*) En hébreu *t<sup>e</sup>râpîm,* petites idoles domestiques, Gn **31** 19 et 34 s; Jg **18** 14 s.

*c*) Nékao, que la Bible appelle Néko (609-595), marcha au début de son règne, non pas « contre le roi d'Assyrie » comme on traduisait naguère, mais « vers le roi d'Assyrie ». De nouveaux documents nous ont appris en effet que les Égyptiens vinrent, en 609, au secours du dernier roi d'Assyrie, pourchassé par les Mèdes et les Babyloniens.

*d*) Josias a voulu s'opposer à la jonction entre les Égyptiens et les Assy-

teurs transportèrent son corps en char depuis Megiddo,
ils le ramenèrent à Jérusalem et l'ensevelirent dans son
‖ 2 Ch **36** 1    tombeau. Le peuple du pays[a] prit Joachaz fils de Josias;
on lui donna l'onction et on le proclama roi à la place de
son père.

## IV. LA RUINE DE JÉRUSALEM

‖ 2 Ch **36** 2-4

**Règne de Joachaz
en Juda** (609).

[31] Joachaz[b] avait vingt-
trois ans à son avènement
et il régna trois mois à Jérusalem; sa mère s'appelait
Hamital[c], fille de Yirmeyahu, et était de Libna[d]. [32] Il fit ce
qui déplaît à Yahvé, tout comme avaient fait ses pères.
[33] Le Pharaon Néko le mit aux chaînes à Ribla[e], dans
le territoire de Hamat, et il imposa au pays une contribu-

---

33. *Après « Hamat », le texte ajoute « quand il était roi à Jérusalem » ou
(Qer et Vers.) « pour qu'il ne règne plus à Jérusalem », sous l'influence de 2 Ch* **36** *3.
— « dix talents » G*L *Syr ; « un talent » H.*

---

riens parce qu'il escomptait, de la ruine définitive de l'Assyrie, un avantage pour le royaume de Juda qu'il avait relevé de son abaissement. Il
attendait Nékao à Megiddo, à la passe du Carmel, sur la grande route militaire d'Égypte en Syrie. D'après 2 Ch **35** 22-24, Josias fut seulement
blessé et mourut à Jérusalem, où on l'avait transporté; ce récit plus détaillé
apparaît authentique.
   *a*) Voir la note sur **11** 14.
   *b*) Appelé Shallum dans Jr **22** 11 et la généalogie de 2 Ch **3** 15. C'est
apparemment son nom de naissance, Joachaz étant son nom de couronnement, cf. la note sur **14** 21.
   *c*) Ou Hamutal : la tradition textuelle hésite entre ces deux formes.
Son père porte le même nom que le prophète Jérémie.
   *d*) Voir **19** 8.
   *e*) Aujourd'hui Rablé, 75 km. au sud de Hama, sur la route de Palestine. Nékao revenait de son expédition vers le Nord, v. 29, et la défaillance
de l'Assyrie lui avait donné l'empire sur la Syrie et la Palestine.

tion de cent talents d'argent et de dix talents d'or[a]. [34] Le
Pharaon Néko établit comme roi Élyaqim, fils de Josias,
à la place de son père Josias, et il changea son nom en
celui de Joiaqim[b]. Quant à Joachaz, il le prit et l'emmena
en Égypte, où il mourut.

[35] Joiaqim livra à Pharaon l'argent et l'or mais il dut
imposer le pays pour livrer la somme exigée par Pharaon :
il leva sur chacun, selon sa fortune, l'argent et l'or qu'il
fallait donner au Pharaon Néko.

‖ 2 Ch 36 5-7

**Règne de Joiaqim
en Juda** (609-598).

[36] Joiaqim avait vingt-cinq
ans à son avènement et il
régna onze ans à Jérusalem;
sa mère s'appelait Zebida,
fille de Pedaya, et était de Ruma[c]. [37] Il fit ce qui déplaît à
Yahvé, tout comme avaient fait ses pères.

**24.** [1] De son temps, Nabuchodonosor[d], roi de Babylone, fit campagne, et Joiaqim lui fut soumis pendant trois
ans puis se révolta de nouveau contre lui. [2] Celui-ci envoya
sur lui les bandes des Chaldéens, celles des Araméens, celles
des Moabites, celles des Ammonites, il les envoya sur

---

34. « *et l'emmena* » G ; « *et il vint* » H.
**24** 2. « *Celui-ci* » G ; « *Yahvé* » H.

---

*a*) Voir 1 R 9 14.

*b*) Joiaqim était le frère de Joachaz, mais son aîné de deux ans, cf. v. 36.
Le changement de nom pourrait être une marque de vassalité, cf. Dn 1 7,
mais on attendrait alors que le Pharaon lui donnât un nom égyptien,
cf. Gn 41 45, et pas un nom israélite et même yahviste. C'est peut-être
encore un nom de couronnement, cf. notes sur 14 21 et 23 31, et ci-dessous 24 17.

*c*) Khirbet Rumé, au nord de Sepphoris en Galilée. Cf. note sur 21 19.

*d*) Nabû-kudur-uçur, organisateur de l'empire néo-babylonien ou
chaldéen, qui prit la suite de l'empire assyrien, a régné de 605 à 562. Sa
première expédition en Palestine et la soumission de Joiaqim se placent
en 604-603 ; la révolte de Juda eut lieu en 601, au lendemain d'un revers de
Nabuchodonosor dans une campagne contre l'Égypte.

Juda pour le détruire*, conformément à la parole que Yahvé avait prononcée par le ministère de ses serviteurs les prophètes. ³ Cela arriva à Juda uniquement à cause de la colère de Yahvé, qui voulait l'écarter de devant sa face, pour les péchés de Manassé, pour tout ce qu'avait fait celui-ci ⁴ et aussi pour le sang innocent qu'il avait répandu, inondant Jérusalem de sang innocent*. Yahvé ne voulut pas pardonner.

|| 2 Ch **36** 8    ⁵ Le reste de l'histoire de Joiaqim et tout ce qu'il a fait, cela n'est-il pas écrit au livre des Annales des rois de Juda ? ⁶ Joiaqim se coucha avec ses pères et Joiakîn son fils régna à sa place.

⁷ Le roi d'Égypte ne sortit plus de son pays, car le roi de Babylone avait conquis, depuis le Torrent d'Égypte jusqu'au fleuve de l'Euphrate, tout ce qui appartenait au roi d'Égypte*.

|| 2 Ch **36** 9

**Introduction**
**au règne de Joiakîn**
(598).

⁸ Joiakîn avait dix-huit ans à son avènement et il régna trois mois à Jérusalem; sa mère s'appelait Nehushta, fille d'Elnatân, et était de Jérusalem. ⁹ Il fit ce qui déplaît à Yahvé, tout comme avait fait son père.

---

3. « *à cause de la colère* » 'al-'ap *Vers. et v.* 20; « *sur l'ordre* » 'al-pî *H.*

---

*a*) Si l'on admet la correction (voir la note textuelle), Nabuchodonosor, dont nous savons qu'il passa l'année 600 en Babylonie à refaire son armée, se contenta d'abord de punir la défection de Joiaqim par l'envoi de ses garnisons de Syrie et des corps francs des pays voisins.

*b*) Voir **21** 16.

*c*) La victoire que Nabuchodonosor avait remportée en 605 contre les Égyptiens à Karkémish (sur l'Euphrate, au nord de la Syrie) avait livré aux Chaldéens la Syrie et la Palestine. Le « torrent d'Égypte » est le Wâdy el-Arish, frontière entre l'Égypte et la Palestine, voir 1 R **8** 65.

**La première déportation.** [10] En ce temps-là, les gens de Nabuchodonosor, roi de Babylone, marchèrent contre Jérusalem et la ville fut ‖ 2 Ch 36 10 investie. [11] Nabuchodonosor, roi de Babylone, vint lui-même attaquer la ville, pendant que ses gens l'assiégeaient. [12] Alors Joiakîn, roi de Juda, se rendit au roi de Babylone, lui, sa mère, ses gens, ses dignitaires et ses eunuques, et le roi de Babylone les fit prisonniers ; c'était en la huitième année du règne de Nabuchodonosor[a].

[13] Celui-ci emporta tous les trésors du Temple de Yahvé et les trésors du palais royal et il brisa tous les objets d'or que Salomon, roi d'Israël, avait fabriqués pour le sanctuaire de Yahvé ; ainsi s'accomplissait la parole de Yahvé[b]. [14] Il emmena en exil tout Jérusalem, tous les dignitaires et tous les notables, soit dix mille exilés, et tous les forgerons et serruriers[c] ; seule fut laissée la plus pauvre population du pays. [15] Il déporta Joiakîn à Babylone[d] ; de même

---

*a*) Une Chronique babylonienne récemment publiée et qui a déjà été utilisée dans certaines des notes précédentes rapporte ces événements et fixe leur date précise : « En la VIIe année, au mois de Kislev (décembre-janvier 598/597), le roi d'Akkad mobilisa ses troupes et marcha sur le pays de Hattu, et il campa en face de la cité de Juda (*al ia-a-ḫu-du*) et au 2e jour d'Adar (16 mars 597), il prit la ville et fit le roi prisonnier. Il institua au milieu d'eux un roi selon son cœur, reçut son lourd tribut et l'envoya à Babylone. » La VIIe année de Nabuchodonosor est également indiquée comme date de la première déportation par Jr **52** 28. La date de la VIIIe année, qui est donnée ici, peut s'expliquer par un comput différent qui comptait l'année incomplète de l'avènement (Nabuchodonosor a pris le pouvoir le 6 septembre 605) ou qui le considérait comme roi dès sa victoire de Karkémish, où il commandait comme prince héritier (605). Cf. encore sur **25** 8.

*b*) Voir **20** 17.

*c*) Les ouvriers en métaux ; manière d'empêcher le réarmement, comparer 1 S **13** 19. Mais le sens des deux mots est incertain.

*d*) Il devait y rester trente-sept ans, jusqu'à la mort de Nabuchodonosor, **25** 27, dans une captivité assez douce : des textes babyloniens, trouvés dans le palais de Babylone et récemment publiés, mentionnent des allocations d'huile à Joiakîn, roi de Juda, aux princes et aux notables de Juda.

la mère du roi, les femmes du roi, ses eunuques, les nobles du pays, il les fit partir en exil de Jérusalem à Babylone. ¹⁶ Tous les gens de condition, au nombre de sept mille, les forgerons et les serruriers, au nombre de mille, tous hommes en état de porter les armes, furent conduits en exil à Babylone par le roi de Babylone*a*.

¹⁷ Le roi de Babylone établit roi à la place de Joiakîn son oncle Mattanya, dont il changea le nom en celui de Sédécias*b*.

|| 2 Ch **36** 11-12
|| Jr **52** 1-3

### Introduction au règne de Sédécias en Juda (598-587)*c*.

¹⁸ Sédécias avait vingt et un ans à son avènement et il régna onze ans à Jérusalem ; sa mère s'appelait Hamital, fille de Yirmeyahu, et était de Libna*d*. ¹⁹ Il fit ce qui déplaît à Yahvé, tout comme avait fait Joiaqim. ²⁰ Cela arriva à Jérusalem et à Juda à cause de la colère de Yahvé, tant qu'enfin il les rejeta de devant sa face*e*.

|| 2 Ch **36** 13
|| Jr **39** 1-7

### Siège de Jérusalem.

Sédécias se révolta contre le roi de Babylone. **25.** ¹ En la neuvième année de son

---

**25** 1. « la cerna » Targ Syr ; « ils la cernèrent » H.

---

*a*) Les vv. 13-14 et 15-16 sont des doublets, qui évaluent d'une manière un peu différente l'étendue de la première déportation. Les vv. 13-14 s'expriment en termes trop généraux : Nabuchodonosor n'a pas, en 597, pillé complètement le Temple ni déporté tout Jérusalem, voir le récit du sac de 587 et de la seconde déportation, **25** 8 s.

*b*) Voir la note sur **23** 34.

*c*) Le récit de **24** 18 à **25** 21, 27-30 a été repris pour servir de conclusion au livre de Jérémie, ch. **52** (avec une notice originale aux vv. 28-30). De plus, 2 R **25** 1-12 a été réutilisé dans Jr **39** 1-10 (avec une addition intéressante au v. 3), ou bien les deux passages proviennent d'une même source.

*d*) Voir **23** 31.

*e*) Cette succession de mauvais rois, au lendemain de la réforme éphémère de Josias, manifeste la résolution que Yahvé avait prise de ruiner le royaume de Juda, en châtiment de son infidélité, **22** 17 et **23** 27.

règne*a*, au dixième mois, le dix du mois, Nabuchodonosor, roi de Babylone, vint attaquer Jérusalem avec toute son armée, il campa devant la ville et la cerna d'un retranchement. ² La ville fut investie jusqu'à la onzième année de Sédécias. ³ Au quatrième mois, le neuf du mois*b*, alors que la famine sévissait dans la ville et que la population n'avait plus rien à manger, ⁴ une brèche fut faite au rempart de la ville. Alors le roi s'échappa de nuit avec tous les hommes de guerre par la porte entre les deux murs*c*, qui est près du jardin du roi — les Chaldéens cernaient la ville — et il prit le chemin de la Araba*d*. ⁵ Les troupes chaldéennes poursuivirent le roi et l'atteignirent dans les plaines de Jéricho, où tous ses soldats se dispersèrent loin de lui. ⁶ Les Chaldéens s'emparèrent du roi et le menèrent à Ribla*e* auprès du roi de Babylone, qui le fit passer en jugement*f*. ⁷ Il fit égorger les fils de Sédécias sous ses yeux, puis il creva les yeux de Sédécias, le mit aux fers et l'emmena à Babylone.

---

3. « *Au quatrième mois* » Jr **52** 6; *omis par* H.
4. « *Alors le roi s'échappa* » Gᴸ; *omis par* H.
6. « *le fit passer* » Vers. Jr **52** 9; « *le firent passer* » H.
7. « *Il fit égorger* » Vers. Jr **52** 10; « *Ils firent égorger* » H.

---

*a*) Du règne de Sédécias. La première année de Sédécias ayant commencé en avril 597, un mois après la prise de Jérusalem, la date précise correspond à la fin de décembre 589.

*b*) En juillet 587.

*c*) Située au sud-est de la colline d'Ophel et s'ouvrant dans le rempart qui barrait d'une double ligne le ravin du Tyropéon : une ligne intérieure datant des débuts de la monarchie et une ligne extérieure construite sans doute sous Ézéchias. Le jardin du roi s'étendait au dehors, dans la vallée du Cédron.

*d*) La vallée désolée du Jourdain.

*e*) Voir **23** 33. C'était le quartier général de Nabuchodonosor en Syrie, voir encore les vv. 20-21.

*f*) Comme un vassal félon.

|| Jr **52** 12-27
|| Jr **39** 8-10

**Sac de Jérusalem
et seconde déportation.**

⁸ Au cinquième mois*ᵃ*, le sept du mois, — c'était en la dix-neuvième année*ᵇ* de Nabuchodonosor, roi de Babylone, — Nebuzaradân*ᶜ*, commandant de la garde, officier du roi de Babylone, fit son entrée à Jérusalem. ⁹ Il

|| 2 Ch **36** 19

incendia le Temple de Yahvé, le palais royal et toutes les maisons de Jérusalem. ¹⁰ Les troupes chaldéennes qui étaient avec le commandant de la garde abattirent les remparts qui entouraient Jérusalem. ¹¹ Nebuzaradân, commandant de la garde, déporta le reste de la population laissée dans la ville, les transfuges qui avaient passé au roi de Babylone et le reste de la foule. ¹² Du petit peuple du pays, le commandant de la garde laissa une partie, comme vignerons et comme laboureurs*ᵈ*.

|| 2 Ch **36** 18

¹³ Les Chaldéens brisèrent les colonnes de bronze*ᵉ* du Temple de Yahvé, les bases roulantes*ᶠ* et la Mer de bronze*ᵍ* qui étaient dans le Temple de Yahvé, et ils en emportèrent le bronze à Babylone. ¹⁴ Ils prirent aussi les vases à cendres, les pelles, les couteaux, les navettes et tous les ustensiles de bronze qui servaient au culte. ¹⁵ Le commandant de la

---

8. « *de Nabuchodonosor* » G ; « *du roi Nabuchodonosor* » H.
9. *A la fin, le texte ajoute* « *il brûla toute maison de grand* », *glose.*
10. « *Les troupes* » Gᴸ; « *Toutes les troupes* » H.

---

*a)* Toujours dans la onzième année de Sédécias, v. 2.
*b)* D'après le même comput qu'à **24** 12; de même Jr **52** 12. Mais Jr **52** 29 a « dix-huitième année », qui correspond au comput babylonien : avril 587-avril 586.
*c)* Nabû-zer-iddinam, mentionné en tête d'une liste babylonienne des grands officiers de Nabuchodonosor.
*d)* La traduction du dernier mot est incertaine.
*e)* Voir 1 R **7** 15-22.
*f)* Voir 1 R **7** 27-39 et 2 R **16** 17.
*g)* Voir 1 R **7** 23-26 et 2 R **16** 17.

garde prit les encensoirs et les coupes d'aspersion, tout
ce qui était en or et tout ce qui était en argent[a]. [16] Quant
aux deux colonnes, à la Mer unique et aux bases roulantes,
que Salomon avait fabriquées pour le Temple de Yahvé,
on ne pouvait évaluer ce que pesait le bronze de tous ces
objets. [17] La hauteur d'une colonne était de dix-huit coudées, elle avait un chapiteau de bronze et la hauteur du
chapiteau était de cinq coudées; il y avait un treillis et des
grenades autour du chapiteau, le tout en bronze. De même
pour la seconde colonne...[b]

[18] Le commandant de la garde fit prisonnier Seraya,
le prêtre en chef, Çephanyahu, le prêtre en second, et les
trois gardiens du seuil[c]. [19] De la ville, il fit prisonniers un
eunuque, préposé aux hommes de guerre[d], cinq des familiers du roi, qui furent trouvés dans la ville, le secrétaire
du chef de l'armée, chargé de la conscription, et soixante
hommes du pays, qui furent trouvés dans la ville.
[20] Nebuzaradân, commandant de la garde, les prit et les
mena auprès du roi de Babylone à Ribla[e], [21] et le roi de
Babylone les fit mettre à mort à Ribla, au pays de Hamat.
Ainsi Juda fut déporté loin de sa terre.

---

17. « *cinq coudées* » Jr **52** 22, *cf*. 1 R **7** 16; « *trois coudées* » H.
19. « *le secrétaire du chef de* » G Jr **52** 25; « *le secrétaire, chef de* » H.

---

*a*) Pour ce petit mobilier du Temple, voir 1 R **7** 45 et 50.
*b*) L'hébreu a ici deux mots en l'air : « sur le treillis », peut-être une glose
destinée à « grenades » qui précède, peut-être débris d'une description plus
complète, voir Jr **52** 23.
*c*) Sur cette hiérarchie, voir **23** 4.
*d*) Peut-être le commandant militaire, cf. le « grand eunuque », *rab-
sârîs*, **18** 17 et Jr **39** 3, peut-être un administrateur civil de l'armée, le
commandement étant assuré par le roi en personne. Le mot *sârîs* est traduit
communément par « eunuque » mais n'a pas ici, et souvent, d'autre sens
que « dignitaire ».
*e*) Voir le v. 6.

**Godolias,
gouverneur de Juda.**

²² Quant à la population qui était restée dans le pays de Juda et qu'avait laissée Nabuchodonosor, roi de Babylone, celui-ci lui préposa Godolias fils d'Ahiqam fils de Shaphân*ᵃ*. ²³ Tous les officiers des troupes et leurs hommes apprirent que le roi de Babylone avait institué Godolias gouverneur et ils vinrent auprès de lui à Miçpa*ᵇ* : Yishmaël fils de Netanya, Yohanân fils de Qaréah, Seraya fils de Tanhumèt, le Netophite*ᶜ*, Yaazanyahu le Maakatite*ᵈ*, eux et leurs hommes. ²⁴ Godolias leur fit un serment, à eux et à leurs hommes, et leur dit : « Ne craignez rien des Chaldéens, demeurez dans le pays, soyez soumis au roi de Babylone et vous vous en trouverez bien. »

²⁵ Mais, au septième mois, Yishmaël fils de Netanya fils d'Élishama, qui était de race royale, et dix hommes avec lui, vinrent frapper à mort Godolias, ainsi que les Judéens et les Chaldéens qui étaient avec lui à Miçpa. ²⁶ Alors tout le peuple, du plus petit au plus grand, et les chefs des troupes partirent et allèrent en Égypte, parce qu'ils eurent peur des Chaldéens*ᵉ*.

---

24. « *des Chaldéens* » Gᴸ *Syr*; « *des serviteurs des Chaldéens* » H.

---

*a*) Godolias appartenait à une famille de hauts fonctionnaires : son grand-père était peut-être Shaphân, secrétaire de Josias, **22** 12, son père Ahiqam, nommé dans ce même texte, était un personnage influent sous Joiaqim et protégea Jérémie, Jr **26** 24. D'après un sceau trouvé à Lakish, Godolias lui-même aurait été maître du palais sous Sédécias.

*b*) Voir 1 R **15** 22.

*c*) De Nétopha, aux environs de Bethléem.

*d*) D'un clan d'origine calébite, au sud d'Hébron, 1 Ch **2** 48; **4** 19.

*e*) Les vv. 23-26 résument Jr **40** 7 à **41** 18.

**La grâce
du roi Joiakîn**[a].

<sup></sup>‖ Jr **52** 31-34

[27] En la trente-septième année de la déportation de Joiakîn, roi de Juda, au douzième mois, le vingt-sept du mois, Évil-Mérodak[b], roi de Babylone, en l'année de son avènement, fit grâce à Joiakîn, roi de Juda, et le tira de prison[c]. [28] Il lui parla avec faveur et lui accorda un siège supérieur à ceux des autres rois qui étaient avec lui à Babylone. [29] Joiakîn quitta ses vêtements de captif et mangea toujours à la table du roi, sa vie durant. [30] Son entretien fut assuré constamment par le roi, jour après jour, sa vie durant[d].

———

27. « *et le tira* » Jr **52** 31 ; *omis par* H.

*a*) Les vv. 27-30 sont reproduits dans Jr **52** 31-34.
*b*) Awil-Marduk, fils et successeur de Nabuchodonosor, est monté sur le trône en 561, qui est bien la 37ᵉ année de la captivité de Joiakîn, qui commença en 597.
*c*) Sur cette « prison » assez douce, voir la note sur **24** 15.
*d*) Awil-Marduk ne régna que jusqu'en 560. Joiakîn mourut avant cette date, ou bien les successeurs du roi babylonien lui continuèrent la même faveur.

# TABLEAU CHRONOLOGIQUE
## DES ROIS DE JUDA ET D'ISRAËL

### Salomon : vers 960-931

| JUDA | | ISRAËL | |
|---|---|---|---|
| Roboam | 931-913 | Jéroboam Ier | 931-910 |
| Abiyyam | 913-911 | | |
| Asa | 911-870 | Nadab | 910-909 |
| | | Basha | 909-886 |
| | | Éla | 886-885 |
| | | Zimri | 885 |
| | | Omri | 885-874 |
| Josaphat | 870-848 | Achab | 874-853 |
| | | Ochozias | 853-852 |
| Joram | 848-841 | Joram | 852-841 |
| Ochozias | 841 | | |
| Athalie | 841-835 | Jéhu | 841-814 |
| Joas | 835-796 | | |
| | | Joachaz | 814-798 |
| | | Joas | 798-783 |
| Amasias | 796-781 | | |
| | | Jéroboam II | 783-743 |
| Ozias | 781-740 | | |
| | | Zacharie | 743 |
| | | Shallum | 743 |
| | | Menahem | 743-738 |
| Yotam | 740-736 | Peqahya | 738-737 |
| | | Péqah | 737-732 |
| Achaz | 736-716 | | |
| | | Osée | 732-724 |
| | | (Prise de Samarie) | 721 |
| Ézéchias | 716-687 | | |
| Manassé | 687-642 | | |
| Amon | 642-640 | | |
| Josias | 640-609 | | |
| Joachaz | 609 | | |
| Joiaqim | 609-597 | | |
| Joiakîn | 597 | | |
| Sédécias | 597-587 | | |
| (Prise de Jérusalem) | Août 587 | | |

# TABLE

ACHEVÉ D'IMPRIMER SUR LES
PRESSES DE L'IMPRIMERIE
DARANTIERE A DIJON, LE
TRENTE JUIN M. CM. LVIII

Numéro d'édition 4.895
Dépôt légal 2ᵉ trimestre 1958

19231